AMBER
ZŁOTA SERIA

Khaled HOSSEINI

Chłopiec z latawcem

D1241729

Przekład
Jan Rybicki

AMBER

Warszawa
2005

Tytuł oryginału
THE KITE RUNNER

Redaktor serii
MAŁGORZATA CEBO-FONIOK

Redakcja stylistyczna
JOANNA DYLEWSKA

Redakcja techniczna
ANDRZEJ WITKOWSKI

Korekta
KAMILA GONTARZ
AGATA GOŹDZIK

Ilustracje na okładce
MICHAEL WILDSMITH

Opracowanie graficzne okładki
STUDIO GRAFICZNE WYDAWNICTWA AMBER

Skład
WYDAWNICTWO AMBER

Wydawnictwo Amber zaprasza na stronę Internetu
http://www.amber.sm.pl
http://www.wydawnictwoamber.pl

Copyright © 2003 by Khaled Hosseini.
All rights reserved.

For the Polish edition
Copyright © 2004 by Wydawnictwo Amber Sp. z o.o.

ISBN 83-241-1977-9

Książkę tę poświęcam
Harisowi i Farah,
noor moich oczu,
i dzieciom Afganistanu

1

Stałem się tym, kim teraz jestem, kiedy miałem dwanaście lat, pewnego mroźnego, pochmurnego dnia zimą roku 1975. Doskonale pamiętam tę chwilę: skulony za rozsypującym się murkiem z gliny, ostrożnie zapuszczam wzrok w zaułek nad zamarzniętym strumieniem. Dawno temu; zdążyłem jednak przekonać się, że nieprawdą jest to, co mówią o przeszłości – że czas leczy wszelkie rany. Nie leczy – rozdrapuje. Teraz wiem, że w ten opuszczony zaułek spoglądam od dwudziestu sześciu lat.

Któregoś dnia zeszłego lata zatelefonował do mnie z Pakistanu mój przyjaciel Rahim Chan. Prosił, żebym do niego przyjechał. Stojąc w kuchni ze słuchawką przy uchu, wiedziałem, że odezwał się do mnie nie Rahim Chan, lecz dawne, nieodkupione grzechy. Odłożyłem słuchawkę i poszedłem na krótki spacer wzdłuż stawu na północnym skraju parku Golden Gate. Wczesno-popołudniowe słońce odbijało się setkami iskier na wodzie, po której pływały dziesiątki miniaturowych łódek, pchanych chłodnym wiatrem. Potem spojrzałem w górę i zobaczyłem dwa latawce, czerwone, z długimi niebieskimi ogonami. Tańczyły wysoko nad drzewami po zachodniej stronie parku, nad wiatrakami, unosząc się obok siebie w powietrzu jak dwoje oczu spoglądających na San Francisco, miasto, które teraz nazywam moim miastem. I nagle usłyszałem w głowie głos Hassana: „Dla ciebie – tysiąc razy". Hassana – chłopca z latawcem i z zajęczą wargą.

Usiadłem na ławce pod wierzbą. Przypomniało mi się, co pod koniec naszej rozmowy powiedział jakby od niechcenia Rahim Chan: że znowu można być dobrym. Jeszcze raz spojrzałem w górę, na latawce. Pomyślałem o Hassanie. O Babie, Alim, Kabulu. O moim życiu sprzed zimy roku 1975, gdy wszystko się zmieniło. I gdy stałem się tym, kim jestem.

2

W naszym wspólnym dzieciństwie wspinaliśmy się z Hassanem na topole rosnące wzdłuż alejki prowadzącej do domu mojego ojca i dręczyliśmy sąsiadów puszczanymi lusterkiem zajączkami. Siadaliśmy naprzeciw siebie na wysokich gałęziach drzewa, wymachując bosymi nogami, z kieszeniami pełnymi orzechów i suszonych owoców morwy. Jedliśmy je, rzucaliśmy nimi w siebie ze śmiechem i na zmianę bawiliśmy się pękniętym lusterkiem. Ciągle widzę Hassana na drzewie; słońce sączy się przez liście na jego niemal doskonale okrągłą twarz, twarz chińskiej lalki wyrzeźbionej z twardego drewna, na jego płaski, szeroki nos, na oczy wąskie jak liście bambusa – oczy, które w zależności od oświetlenia były albo złote, albo zielone, albo nawet szafirowe. Wciąż jeszcze widzę jego maleńkie, nisko przytwierdzone uszy i wystający, mięsisty podbródek, który wyglądał jak doczepiony. I przerwę w wardze, trochę na lewo od linii nosa – może dłuto twórcy chińskiej lalki obsunęło się po drewnie, a może po prostu się zmęczył i przestał się starać.

Czasem, gdy tak siedzieliśmy na drzewie, udawało mi się namówić Hassana, by orzechem strzelił z procy w jednookiego wilczura naszego sąsiada. Hassan nigdy nie miał na to ochoty, ale jeśli go poprosiłem, tak naprawdę, wtedy mi nie odmawiał. Hassan nigdy mi niczego nie odmawiał. A z procy strzelał jak nikt. Czasem przyłapywał nas na tym Ali, ojciec Hassana, i złościł się – o ile ktoś tak łagodny w ogóle mógł się złościć. Groził nam palcem i ściągał nas z drzewa, i odbierał nam lusterko. Powtarzał to, czego nauczyła go jego matka, że diabeł też puszcza zajączki, by przeszkadzać muzułmanom w modlitwie.

– I się śmieje – dodawał zawsze, surowo patrząc na syna.

– Tak, ojcze – mamrotał wtedy Hassan, wbijając wzrok w ziemię. Ale nigdy nie naskarżył, że to wszystko moje pomysły: i zajączki, i strzelanie orzechami w psa sąsiada.

Topole rosły wzdłuż ceglanego podjazdu, prowadzącego do bramy z kutego żelaza, za nią zaś alejka wiodła w głąb posiadłości ojca. Dom stał na lewo od alejki, ta zaś wiodła dalej na wprost, do ogrodu.

Wszyscy zgodnie twierdzili, że mój ojciec, mój Baba, zbudował najpiękniejszy dom w Uazir Akbar Chan, nowej, bogatej dzielnicy w północnej części Kabulu. Byli i tacy, co mówili, że to najładniejszy dom w całym mieście. Do rozłożystego domu z marmurową posadzką i szerokimi oknami szło się wśród krzewów różanych. Były w nim cztery łazienki, wyłożone na podłodze wymyślną mozaiką, sprowadzoną przez Babę z Isfahanu. Na ścianach wisiały przeplatane złotą nitką kilimy, kupione przezeń w Kalkucie, a ze sklepienia największej sali zwieszał się kryształowy żyrandol.

Na piętrze był mój pokój, sypialnia Baby i jego gabinet, zwany również palarnią, bo zawsze pachniało tam tytoniem i cynamonem. Tam właśnie, po przygotowanej i podanej przez Alego kolacji, rozsiadali się w czarnych skórzanych fotelach Baba i jego przyjaciele. Nabijali fajki – Baba zawsze mówił, że on swoją fajkę „tuczy" – i rozmawiali na trzy ulubione tematy: o polityce, o interesach i o piłce nożnej. Czasem prosiłem Babę, czy mógłbym zasiąść tam z nimi, ale on stawał na progu i mówił: „No, idź do siebie. Tu są teraz dorośli. Nie chcesz sobie czegoś poczytać?" I zamykał drzwi, a ja zastanawiałem się, dlaczego on zawsze ma czas tylko dla dorosłych. Siadałem pod drzwiami z kolanami pod brodą. Czasem siedziałem tam godzinę, czasem dwie, nasłuchując ich śmiechu i rozmów.

Salon na parterze miał półokrągłą ścianę, do której dopasowano długi, wysoki regał. Stały na nim rodzinne zdjęcia w ramkach. Na starej, nieostrej fotografii widać mojego dziadka z królem Nadir Szachem. Zdjęcie zostało zrobione w roku 1931, a więc na dwa lata przed śmiercią monarchy z rąk zamachowca. Dziadek i król stali nad martwym jeleniem, mieli buty z cholewami, na ramionach strzelby. Było też zdjęcie ze ślubu rodziców: Baba w eleganckim czarnym garniturze i moja mama – istna księżniczka w białej sukni. Dalej zdjęcie Baby z najlepszym przyjacielem i wspólnikiem w interesach, Rahimem Chanem. Obaj panowie stali bez uśmiechu przed domem. Na tym zdjęciu było też niemowlę, czyli ja, trzymane przez zmęczonego jakby i zasępionego Babę – moje różowe palce zaciskały się nie na jego dłoni, tylko na dłoni Rahima Chana.

Przez drzwi w półokrągłej ścianie przechodziło się do jadalni. Na środku pysznił się mahoniowy stół, przy którym łatwo zmieściłoby się i trzydziestu gości – i rzeczywiście niemal co tydzień mieściło się ich tyle, bo ojciec lubił wystawne przyjęcia. Na drugim końcu jadalni był wysoki marmurowy kominek, w zimie stale mrugający pomarańczowym blaskiem ognia.

Wielkie rozsuwane, przeszklone drzwi prowadziły na półkolisty taras z widokiem na ogród i wiśniowy sad. Wzdłuż wschodniego muru Baba wraz Alim zasadzili kiedyś mały warzywnik: pomidory, mięta, papryka i nawet zagon kukurydzy, która jednak nigdy się nie udawała. Tę część ogrodu nazywaliśmy z Hassanem „ścianą chorej kukurydzy".

Na południowym krańcu podwórza, w cieniu nieśplikowego drzewa stała służbówka: mała, gliniana chatka, w której wraz ze swym ojcem, Alim, mieszkał Hassan. Tam też, w roku 1964, niespełna rok po tym, jak moja matka zmarła, wydając mnie na świat, narodził się Hassan.

Przez tych osiemnaście lat, które przeżyłem w Kabulu, w mieszkaniu Hassana i Alego byłem dosłownie parę razy. Zwykle, gdy słońce skrywało się za góry, gdy kończyły się nasze zabawy, nasze drogi się rozchodziły. Ja mijałem różane krzewy i wchodziłem do pałacu Baby, Hassan zaś znikał w glinianej chatce, w której się narodził i w której spędził całe życie. Pamiętam tylko, że było tam ciasno, czysto i ciemno mimo dwóch naftowych lamp. Po obu stronach izby leżały dwa materace, między nimi wytarty dywan z Heratu i stołek na trzech nogach, a w rogu drewniany stół, przy którym Hassan rysował. Ściany były gołe, nie licząc kilimu z naszywanymi paciorkami, ułożonymi w napis ALLAH-U-AKBAR. Baba przywiózł go Alemu z jednej ze swoich podróży do Meszhedu.

W tej właśnie izdebce pewnego zimnego, zimowego dnia roku 1964 urodziła Hassana jego matka Sanaubar. Moja matka wykrwawiła się na śmierć przy porodzie – Hassan stracił swoją w niecały tydzień po urodzeniu i to w sposób, który wielu Afgańczyków uznałoby za gorszy od śmierci: matka Hassana uciekła z trupą wędrownych śpiewaków i tancerzy.

Hassan nigdy nie mówił o matce, zupełnie jakby ona wcale nie istniała. Zawsze zastanawiałem się, czy o niej śnił: o tym, jak wygląda, gdzie jest. Zastanawiałem się, czy za nią tęsknił. Aż do bólu, tak jak ja za moją? Pewnego dnia wybraliśmy się we dwójkę do kina Zainab na nowy irański film. Szliśmy skrótem przez koszary niedaleko gimnazjum Istiklal – Baba zabraniał nam tamtędy chodzić, ale był wtedy w Pakistanie z Rahimem Chanem. Przeskoczyliśmy parkan otaczający koszary, potem mały strumyk i znaleźliśmy się w otwartym terenie, gdzie stały stare, porzucone czołgi, na których gromadził się kurz. W cieniu jednego z nich skrywała się przed słońcem grupka żołnierzy. Palili papierosy, grali w karty. Jeden z nich zobaczył nas, trącił łokciem sąsiada i zawołał do Hassana:

– Ej, ty! – powiedział. – Ja cię znam.

Nigdy przedtem go nie widzieliśmy. Był niski, z ogoloną głową, ale za to z kilkudniowym zarostem na twarzy. Uśmiechał się do nas i patrzył tak, że się przestraszyłem.

– Nie zatrzymujmy się – mruknąłem do Hassana.

– Ty, Hazara! Patrz na mnie, kiedy do ciebie mówię! – krzyknął żołnierz ostrzej. Dał swojego papierosa do potrzymania sąsiadowi, złączył czubek kciuka i palca wskazującego jednej ręki, palec drugiej wsadzał w powstałe w ten sposób kółko, a potem wyciągał. Tam i z powrotem, kilka razy. –

A wiesz, że ja znałem twoją mamę? Dobrze ją znałem. Brałem ją od tyłu tu, nad strumieniem.

Żołnierze się zaśmiali. Jeden z nich parsknął obrzydliwie. Powtórzyłem Hassanowi, żeby szedł dalej, żeby się nie zatrzymywał.

– A jaką miała słodką, ciasną cipkę! – wołał za nami ten sam żołnierz. Inni ściskali mu dłonie, uśmiechając się złośliwie. Potem, gdy już byliśmy w kinie, gdy już zaczął się film, słyszałem w ciemności obok siebie szloch Hassana. Po policzkach płynęły mu łzy. Pochyliłem się ku niemu i przytuliłem do siebie. Położył głowę na moim ramieniu.

– Na pewno pomylił cię z kimś innym – szeptałem w kółko. – Pomylił cię z kimś innym.

Podobno nikt specjalnie się nie zdziwił ucieczką Sanaubar. Już bardziej dziwiono się przedtem, że Ali, człowiek, który znał Koran na pamięć, ożenił się z kobietą młodszą od siebie o całe dziewiętnaście lat, piękną, lecz o jak najgorszej reputacji – którą zresztą potwierdziła swoim uczynkiem. Z drugiej strony oboje z Alim byli szyitami i Hazarami; jako jego bliska kuzynka była całkiem naturalną kandydatką na żonę. Poza tym jednak nie mieli ze sobą wiele wspólnego. O ile błyszczące, zielone oczy Sanaubar i jej figlarna twarz podobno wielu mężczyzn przywiodły do grzechu, Ali cierpiał od urodzenia na paraliż dolnych mięśni twarzy, przez co nie potrafił się uśmiechać i chodził z wiecznie posępną miną. Ta jego kamienna twarz wyglądała najdziwniej, gdy cieszył się lub martwił, bo wtedy radość czy smutek widać było tylko w jego skośnych, brązowych oczach. Mówi się, że oczy są oknami duszy; w wypadku Alego było to szczególnie prawdziwe, bo on mógł wyrażać swe uczucia tylko oczyma.

Opowiadano mi, że sugestywny chód Sanaubar i ruchy jej bioder doprowadzały mężczyzn do szaleństwa – i cudzołóstwa; Ali przeszedł w dzieciństwie chorobę Heinego-Medina, po której została mu pamiątka w postaci wykręconej, uschniętej prawej nogi, czy raczej samej kości z cienką jak papier warstwą mięśni, pokrytą bladożółtą skórą. Pamiętam, że raz, kiedy miałem osiem lat, Ali wziął mnie ze sobą na bazar po *nan*. Szedłem za nim, podśpiewując pod nosem, i próbowałem naśladować jego sposób chodzenia. Patrzyłem, jak jego stopa zatacza wielki łuk, jak jego ciało odchyla się nieprawdopodobnie daleko w prawo za każdym razem, gdy staje na chorej nodze. Kiedy sam spróbowałem tak iść, omal nie wpadłem do rynsztoka. Zacząłem chichotać. Ali odwrócił się i przyłapał mnie na tym małpowaniu. Nie powiedział ani słowa. Nigdy się nie obrażał. Poszedł dalej.

Niektóre z mniejszych dzieci z naszej dzielnicy bały się tej twarzy i tego chodu. Gorzej jednak było z dziećmi starszymi, bo te goniły za nim po ulicy i drwiły z niego, gdy przechodził. Nazywały go Babalu, straszydło.

– Ej, Babalu, kogoś dzisiaj zjadł? – wołały ze śmiechem. – Kogoś dzisiaj zjadł, płaskonosy Babalu?

Nazywały go „płaskonosym" z powodu charakterystycznych dla Hazarów mongoloidalnych rysów, widocznych i u Alego, i u Hassana. Przez wiele lat wiedziałem o Hazarach tylko tyle, że są potomkami Mogołów i że wyglądają trochę jak Chińczycy. Szkolne podręczniki prawie o nich nie mówiły – czasem tylko mimochodem wspominały o ich pochodzeniu. Aż któregoś dnia, gdy w gabinecie Baby oglądałem jego rzeczy, znalazłem stary podręcznik historii po mojej mamie. Autorem był Irańczyk o nazwisku Chorami. Zdmuchnąłem kurz z okładki, ukradkiem zabrałem książkę ze sobą do łóżka i ze zdumieniem znalazłem w niej cały rozdział o historii Hazarów. Cały rozdział o plemieniu Hassana! Przeczytałem w nim, że mój naród, Pasztuni, uciskał i prześladował Hazarów. I że w XIX wieku Hazarowie usiłowali powstać przeciw Pasztunom, ale ci „stłumili powstanie w niewyobrażalnie okrutny sposób". Dowiedziałem się z książki, że moi ziomkowie zabijali Hazarów, zabierali im ziemię, palili im domy, a kobiety sprzedawali w niewolę. I że Pasztuni ciemiężyli Hazarów również dlatego, że Pasztuni to sunnici, a Hazarowie są szyitami. Z książki tej dowiedziałem się wielu rzeczy, o których nie mówili nigdy nauczyciele w szkole. Ani oni, ani Baba. Przeczytałem też inne rzeczy, które już wiedziałem: że Hazarów nazywa się „płaskonosymi myszojadami, osłami jucznymi". Niektóre dzieci z naszej dzielnicy tak właśnie przezywały Hassana.

Następnego dnia podszedłem po lekcjach do nauczyciela, pokazałem mu książkę i rozdział o Hazarach. Przerzucił kilka stron, uśmiechnął się z przekąsem i oddał mi książkę.

– No, jedną rzecz szyici potrafią doskonale – powiedział, zbierając swoje papiery. – Potrafią robić z siebie męczenników. – Wymawiając słowo „szyici", zmarszczył nos, jakby mówił o paskudnej chorobie.

Ale mimo wspólnego pochodzenia i pokrewieństwa Sanaubar szydziła z Alego nie gorzej niż dzieci z dzielnicy. Podobno nie kryła swej pogardy dla jego wyglądu.

– To ma być mąż? – drwiła. – Już lepszy byłby stary osioł.

Powszechnie uważano, że małżeństwo z Alim zostało zaaranżowane przez jej ojca, wuja Alego; że Ali ożenił się z kuzynką, by ratować nadszarpnięty honor i dobre imię wuja, choć Ali, który w wieku pięciu lat został sierotą, nie miał ani majątku, ani widoków na jakikolwiek spadek.

Ali nigdy nie reagował na zniewagi, zapewne również dlatego, że nikogo nie potrafiłby dogonić na swej uschniętej nodze. Przede wszystkim jednak był obojętny na wszelkie drwiny i napaści; swoją broń, swoje na nie lekarstwo uzyskał z chwilą, gdy Sanaubar powiła mu Hassana. Sam poród odbył się prosto, bez lekarzy i sprzętu medycznego. Sanaubar rodziła w glinianej chatce, na brudnym materacu, pomagali jej tylko Ali z akuszerką. Wiele pomocy zresztą nie potrzebowała, bo Hassan zachował się zgodnie ze swą naturą nawet przy własnych narodzinach – nie potrafił nikomu wyrządzić krzywdy. Parę jęków, trochę parcia i Hassan pojawił się na świecie. Z uśmiechem na twarzy.

Gadatliwa akuszerka zwierzyła się potem żonie sąsiada – która oczywiście rozpowiedziała to po okolicy – że Sanaubar tylko rzuciła okiem na dziecko, trzymane w rękach przez Alego, zobaczyła zajęczą wargę i zaśmiała się złośliwie.

– No – powiedziała ponoć – to teraz masz małego debilka, żeby mógł się za ciebie uśmiechać!

I nawet nie wzięła Hassana na ręce, a po pięciu dniach już jej nie było.

Baba zgodził dla Hassana tę samą mamkę, która przedtem wykarmiła mnie. Ali opowiadał nam potem, że była niebieskooką Hazarką z Bamian, miasta wielkich posągów Buddy.

– A jak śpiewała, jaki miała śliczny głos!

Zawsze wtedy pytaliśmy z Hassanem, co śpiewała, choć wiedzieliśmy doskonale, bo Ali opowiadał nam tę historię chyba ze sto razy. Po prostu chcieliśmy, żeby Ali znów nam to zaśpiewał.

On zaś chrząkał i zaczynał:

Stanąłem na wysokiej górze
I wezwałem imię Alego, Lwa Bożego.
Ali, Lwie Boży, Królu Ludzi,
Napełnij radością smutne serca nasze.

Potem przypominał nam zawsze, że ci, których wykarmiła ta sama pierś, stają się braćmi, i że tego braterstwa nie zatrze nawet czas.

Byliśmy z Hassanem mlecznymi braćmi. Pierwsze kroki stawialiśmy na tym samym trawniku, w tym samym ogrodzie. I pod tym samym dachem wymówiliśmy pierwsze słowa.

Moje pierwsze słowo brzmiało „Baba".

Jego pierwszym słowem było „Amir". Moje imię.

Gdy teraz to wspominam, mam wrażenie, że to, co stało się zimą roku 1975, i to, co zaszło potem, miało swój początek w tych pierwszych słowach.

3

Wieść gminna głosi, że mój ojciec pokonał kiedyś w Beludżystanie czarnego niedźwiedzia – gołymi rękoma. Gdyby opowiadano to o kimkolwiek innym, od razu uznano by to za *laf*, typowo afgańską przesadę, tę naszą smutną przywarę. U nas gdy ktoś mówi, że ma syna lekarza, to pewnie dzieciak zdał maturę z biologii. Ale nikt nigdy nie wątpił w żadną opowieść o Babie. Zresztą gdyby ktoś jednak wątpił, Baba naprawdę miał na plecach trzy równoległe, poszarpane blizny. Wielokrotnie wyobrażałem sobie, jak te zapasy mogły wyglądać – nawet o nich śniłem. I w tych snach nigdy nie wiedziałem, kto jest Babą, a kto niedźwiedziem.

Autorem sławnego przydomku Baby *Tufan aga*, czyli Pan Huragan, był Rahim Chan. Celne przezwisko, bo mój ojciec był rzeczywiście jak żywioł. Był to wspaniały, rosły okaz Pasztuna: gęsta broda, kędzierzawa, ciemna czupryna, równie niesforna jak jej właściciel, dłonie tak mocne, że chyba mógłby wyrywać nimi drzewa z korzeniami, i spojrzenie, pod którym „i diabeł rzuciłby się na kolana i błagał o litość", jak mawiał Rahim Chan. Gdy prawie dwumetrowy pojawiał się na przyjęciach, wszyscy obecni natychmiast zwracali się ku niemu jak słoneczniki ku słońcu.

O Babie trudno było nie myśleć, nawet śpiąc. Zatykałem uszy watą, zakrywałem głowę kocem, ale chrapanie Baby – przypominające ryk silnika ciężarówki – i tak docierało do mnie przez ściany, mimo że jego pokój był na drugim końcu korytarza. Pozostaje dla mnie tajemnicą, jak mama potrafiła spać z nim w tym samym pokoju. To jedno z długiej listy pytań, jakie zadałbym mamie, gdybym ją znał.

Pod koniec lat sześćdziesiątych – miałem wtedy pięć, może sześć lat – Baba postanowił zbudować sierociniec. Tę historię też znam nie od niego, lecz od Rahima Chana. Opowiedział mi, że Baba sam wyrysował projekt, choć nie miał dotąd nigdy do czynienia z budownictwem. Ludzie mówili, żeby się nie wygłupiał, żeby zatrudnił architekta. Baba oczywiście odmówił. Ludzie kręcili głowami nad jego uporem, ale Babie się udało; wtedy kręcili głową, że tak triumfuje. Wszystkie koszty budowy dwupiętrowego

budynku Baba pokrył z własnej kieszeni; sam grunt – działka przy przeczni-
cy od Dżade Mejwand, wielkiej arterii biegnącej na południe od rzeki Kabul – musiał kosztować majątek. Rahim Chan opowiadał, że Baba płacił za
wszystko: za inżynierów, elektryków, hydraulików i robotników, nie mówiąc już o łapówkach dla urzędników miejskich, którym trzeba było „po-
smarować wąsy".

Budowa trwała trzy lata. Na dzień przed uroczystym otwarciem – miałem
wtedy osiem lat – Baba wziął mnie nad oddalone o kilka kilometrów na
północ od Kabulu jezioro Garga. Powiedział, żebym zabrał Hassana, ale
skłamałem, że Hassan ma biegunkę. Chciałem mieć Babę tylko dla siebie.
W dodatku kiedy byliśmy tam raz z Hassanem i puszczaliśmy kaczki, płaskie kamyki rzucane przez Hassana odbijały się od wody nawet i po osiem
razy, a moje najwyżej pięć. Baba, który był przy tym, poklepał go po plecach. A może nawet objął ramieniem.

Tym razem jednak byliśmy tam tylko we dwóch z Babą. Jedliśmy jaja na
twardo i *kofta*, czyli *nan* z mięsem i piklami. Woda była prawie granatowa;
słońce lśniło w jej gładkiej tafli. W piątki wokół jeziora było zawsze wiele
rodzin, które wyrwały się na świeże powietrze z miasta. Ale my byliśmy
tam w środku tygodnia, więc nad jeziorem spotkaliśmy tylko dwóch długo-
włosych, brodatych turystów. Baba powiedział, że to hipisi. Siedzieli na
pomoście, machając nogami nad wodą, z wędkami w dłoniach. Zapytałem
Babę, dlaczego oni tak zapuszczają włosy, ale on tylko mruknął coś w odpowiedzi. Przygotowywał mowę na następny dzień, więc przeglądał całą stertę zapisanych własnym pismem kartek, tu i tam dokonując poprawek ołówkiem. Ugryzłem kęs jajka i zapytałem Babę, czy to prawda, co opowiadał
mi jeden kolega w szkole: że jeżeli zje się kawałek skorupki, to trzeba ją
potem wysikać. Baba znów tylko mruknął.

Zabrałem się do *kofta*. Jeden z jasnowłosych turystów zaśmiał się i klep-
nął w plecy drugiego. Po drugiej stronie jeziora wspinała się na zbocze góry
jakaś ciężarówka. Słońce odbiło się zajączkiem od jej lusterka.

– Chyba mam *saratan* – powiedziałem. Czyli raka. Baba uniósł głowę
znad powiewających na wietrze papierów i powiedział, żebym poszedł po
oranżadę, jest w bagażniku.

Następnego dnia na otwarciu sierocińca zabrakło krzeseł, bo tyle osób
przyszło obejrzeć uroczystość. Mnóstwo ludzi musiało stać. Dzień był wietrz-
ny. Siedziałem tuż za plecami Baby na małym podeście przed samym wejściem do nowego budynku. Baba miał na sobie zielony garnitur i karakułową czapkę. W połowie przemówienia wiatr zdmuchnął mu czapkę. Wszyscy

roześmiali się; Baba skinął na mnie i dał mi czapkę do potrzymania. Ucieszyłem się, bo dzięki temu wszyscy zobaczyli, że to mój ojciec, mój Baba. Wrócił do mikrofonu i powiedział, że ma nadzieję, iż budynek będzie trzymał się lepiej niż ta czapka. Ludzie znów się śmiali, a gdy skończył przemówienie, wstali i długo bili brawo. I podchodzili, by uścisnąć mu dłoń. Niektórzy podawali też rękę i mnie, i tarmosili mnie za włosy. Byłem dumny. I z Baby, i z nas obu.

Ale mimo tych wszystkich sukcesów ludzie zawsze wątpili w Babę. Mówili, że nie ma głowy do interesów, że powinien był zostać prawnikiem, jak jego ojciec. Baba musiał więc wszystkim udowodnić, że nie mają racji: został jednym z najbogatszych kupców w Kabulu. Wraz z Rahimem Chanem prowadzili dwie apteki i restaurację oraz niezwykle rentowną firmę eksportującą dywany.

Mówiono z przekąsem, że nie ożeni się dobrze – w końcu nie płynęła w nim krew królewska – a tymczasem pojął za żonę moją matkę, Sofię Akrami, świetnie wykształconą, jedną z najbardziej szanowanych, najpiękniejszych i najcnotliwszych kobiet Kabulu, która nie tylko wykładała na uniwersytecie literaturę perską, lecz również pochodziła z rodziny królewskiej. Ojciec chętnie zadręczał tym tych, którzy w niego wątpili, nazywając ją swoją „królewną".

Ojciec tworzył sobie świat tak, jak mu się podobało. Tylko ze mną mu się nie udało. Rzecz w tym, że Baba widział świat wyłącznie na czarno lub na biało. I sam decydował, co jest czarne, a co białe. A z kimś, kto myśli w ten sposób, nie sposób żyć bez strachu. A może nawet bez odrobiny nienawiści.

Gdy byłem w piątej klasie, uczył nas religii mułła Fatiullah Chan, niski, krępy człowieczek o ospowatej twarzy i chrapliwym głosie. Mówił nam o *zaka*, obowiązku jałmużny, i o *hadżdż*, obowiązku pielgrzymki do Mekki; uczył nas skomplikowanego systemu *namaz*, pięciu codziennych modlitw, kazał uczyć się na pamięć wersetów Koranu. A choć nigdy nie tłumaczył ich nam na nasz język, pilnował – często posługując się ogołoconą z liści witką wierzbową – abyśmy poprawnie wymawiali arabskie słowa, bo wtedy Bóg lepiej nas zrozumie. Kiedyś powiedział, że według islamu picie alkoholu jest grzechem ciężkim, za który ci, co piją, odpowiedzą w *Kijamat*, dzień Sądu Ostatecznego. W tamtych czasach alkohol był w Kabulu na porządku dziennym – w każdym razie nikt nikomu nie wymierzał chłosty za picie. Mimo to ci Afgańczycy, którzy pili, czynili to po kryjomu – właśnie z szacunku dla religii. Butelki whisky kupowano więc jako „lekarstwo" w wybranych „aptekach", skąd wynoszono je w brązowych, papierowych torbach, skrywanych za pazuchą, by nie narażać się na groźne spojrzenia tych, którzy znali reputację tego czy innego sklepu.

Któregoś dnia siedzieliśmy we dwójkę w gabinecie Baby, w jego „palarni". Powtórzyłem, co powiedział nam w szkole mułła Fatiullah Chan. Baba właśnie podszedł do barku w kącie pokoju – sam go zbudował – i nalewał sobie whisky do szklanki. Wysłuchał mnie, pokiwał głową, upił łyk, po czym rzucił się na skórzaną kanapę, odstawił szklankę i posadził mnie sobie na kolanach. Poczułem się, jakbym siedział na dwóch wielkich pniakach. Wziął głęboki dech, wypuścił nosem powietrze, które jakby przez całą wieczność szumiało mu w wąsach. Nie wiedziałem, czy mam go uściskać, czy uciec mu z kolan w śmiertelnych strachu.

– Coś mi się zdaje, że mylisz to, czego uczysz się w szkole, z prawdziwą wiedzą – odezwał się wreszcie swym grubym głosem.

– Ale jeżeli on ma rację, to czy ty jesteś grzesznikiem, Baba?

– Hm – Baba rozgryzł kostkę lodu. – Chcesz się dowiedzieć, co twój ojciec myśli o grzechu?

– Tak.

– To ci powiem. Ale najpierw musisz zrozumieć jedno, Amir: od tych brodatych baranów nie nauczysz się niczego ważnego.

– Od mułły Fatiullaha Chana?

Baba poruszył dłonią, w której trzymał szklankę. Zabrzęczał lód.

– Od niego, od innych takich jak on. Sikam w te ich brody. Banda świętoszkowatych małp...

Zachichotałem. Zachwyciła mnie sama myśl, że Baba mógłby komuś sikać w brodę. Nawet świętoszkowatej małpie.

– Oni tylko macają paluchami paciorki różańca i recytują coś z książki, napisanej w języku, którego nawet nie rozumieją. – Znów pociągnął łyk whisky. – Niech Bóg ma nas w swojej opiece, gdyby kiedykolwiek Afganistan wpadł w ich łapy.

– Ale wydawało mi się, że mułła Fatiullah Chan jest taki miły – udało mi się wykrztusić mimo śmiechu.

– Czyngis-chan też mógł się wydawać miły – odparł Baba. – No, ale dość o tym. Pytałeś mnie o grzech, więc ci odpowiem. Słuchasz?

– Tak – odpowiedziałem, zaciskając wargi. Na nieszczęście znów parsknąłem śmiechem, tym razem przez nos, a to jeszcze bardziej mnie rozśmieszyło.

Twardy jak kamień wzrok Baby wbił się w moje oczy. Nagle przestałem chichotać.

– Chcę choć raz pogadać z tobą jak mężczyzna z mężczyzną. Potrafisz się opanować?

– Tak, Baba-dżan – wymamrotałem, nie pierwszy raz nie mogąc wyjść z podziwu, jak boleśnie Baba potrafi dotknąć mnie kilkoma zaledwie słowami. Przez chwilę było tak dobrze, a ja musiałem to zepsuć.

– W porządku – powiedział Baba, ale jego wzrok już krążył gdzieś nade mną. – Słuchaj. Mułła niech sobie mówi, co chce, ale tak naprawdę istnieje tylko jeden grzech. Kradzież. Każdy grzech to jakaś forma kradzieży. Rozumiesz?

– Nie, Baba-dżan – szepnąłem, pragnąć z całych sił zrozumieć. Nie chciałem znowu go zawieść.

Baba westchnął ze zniecierpliwieniem. To też mnie zabolało, bo z natury wcale nie był niecierpliwy. Pamiętałem dobrze, ile razy wracał do domu po zmroku, ile razy musiałem jeść kolację bez niego. Wiedziałem, że jest na budowie, że musi wszystkiego osobiście dopilnować – to najlepiej świadczyło, jaki jest cierpliwy. Zdążyłem serdecznie znienawidzić dzieci, dla których budował sierociniec. Czasem żałowałem, że nie pomarły wraz z rodzicami.

– Kto zabija, kradnie czyjeś życie – tłumaczył Baba. – Kradnie żonie męża, dzieciom ojca. Kto kłamie, kradnie komuś innemu prawo do prawdy. Kto oszukuje, okrada kogoś z prawa do uczciwego prowadzenia interesów. Zrozumiałeś?

Zrozumiałem. Kiedy Baba miał sześć lat, do domu mojego dziadka zakradł się złodziej. Dziadek, powszechnie szanowany sędzia, przyłapał go na gorącym uczynku, ale złodziej zadał mu cios nożem w gardło i zabił na miejscu – w ten sposób okradając Babę z ojca. Ludzie z miasta złapali winowajcę następnego dnia jeszcze przed południem; okazał się nim włóczęga gdzieś z Kunduz. Powieszono go na gałęzi dębu na dwie godziny przed popołudniową modlitwą. Opowieść tę usłyszałem od Rahima Chana, nie od Baby. Wielu rzeczy o Babie dowiadywałem się od innych, a nie od niego.

– Amir, nie ma gorszego czynu niż kradzież – dodał Baba. – Kto bierze to, co do niego nie należy, wszystko jedno, czy życie, czy kawałek chleba... Pluję na kogoś takiego. Niech Bóg ma w swojej opiece złodzieja, który stanie na mojej drodze. Zrozumiałeś?

Przed oczyma stanął mi przerażający, ale i ekscytujący widok Baby, okładającego złodzieja pięściami.

– Zrozumiałem, Baba.

– A jeśli Bóg istnieje, to ma na głowie ważniejsze sprawy niż zastanawianie się, czy nie piję, czy nie jem wieprzowiny. No, złaź. Przez całe to gadanie muszę się jeszcze napić.

Patrzyłem, jak znów napełnia szklankę, zastanawiałem się, ile czasu upłynie, zanim znów tak sobie porozmawiamy. Bo, prawdę mówiąc, zawsze podejrzewałem, że Baba trochę mnie nienawidzi. Nie byłoby w tym nic dziwnego, bo przecież zabiłem mu jego ukochaną żonę, jego piękną królewnę. Gdybym miał w sobie choć odrobinę przyzwoitości, to przynajmniej mógłbym być bardziej taki jak on. Ale nie byłem. Ani trochę.

W szkole mieliśmy zabawę, którą nazywaliśmy *Szerdżangi*, czyli „walka na wiersze". Prowadził ją nasz nauczyciel perskiego. Polegała na tym, że recytowało się jeden wers jakiegoś utworu, a przeciwnik miał minutę, by odpowiedzieć linijką zaczynającą się na tę literę, na którą kończył się pierwszy wers. Wszyscy w klasie chcieli być ze mną w drużynie, bo już w wieku jedenastu lat potrafiłem sypać wersetami Chajjama czy Hafeza, cytować sławne *masnawi* Rumiego. Kiedyś zmierzyłem się sam z całą klasą – i wygrałem. Wieczorem pochwaliłem się przed Babą, ale on tylko skinął głową i powiedział: „W porządku".

Od chłodu ojca uciekałem w książki matki. Od ojca, a potem oczywiście też od Hassana. Czytałem wszystko: Rumiego, Hafeza, Sadiego, Hugo, Verne'a, Twaina, Fleminga. Kiedy przeczytałem wszystkie książki mamy – nie ruszałem tylko tych nudnych, historycznych, wolałem powieści albo epickie poematy – zacząłem wydawać na książki własne kieszonkowe. Co tydzień kupowałem sobie nową w księgarni niedaleko kina Park. Wkrótce skończyły mi się półki w pokoju, więc książkami zapełniałem tekturowe pudła.

Oczywiście ożenić się z poetką to jedno, a spłodzić syna, który woli książki od polowania, to coś zupełnie innego. Baba na pewno inaczej sobie to wymarzył. Prawdziwy mężczyzna nie czyta wierszy, a żeby miał je pisać – uchowaj Boże! Prawdziwy mężczyzna – prawdziwy chłopiec – gra w piłkę, tak jak Baba, gdy sam był chłopcem. Piłka nożna – no, tym to można się pasjonować. W roku 1970 Baba porzucił na miesiąc pracę na budowie sierocińca i poleciał do Teheranu oglądać mistrzostwa świata; w Afganistanie nie było wtedy telewizji. Zapisywał mnie nawet to do jednej, to do innej drużyny, ale byłem do niczego i tylko przeszkadzałem kolegom, bo zawsze albo odbijało się ode mnie podanie do kogoś innego, albo stawałem komuś z własnej drużyny na drodze, gdy biegł z piłką na bramkę przeciwnika.

Biegałem po boisku na chudych nogach i darłem się o podania, których jakoś nigdy nie otrzymywałem. A im bardziej wymachiwałem rękami, im głośniej wrzeszczałem „nikt mnie nie pilnuje, nikt mnie nie pilnuje!", tym bardziej nikt nie zwracał na mnie uwagi. Baba się nie poddawał. Gdy stało się aż nadto jasne, że nie odziedziczyłem po nim ani krztyny zdolności sportowych, próbował choć uczynić ze mnie kibica. Na to przecież chyba mnie stać? Długo udawało mi się udawać, że choć w ten sposób sport mnie interesuje. Wraz z Babą krzyczałem z radości, gdy drużyna z Kabulu strzeliła bramkę Kandaharowi, i miotałem przekleństwa pod adresem sędziego, gdy dyktował karnego przeciwko „naszym". Ale Baba w końcu zorientował się w sytuacji i pogodził się ze smutnym dla niego faktem, że jego syn nie będzie ani zawodnikiem, ani nawet kibicem piłki nożnej.

Pamiętam, jak Baba zabrał mnie kiedyś na doroczny turniej *Buzkaszi*, odbywający się zawsze w pierwszy dzień wiosny, czyli w Nowy Rok. *Buzkaszi* to wciąż jeszcze narodowy sport Afganistanu. *Czapandaz*, świetny jeździec, zwykle utrzymywany przez bogatych miłośników tej dyscypliny, musi wyrwać z kłębowiska innych zawodników trup kozy lub owcy, objechać z nim konno, i to galopem, całe boisko, i rzucić go w zakreślone na ziemi koło. Inni *czapandaz* pędzą za nim i na wszelki sposób starają się wyrwać mu zdobycz – wolno kopać, drapać, okładać się pięściami i batem. Tego dnia tłum dosłownie szalał, gdy uwijający się po boisku jeźdźcy wznosili bojowe okrzyki i wyrywali sobie „piłkę" w tumanach kurzu. Ziemia drżała od tętentu końskich kopyt. Z wysokości trybun patrzyliśmy na mijających nas w pędzie, rozwrzeszczanych zawodników na toczących pianę z pysków, galopujących koniach.

W pewnej chwili Baba pokazał palcem.

– Amir, widzisz tego tam, na trybunie honorowej? Tego w środku?

Zobaczyłem, o kogo mu chodzi.

– To Henry Kissinger.

– Aha – powiedziałem. Nie miałem pojęcia, kto to taki Henry Kissinger, ale nim zdążyłem zapytać, ku mojemu przerażeniu jeden *czapandaz* runął na ziemię wprost pod końskie kopyta. Jego ciałem rzucało przez chwilę na wszystkie strony jak szmacianą lalką, wreszcie potoczyło się na bok. Nieszczęśnik drgnął tylko raz i legł bez ruchu. Jego nogi leżały pod nienaturalnym kątem, piasek zabarwił się krwią.

Rozpłakałem się.

Płakałem całą drogę do domu. Dobrze pamiętam, jak mocno zaciskały się na kierownicy palce Baby. Jak coraz mocniej ją ściskały. I pamiętam też, jak przez całą drogę Baba usiłował rozpaczliwie ukryć obrzydzenie moim zachowaniem. Nie odezwał się ani słowem.

Gdy wieczorem tego samego dnia przechodziłem obok gabinetu Baby, usłyszałem, że rozmawia z Rahimem Chanem. Przycisnąłem ucho do zamkniętych drzwi.

– ...że jest zdrowy – mówił właśnie Rahim Chan.

– Wiem, wiem. Tylko że on tylko albo siedzi z nosem w książkach, albo snuje się po domu jak lunatyk.

– No to co?

– To, że ja taki nie byłem. – Głos Baby był zniechęcony, prawie gniewny. Rahim Chan zaśmiał się.

– Dzieci to nie książeczki do kolorowania. Nie da się ich wymalować tak, jak się chce.

– Mówię ci – upierał się Baba. – Ja taki nie byłem. Ani ja, ani inne dzieci, z którymi dorastałem.

– Wiesz co, czasem myślisz tylko o sobie – powiedział Rahim Chan. Był jedynym człowiekiem na świecie, który mógł Babie mówić takie rzeczy w twarz.

– To nie ma nic do rzeczy.

– Na pewno?

– Na pewno.

– A co ma?

Usłyszałem skrzypnięcie skóry na kanapie. Widocznie Baba się na niej poprawiał. Przymknąłem oczy i mocniej przycisnąłem ucho do drzwi, chcąc usłyszeć, co powiedzą, i nie chcąc usłyszeć.

– Czasem wyglądam przez okno i patrzę, jak bawi się z chłopcami z ulicy. Widzę, jak go popychają, zabierają mu zabawki, tu jeden go szturchnie, tam drugi. A on nic, nawet się nie broni. On tylko... spuszcza głowę i...

– No, to nie jest agresywny. I co z tego? – zapytał Rahim Chan.

– Wiesz, że nie o to mi chodzi, Rahim – odparł Baba. – Czegoś mu brak.

– No pewnie. Złośliwości.

– Samoobrona to nie to samo co złośliwość. Wiesz, co się dzieje, kiedy tamci mu dokuczają? Hassan nadstawia karku za niego. Sam widziałem. Potem wracają do domu, pytam się, co się Hassanowi stało, że taki podrapany na twarzy, a Amir na to: „A, wywrócił się”. Mówię ci, Rahim, jemu czegoś brak.

– Wystarczy, że mu pozwolisz, by odnalazł własną drogę – powiedział Rahim Chan.

– Ale dokąd go zaprowadzi? – zapytał Baba. – Jeżeli chłopak sam nie umie się bronić, to wyrośnie z niego mężczyzna, który nie umie bronić niczego.

– Jak zwykle upraszczasz sprawę.

– Wcale nie.

– Jesteś zły, bo się boisz, że nie przejmie po tobie interesów.

– No i kto tu upraszcza? – powiedział Baba. – Słuchaj, wiem, że wy się lubicie, i cieszę się z tego. Trochę zazdroszczę, ale się cieszę. Naprawdę. Jemu potrzeba kogoś, kto... kto go zrozumie, bo Bóg mi świadkiem, że ja nie potrafię. Jest w nim coś, co mnie niepokoi. To tak, jakbym... – Czułem, że szuka właściwych słów. Zniżył głos, ale i tak usłyszałem, co mówi. – Gdybym nie widział na własne oczy, że doktor wyciągnął go z mojej żony, to nigdy bym nie uwierzył, że to mój syn.

Następnego ranka, gdy Hassan zapytał mnie, przygotowując mi śniadanie, czy coś mi jest, rzuciłem chłodno, żeby się odczepił.

Rahim Chan nie miał racji, gdy mówił, że nie jestem agresywny.

4

W roku 1933, tym samym, w którym urodził się Baba, a Zandar Szach rozpoczął swe czterdziestoletnie panowanie w Afganistanie, dwaj bracia, młodzieńcy z bogatej i szanowanej kabulskiej rodziny, zasiedli za kierownicą wyścigowego forda swego ojca. Otumanieni haszyszem i francuskim winem przejechali na drodze do Pagmanu podążające nią hazarskie małżeństwo. Policja przyprowadziła obu dość skruszonych winowajców i pięcioletniego sierotę po ofiarach wypadku przed oblicze mojego dziadka, szanowanego sędziego o nieposzlakowanej reputacji. Wysłuchawszy zeznań obu braci i wysłuchawszy próśb o łaskawy wyrok ze strony ich ojca, dziadek natychmiast nakazał obu młodzieńcom, by udali się do Kandaharu i tam wstąpili na rok do wojska – choć przedtem rodzinie udało się ich zwolnić od poboru. Ojciec winowajców protestował, ale bez przekonania. Powszechnie uznano, że wyrok, choć może surowy, był jak najbardziej sprawiedliwy. Sierotę zaś dziadek wziął do swego domu i kazał przysposobić do służby, zaznaczając, że należy się z chłopcem obchodzić łagodnie. Chłopcem tym był Ali.

Ali i Baba od dziecka bawili się razem – przynajmniej do czasu, gdy choroba wykrzywiła Alemu nogę – dokładnie tak, jak o pokolenie później ja dorastałem razem z Hassanem. Baba wciąż opowiadał nam, jak wspólnie psocili. Ali kręcił wtedy głową i powtarzał:

– Ależ sahibie ago, proszę im powiedzieć, kto był prowodyrem, a kto tylko nieszczęsnym wykonawcą?

Baba śmiał się i obejmował Alego ramieniem.

Ale w swych opowieściach Baba nigdy nie nazywał Alego przyjacielem. To ciekawe, że ja też nigdy nie myślałem o sobie i o Hassanie jako o przyjaciołach. Przynajmniej takich prawdziwych. Cóż z tego, że uczyliśmy się nawzajem jeździć bez trzymanki na rowerze, że razem robiliśmy aparat fotograficzny z tekturowego pudełka? Cóż z tego, że całą zimę puszczaliśmy latawce i goniliśmy za nimi? Cóż z tego, że Afganistan kojarzy mi się dziś przede wszystkim z twarzą chłopca o drobnej, wygolonej czaszce z nisko osadzonymi uszami – rozświetloną nieschodzącym z zajęczej wargi uśmiechem twarzą chłopca o rysach chińskiej lalki?

Cóż z tego – historii nie da się tak po prostu odrzucić. Ani historii, ani religii. W końcu ja byłem Pasztunem, on Hazarą, ja sunnitą, on szyitą, i nic nie mogło tego zmienić. Nic a nic.

Ale oprócz tego byliśmy dziećmi, które razem uczyły się raczkować, i tego z kolei też nie zmieni ani historia, ani społeczeństwo, ani religia, ani przynależność do tego czy innego plemienia. Pierwsze dwanaście lat mego życia spędziłem na zabawach z Hassanem. Czasem wydaje mi się, że całe moje dzieciństwo było jednym długim, rozleniwiającym, letnim dniem, spędzonym razem z Hassanem na gonitwach po ogrodzie ojca, na zabawie w chowanego, w policjantów i złodziei, w kowbojów i Indian, na dręczeniu owadów – naszym największym osiągnięciem w tej ostatniej dziedzinie było wyrwanie osie żądła i przywiązanie nieszczęsnemu stworzeniu długiej nitki, za którą ściągaliśmy je w dół, ilekroć zrywało się do lotu.

Goniliśmy też za *Koczi*, koczownikami wędrującymi przez Kabul w góry na północy. Gdy tylko słyszeliśmy odgłosy ich zbliżających się karawan, beczenie owiec, meczenie kóz, brzęczenie dzwonków wielbłądów, wybiegaliśmy z domu, by przyglądać się, jak karawana ciągnie naszą ulicą. Mężczyźni mieli zakurzone, ogorzałe od wiatru twarze, ich kobiety, ubrane w długie, kolorowe chusty i przystrojone sznurami paciorków, dzwoniły srebrnymi bransoletami na rękach i kostkach. My rzucaliśmy kamykami w ich kozy i polewaliśmy wodą ich muły. Zmuszałem Hassana, by wspinał się na „ścianę chorej kukurydzy” i raził z procy wielbłądzie zady.

Razem obejrzeliśmy też nasz pierwszy zachodni film – *Rio Bravo* z Johnem Waynem w kinie Park naprzeciw mojej ulubionej księgarni. Pamiętam, że po powrocie do domu błagałem Babę, by zabrał nas do Iranu i przedstawił Johnowi Wayne'owi. Baba wybuchnął donośnym, gardłowym śmiechem – dźwięk ten przypominał warkot silnika na wysokich obrotach. Gdy odzyskał głos, wytłumaczył nam, na czym polega dubbing. Byliśmy z Hassanem wstrząśnięci: John Wayne tak naprawdę nie umie po persku i nie jest Irańczykiem, tylko Amerykaninem! Tak samo jak ci przyjacielscy, długowłosi ludzie, włóczący się po Kabulu w podartych, barwnych koszulach! Na *Rio Bravo* byliśmy trzy razy, a na naszym ulubionym westernie, *Siedmiu wspaniałych* – trzynaście razy. I płakaliśmy za każdym razem, gdy meksykańskie dzieci składały Charlesa Bronsona do grobu – jak się okazało, on też wcale nie był Irańczykiem.

Spacerowaliśmy po woniejących stęchlizną bazarach kabulskiej dzielnicy Szar-e-Nau, czyli po tak zwanym Nowym Mieście na zachód od Uazir Akbar Chan. W kłębiącym się tłumie *bazarris* rozmawialiśmy o ostatnio oglądanym filmie. Przymykaliśmy się między kupcami i żebrakami, wędrowaliśmy wąskimi zaułkami, pełnymi małych, stojących niemal jeden na drugim kramów. Baba dawał nam obu kieszonkowe w wysokości dziesięciu afgani – wszystko to szło na ciepłą coca-colę i lody różane posypane okruchami orzeszków pistacjowych.

Podczas roku szkolnego mieliśmy ustalony porządek dnia. Nim zwlokłem się z łóżka i dotarłem do łazienki, Hassan zdążył się umyć, odmówić poranny *namaz* z Alim i przygotować mi śniadanie: gorąca, czarna herbata z trzema kostkami cukru i kawał opieczonego *nan* z moją ulubioną marmoladą wiśniową już czekały na stole w jadalni. Ja jadłem i jęczałem, że znowu tyle mi zadano, Hassan słał mi łóżko, czyścił buty, prasował szkolny strój, pakował książki i ołówki. Gdy prasował, z korytarza dobiegał jego śpiew – zawsze śpiewał swym nosowym głosem stare pieśni Hazarów. A potem ja i Baba odjeżdżaliśmy czarnym fordem mustangiem ojca – auto budziło powszechną zazdrość, bo przecież takim samym jeździł Steve McQueen w *Bullicie*, filmie, który przez pół roku nie schodził w Kabulu z afisza. A Hassan zostawał w domu i pomagał Alemu w codziennych obowiązkach: robił pranie, potem rozwieszał je w ogrodzie, zamiatał, chodził po *nan* na bazar, marynował mięso na obiad, podlewał trawę.

Po szkole spotykaliśmy się z Hassanem, czasem kupowaliśmy nową książkę i biegliśmy na pękate wzgórze na południowym obrzeżu posiadłości ojca w Uazir Akbar Chan. Na wzgórzu był stary opuszczony cmentarzyk o zarośniętych chwastami alejkach wśród bezimiennych nagrobków. Deszcze i śniegi wielu zim sprawiły, że żelazna brama cmentarza przeżarta była rdzą; kamienny murek chylił się ku ruinie. Przy wejściu rosło drzewo granatowe. Któregoś letniego dnia jednym z kuchennych noży Alego wyryłem na nim napis: AMIR I HASSAN, SUŁTANI KABULU. Tym oto uroczystym aktem wzięliśmy drzewo w posiadanie. Po szkole wraz z Hassanem właziliśmy na nie i zrywaliśmy jego krwiste owoce. Jedliśmy je, wycieraliśmy dłonie w trawę, a ja zaczynałem czytać Hassanowi.

Hassan siedział w kucki, słońce i cień drzewa tańczyły mu na twarzy. Z roztargnieniem wyrywał z ziemi źdźbła trawy, ja zaś czytałem mu, bo sam nie umiał. Że Hassan pozostanie analfabetą takim samym jak Ali i większość Hazarów – to było wiadomo już od urodzenia, może nawet od chwili, gdy Hassan począł się w niegościnnym łonie Sanaubar – bo po co służącemu słowo pisane? Lecz mimo to, a może właśnie dlatego, Hassana pociągała tajemnica słów, urzekał go ten tajemniczy, zakazany świat. Czytałem mu wiersze i opowiadania, czasem też zagadki – choć potem przestałem, gdy okazało się, że rozwiązuje je znacznie lepiej ode mnie. Czytałem więc rzeczy proste, takie jak przygody Nasruddina, mułły nieudacznika, i jego osła. Potrafiliśmy siedzieć pod drzewem całymi godzinami, dopóki słońce nie zaczynało kryć się na zachodzie. Hassan zawsze przekonywał mnie, że światła starczy na jeszcze jedną bajkę, jeszcze jeden rozdział.

Najbardziej lubiłem, gdy w tekście trafiało się jakieś trudne, nieznane Hassanowi słowo. Śmiałem się wtedy z niego i udowadniałem mu jego ignorancję. Raz na przykład, gdy znów czytałem mu o Nasruddinie, przerwał mi i zapytał:

– A co znaczy to słowo?

– Które?

– Imbecyl.

– Nie wiesz? – odpowiedziałem, uśmiechając się złośliwie.

– Nie, Amirze ago.

– Ale to przecież takie proste słowo!

– Ale ja go nie znam. – Jeżeli wyczuwał moją złośliwość, to jego uśmiechnięta twarz nigdy tego nie okazywała.

– W szkole wszyscy je znają – powiedziałem. – No dobrze. Imbecyl to ktoś mądry, inteligentny. Ułożę ci zdanie: „Jeśli chodzi o słowa, Hassan to imbecyl".

– Aaa. – I pokiwał głową.

25

Potem zawsze miałem wyrzuty sumienia, więc starałem je w sobie zagłuszyć, oddając Hassanowi starą koszulę albo zepsutą zabawkę. Tłumaczyłem sobie, że to wystarczające zadośćuczynienie za taki niewinny żart. Ulubioną książką Hassana była niewątpliwie *Szahname*, epopeja o dawnych perskich bohaterach z X wieku. Hassan lubił wszystkie rozdziały: o dawnych szachach, o Feridunie, Zalu i pięknej Rudabe. Jednak obaj najbardziej kochaliśmy opowieść o wielkim wojowniku Rostamie i jego rączym rumaku Rachszu. Rostam śmiertelnie rani w walce swego walecznego przeciwnika Sohraba i wtedy okazuje się, że ranny jest jego synem. Rostam w rozpaczy wysłuchuje ostatnich słów syna:

Jeśliś doprawdy mym ojcem, toś splamił miecz swój krwią syna. Z twojego uporu to uczyniłeś, ja bowiem pragnąłem cię miłować. Dlatego błagałem, byś wyjawił mi swe imię, bo zdało mi się, że rozpoznaję w tobie cnoty, o których mówiła mi matka. Ale na próżno kołatałem do twego serca. Teraz za późno...

– Jeszcze raz, Amirze ago, przeczytaj to jeszcze raz – prosił zawsze Hassan. Czasem jego oczy wzbierały łzami. Zawsze zastanawiałem się wtedy, nad kim płacze. Czy nad zrozpaczonym Rostamem, który drze na sobie szaty i obsypuje głowę popiołem, czy nad umierającym Sohrabem, tak spragnionym ojcowskiej miłości? Osobiście w losie Rostama nie widziałem nic tragicznego – bo czyż nie wszyscy ojcowie nie pragną w duszy zabić swych synów?

Pewnego dnia w lipcu 1973 roku spłatałem Hassanowi nowego figla. Czytałem mu coś i nagle odszedłem od tego, co było w książce. Udawałem, że czytam, regularnie odwracając kartki, ale opowiadałem mu już całkiem coś innego, coś, co sam wymyśliłem. Hassan oczywiście niczego nie zauważył. Dla niego słowa na kartce były niezrozumiałym szyfrem, do którego ja miałem klucz. Gdy skończyłem, z trudem hamując śmiech, zapytałem, czy mu się podobało. Hassan zaczął bić brawo.

– Co ty robisz? – zapytałem.

– Od dawna nie czytałeś mi czegoś tak dobrego – powiedział, nie przestając klaskać.

Zaśmiałem się.

– Serio?

– Serio.

– Fascynujące – mruknąłem do siebie. Rzeczywiście byłem zafascynowany. Nie tego się spodziewałem. – Jesteś pewny?

On wciąż klaskał.

– To było wspaniałe, Amirze ago. Jutro poczytasz mi dalej?

– Fascynujące – powiedziałem, nie mogąc złapać tchu. Czułem się jak ktoś, kto znalazł we własnym ogródku cenny skarb. Gdy schodziliśmy ze wzgórza, to, co działo się w mojej głowie, przypominało fajerwerki w Czaman. Hassan powiedział, że dawno nie czytałem mu czegoś równie dobrego. A przecież czytałem mu tyle rzeczy... Dopiero po chwili zorientowałem się, że mnie o coś pyta.

– Co takiego?

– A co to znaczy „fascynujące"?

Zaśmiałem się. Uściskałem go i ucałowałem w policzek.

– A to za co? – zapytał zdziwiony, zaczerwieniony.

Dałem mu przyjacielskiego kuksańca. I uśmiechnąłem się.

– Jesteś wielki, Hassanie. Jesteś wielki. Uwielbiam cię.

Tego samego wieczoru napisałem swoje pierwsze opowiadanie. Zabrało mi to pół godziny. Była to krótka, smutna historia człowieka, który znalazł czarodziejski kielich i odkrył, że za każdym razem, gdy płacze nad kielichem, łzy zamieniają się w nim w perły. Człowiek ten jednak, choć biedny, był całe życie szczęśliwy i rzadko się zdarzało, by uronił choć jedną łzę. Wymyślił więc, jak wprawiać się w smutek, by bogacić się na własnych łzach. Miał coraz więcej pereł, ale stawał się też coraz bardziej chciwy. Opowiadanie kończyło się tak, że człowiek ten siedział na górze pereł z nożem w dłoni i płakał rzewnie w kielich, trzymając w ramionach ciało swej ukochanej żony, którą sam zabił.

Gdy skończyłem, poszedłem po schodach do palarni Baby, niosąc dwie kartki, na których napisałem tę historyjkę. Gdy stanąłem w drzwiach, Baba i Rahim Chan palili fajki i sączyli koniak.

– O co chodzi, Amir? – zapytał Baba, odchylając się na oparcie kanapy i zakładając obie dłonie za głowę. Wokół jego twarzy snuły się kłęby niebieskiego dymu. Pod jego spojrzeniem zaschło mi w gardle. Odchrząknąłem i powiedziałem, że napisałem opowiadanie.

Baba pokiwał głową i rzucił mi lekki uśmiech, w którym wyczułem całkowity brak zainteresowania.

– Świetnie, świetnie – powiedział. Nic więcej. I tylko patrzył na mnie przez kłęby dymu.

Stałem tak przed nim pewnie niecałą minutę, ale była to chyba najdłuższa minuta w moim życiu. Sekunda wlokła się po sekundzie, a między każdą z nich upływała cała wieczność. Powietrze stało się ciężkie i mokre. Wdychałem w płuca gęstą maź. Baba patrzył mi w oczy i najmniejszym gestem nie dał do zrozumienia, że chciałby przeczytać.

Jak zwykle przyszedł mi z pomocą Rahim Chan. Wyciągnął ku mnie dłoń i obdarzył uśmiechem, w którym nie było ani krztyny przymusu. – Pozwolisz, że przeczytam, Amir-dżan? Bardzo bym chciał. – Baba bardzo rzadko używał względem mnie czułego słowa *dżan*.

Baba wzruszył ramionami. Wstał. On też sprawiał wrażenie, że mu ulżyło, zupełnie jakby Rahim Chan przyszedł z pomocą i jemu.

– Tak, daj to wujowi Rahimowi. Idę na górę się przebrać.

I wyszedł z pokoju. Zwykle otaczałem Babę religijną czcią, ale wtedy chciałem otworzyć sobie żyły, by pozbyć się z nich jego przeklętej krwi.

Godzinę później, gdy niebo całkiem już pociemniało, obaj odjechali autem ojca na jakiś bankiet. Nim wyszli, Rahim Chan przykucnął przede mną i oddał mi moje opowiadanie. I jeszcze jedną kartkę papieru. Szybko uśmiechnął się i mrugnął do mnie.

– To dla ciebie. Przeczytaj, jak wyjdziemy.

Potem jeszcze raz zatrzymał się i dodał jedno słowo, które zachęciło mnie do pisania bardziej niż wszelkie komplementy wydawców. Powiedział „brawo".

Gdy już ich nie było, usiadłem na łóżku i żałowałem, że to nie Rahim Chan jest moim ojcem. Potem pomyślałem o Babie, o jego wielkiej klatce piersiowej i o tym, jak dobrze było, gdy mnie do niej przyciskał, o tym, jak zawsze rano pachnie francuską wodą kolońską, jak jego broda łaskocze w twarz. Poczułem się tak strasznie winny, że musiałem popędzić do łazienki i zwymiotować do umywalki.

Gdy już zapadła noc, skulony w kłębek w łóżku w kółko odczytywałem kartkę od Rahima Chana. A napisał do mnie tak:

Amir-dżan,

Twoje opowiadanie bardzo mi się podobało. Maszallach, Bóg obdarzył Cię wielkim talentem. Teraz Twoim obowiązkiem jest szlifować ten wielki dar, bo ten, kto trwoni talent dany mu przez Boga, jest osłem. Napisałeś swoje opowiadanie poprawnie i interesującym stylem, ale największe wrażenie zrobiła na mnie zawarta w nim ironia. Może nawet nie wiesz, co to takiego, ale kiedyś się dowiesz. To coś, czego niektórzy pisarze bezskutecznie usiłują nauczyć się przez całe życie. Tobie udało się to już w pierwszym opowiadaniu.

Moje drzwi zawsze stoją i stać będą przed Tobą otworem, Amir-dżan. Chętnie wysłucham każdego opowiadania, które zechcesz mi opowiedzieć. Brawo.

Twój przyjaciel,
Rahim

Podniesiony na duchu zachętą Rahima Chana porwałem moje opowiadania i popędziłem na dół, do sieni, w której spali na rozkładanych materacach Ali i Hassan. Oczywiście sypiali tam tylko wtedy, gdy Baba nie wracał noc i zostawałem pod opieką Alego. Obudziłem Hassana i zapytałem go, czy chce usłyszeć opowiadanie.

Przetarł zaspane oczy i przeciągnął się.

– Teraz? A która godzina?

– Mniejsza z tym która. To nie jest zwykłe opowiadanie. Sam je napisałem – szepnąłem jak najciszej, aby nie zbudzić Alego. Twarz Hassana się rozjaśniła.

– A, to muszę posłuchać – powiedział, zrzucając koc.

Opowiadanie przeczytałem mu w salonie, przy marmurowym kominku. Tym razem nie było żadnych głupich żartów z odchodzeniem od tekstu – tym razem chodziło o coś, co ja sam napisałem! Hassan był idealnym słuchaczem. Był taki zasłuchany, a jego twarz zmieniała się wraz ze zmianami nastroju w treści. Gdy doczytałem ostatnie zdanie, bezgłośnie zaklaskał w dłonie.

– *Maszallach*, Amirze ago. Brawo! – powtarzał rozpromieniony.

– Podobało ci się? – zapytałem, po raz drugi zaznając jakże słodkiego smaku pozytywnej recenzji.

– Kiedyś będziesz wielkim pisarzem, *Inszallach* – powiedział Hassan. – A twoje opowiadania będą czytane na całym świecie.

– Przesadzasz, Hassan – odparłem, nie posiadając się z miłości do niego za to, że to powiedział.

– Wcale nie. Będziesz wielki i sławny – upierał się. Potem zamilkł, jakby zastanawiał się nad tym, co miał powiedzieć. Wreszcie odchrząknął. – Ale pozwolisz, że zapytam cię o jedno? – powiedział nieśmiało.

– Oczywiście.

– No... – zaczął i urwał.

– No, powiedz. – Uśmiechnąłem się, choć równocześnie jako niepewny swego pisarz, którym się stałem, wcale nie byłem przekonany, czy mam ochotę na pytania.

– No więc jeśli wolno zapytać – mówił Hassan – to po co on zabił żonę? I w ogóle dlaczego musiał się smucić, aby ronić łzy? Nie mógł zwyczajnie powąchać cebuli?

Byłem wstrząśnięty. Ta uwaga, tak oczywista, że aż głupia, całkowicie mnie zaskoczyła. Bezgłośnie poruszyłem wargami. Oto tego dnia dowiedziałem się o tym, co pisarz może osiągnąć, czyli o ironii, i o tym, czego powinien unikać: nielogiczności. I kto mnie tego nauczył? Hassan. Niepiśmienny Hassan, który nie przeczytał nigdy ani jednego słowa. Zaraz jakiś zimny, mroczny głos zaszeptał mi w ucho: „A cóż on wie, ten hazarski analfabeta? Przecież on może najwyżej zostać kucharzem! Jak on śmie mnie krytykować?"

— A... — zacząłem. Ale nie dokończyłem zdania.

Bo w tej samej chwili Afganistan zmienił się nie do poznania. Na zawsze.

5

Coś huknęło jak grom. Ziemia zatrzęsła się lekko. Usłyszeliśmy strzelaninę.

— Tato! — zawołał Hassan. Zerwaliśmy się na nogi i wybiegliśmy z salonu. W korytarzu natknęliśmy się na Alego, który pośpiesznie kusztykał w naszą stronę.

— Tato, co to za hałas? — zawołał łamiącym się głosem Hassan, wyciągając ręce ku Alemu. Ten otoczył nas obu ramionami. Błysnęło białe światło, niebo na chwilę stało się srebrne. Jeszcze jeden błysk. I znów szybkie staccato karabinów.

— Polują na kaczki — powiedział ochryple Ali. — Wiecie, że na kaczki można polować w nocy. Nie bójcie się.

Gdzieś daleko zabrzmiała syrena. I brzęk tłuczonego szkła. I czyjeś krzyki. Z ulicy dochodziły odgłosy zbierających się na niej ludzi, wyrwanych ze snu, zaspanych, nieuczesanych, pewnie jeszcze w piżamach. Hassan płakał. Ali przyciągnął go do siebie, tulił go czule. Potem wmawiałem sobie, że wcale Hassanowi nie zazdrościłem. Nic a nic.

Przesiedzieliśmy tak aż do wczesnego ranka. Strzelanina i wybuchy trwały niecałą godzinę, ale bardzo nas wystraszyły, bo nigdy jeszcze żaden z nas nie słyszał strzałów na ulicach. Były to dla nas zupełnie obce dźwięki; pokolenie afgańskich dzieci, które zna tylko huk bomb i wystrzałów, dopiero miało się narodzić. Skuleni we trzech w jadalni czekaliśmy na wschód słońca, ale żaden z nas nie miał pojęcia, że nasze życie właśnie się zmieniło. Że już nie będziemy żyć tak jak dawniej. I że jeżeli to nie koniec naszego dawnego życia, to na pewno początek końca. Koniec, oficjalny koniec, miał nadejść najpierw w kwietniu 1978 roku wraz z komunistycznym przewrotem, a potem jeszcze raz w grudniu 1979, gdy tymi samymi ulicami, na

których się bawiłem przez całe dzieciństwo, przetoczyły się rosyjskie czołgi, kładąc kres istnieniu mojego Afganistanu i rozpoczynając nową epokę,
epokę przelewu krwi, która trwa nieprzerwanie do dziś.

Tuż przed świtem na podjazd wpadł pędem samochód Baby. Trzasnęły
drzwi forda, pośpieszne kroki ojca zadudniły na schodach. Stanął w drzwiach
i zobaczyłem w jego twarzy coś, czego w pierwszej chwili nie rozpoznałem, bo tego uczucia nigdy jeszcze na niej nie widziałem: strach.

– Amir! Hassan! – wykrzyknął i podbiegł do nas, rozkładając ramiona. –
Na drogach blokady, telefony nie działają. Tak się o was martwiłem.

Gdy otoczył nas obu ramionami, przez krótką chwilę idiotycznie cieszyłem się z tego, co zaszło w nocy.

Oczywiście nikt nie strzelał do kaczek. Okazało się zresztą, że tak na-
prawdę tej nocy, siedemnastego lipca 1973 roku, do nikogo nie strzelano.
Kabul obudził się nazajutrz i okazało się, że nie ma już monarchii. Król
Zahir Szach był we Włoszech – pod jego nieobecność królewski kuzyn
Daud Chan zakończył czterdziestoletnie panowanie poprzednika bezkrwa-
wym zamachem stanu.

Pamiętam, że następnego dnia rano kucaliśmy z Hassanem przed gabinetem ojca, a Baba i Rahim Chan popijali czarną herbatę i nasłuchiwali w Radiu Kabul najświeższych wiadomości o przewrocie.

– Amirze ago? – szepnął Hassan.

– Co?

– Co to takiego „republika"?

Wzruszyłem ramionami.

– Nie wiem. – W radiu w kółko powtarzano to słowo.

– Amirze ago?

– Co?

– Czy jeżeli będzie „republika", to będziemy musieli się stąd wynieść z tatą?

– E, chyba nie – odszepnąłem.

Hassan zastanawiał się przez chwilę.

– Amirze ago?

– Co?

– Nie chcę, żeby nas stąd wypędzili.

Uśmiechnąłem się.

– *Bas*, osioł z ciebie. Nikt was nie wypędza.

– Amirze ago?

– Co?

– Idziemy na górę, na drzewo?

Uśmiechnąłem się jeszcze szerzej. To była jeszcze jedna zaleta Hassana: zawsze wiedział, kiedy coś powiedzieć. Radiowe wiadomości zaczęły mnie nudzić. Hassan pobiegł przygotować się do swojej chatki, ja do siebie po książkę. Potem poszedłem jeszcze do kuchni, napchałem kieszenie garściami pinoli i wyszedłem przed dom, gdzie Hassan już czekał. Pędem wybiegliśmy przez główną bramę i ruszyliśmy ku wzgórzu.

Minęliśmy dzielnicę willową i szliśmy nierównym ugorem, gdy nagle ktoś uderzył Hassana w plecy kamieniem. Odwróciliśmy się na pięcie. Serca podeszły nam do gardeł. Zbliżali się ku nam Assef i jego dwaj koledzy, Wali i Kamal.

Assef był synem jednego ze znajomych ojca, pilota Mahmuda. Jego rodzina mieszkała kilka przecznic na południe od naszego domu, w eleganckiej posiadłości otoczonej wysokim murem i szpalerem palm. Wszystkie dzieci z dzielnicy Uazir Akbar Chan znały Assefa i jego sławny kastet z nierdzewnej stali – pół biedy, jeżeli tylko ze słyszenia. Ten syn Niemki i Afgańczyka, niebieskooki blondyn, był wyższy od wszystkich dzieci z okolicy. Otoczony przyboczną strażą dwóch płaszczących się przed nim kolesi poruszał się po dzielnicy jak udzielny władca. Jego słowo było prawem, a jeżeli komuś należała się lekcja tego prawa, miał świetną pomoc naukową – właśnie ów kastet. Widziałem raz, jak zastosował go na pewnym chłopcu z dzielnicy Karte-Czar. Nigdy nie zapomnę chorobliwego błysku w niebieskich oczach Assefa i jego uśmiechu, gdy bił tamtego do nieprzytomności. W Uazir Akbar Chan przezywano Assefa *Goszchor*, czyli Uchojadem. Oczywiście wyłącznie za plecami, bo nikt nie chciał podzielić losu nieszczęśnika, który kiedyś pobił się z Assefem o latawiec i potem musiał szukać swojego prawego ucha w błotnistym rynsztoku. Wiele lat później dowiedziałem się, że najlepsze określenie kogoś takiego jak Assef to „socjopata", ale w języku perskim nie ma na to dobrego odpowiednika.

Ze wszystkich chłopców z sąsiedztwa to właśnie Assef najbardziej znęcał się nad Alim. To on był autorem przezwiska „Babalu". „Ej, Babalu, kogoś dzisiaj zjadł? Co? No, Babalu, uśmiechnij się!" A gdy miał natchnienie, dodawał jeszcze: „Kogoś dzisiaj zjadł, płaskonosy Babalu? Powiedz, skośnooki ośle!"

A teraz szedł ku nam z dłońmi wspartymi na biodrach, tenisówkami wzniecając małe kłęby kurzu.

– Cześć, *kuni*! – zawołał i zamachał ku nam ręką. „Pedały" – to też było jedno z jego ulubionych wyzwisk. Gdy trzej starsi chłopcy podeszli bliżej,

Hassan schował się za mnie. Teraz stali już tuż przed nami – trzej wysocy chłopcy w dżinsach i podkoszulkach. Najwyższy z nas Assef skrzyżował na piersi potężne ramiona. Na jego twarzy pojawił się dziki uśmiech. Nie po raz pierwszy przyszło mi do głowy, że Assef chyba nie jest tak całkiem normalny. I że całe szczęście, że moim ojcem jest Baba – jedyny powód, dla którego Assef zbytnio mnie dotąd nie prześladował.

Skinął podbródkiem na Hassana.

– Ej, ty, płaskonosy – powiedział. – Jak tam Babalu?

Hassan milczał. Cofnął się za mnie jeszcze o krok.

– Słuchaliście dziś radia? – powiedział, wciąż uśmiechając się tak samo. – Koniec z królem. I bardzo dobrze. Niech żyje prezydent! A wiesz, Amir, że mój ojciec zna Dauda Chana?

– Mój tata też go zna – odparłem. Tak naprawdę nie miałem pojęcia, czy to prawda.

– „Mój tata też go zna" – powtórzył drwiącym, płaczliwym głosem Assef. Kamal i Wali zarechotali chórem. Z całych sił zapragnąłem, by pojawił się Baba.

– A Daud Chan był u nas w zeszłym roku na kolacji – ciągnął Assef. – No i co ty na to, Amir?

Zastanawiałem się, czy ktoś usłyszy nas na tym pustkowiu, jeżeli zaczniemy krzyczeć. Do domu Baby był dobry kilometr. Żałowałem, że nie zostaliśmy w domu.

– A wiesz, co powiem Daudowi Chanowi, jak znowu przyjdzie do nas na kolację? – mówił dalej Assef. – Pogadam z nim sobie jak mężczyzna z mężczyzną. Powiem mu to, co powiedziałem mamie. O Hitlerze. O, to dopiero był wódz! Wielki wódz! Wiedział, co robić. Powiem Daudowi Chanowi, aby pamiętał, że gdyby Hitlerowi pozwolono dokończyć to, co zaczął, świat byłby teraz znacznie lepszy.

– Baba mówi, że Hitler był wariatem i że kazał zabić mnóstwo niewinnych ludzi. – Usłyszałem własne słowa, nim zdążyłem zatkać sobie usta dłonią.

Assef zaśmiał się złośliwie.

– Mówi jak moja mama. Niby Niemka, a wygaduje takie rzeczy. No, ale im oczywiście zależy, żebyśmy w to wierzyli. Nie chcą, żebyśmy znali prawdę.

Nie wiedziałem, kto to byli ci „oni" ani jaką prawdę mieli przed nami ukrywać, i nie chciałem wiedzieć. Żałowałem, że w ogóle się odezwałem. I miałem nadzieję, że gdy za chwilę podniosę wzrok, zobaczę, że idzie ku nam Baba.

– Ale do tego trzeba czytać takie książki, których w szkole nam nie dają – powiedział Assef. – A ja czytałem i przejrzałem na oczy. Teraz ja też wiem, co trzeba robić, i powiem to naszemu nowemu prezydentowi. Wiesz, co mu powiem?

Pokręciłem głową, ale wiedziałem, że i tak mi powie. Assef zawsze odpowiadał na własne pytania.

Jego niebieskie oczy wbiły się na chwilę w Hassana.

– Afganistan to kraj Pasztunów. Zawsze był i zawsze będzie. To my jesteśmy prawdziwymi Afgańczykami, Afgańczykami czystej krwi, a nie ten płaskonosy. Jego plemię tylko brudzi nam naszą ojczyznę, nasz *uatan*. I psują nam krew. – Uczynił szeroki, patetyczny gest ręką. – A ja wam mówię: Afganistan dla Pasztunów. Tak ma być.

Assef znów popatrzył na mnie. Wyglądał jak ktoś, kto przebudził się z pięknego snu.

– Dla Hitlera jest za późno – powiedział. – Ale nie dla nas.

Sięgnął do tylnej kieszeni dżinsów.

– Poproszę prezydenta, by zrobił to, na co król nie miał dość odwagi. Żeby oczyścił Afganistan z tych parszywych *kasif*, Hazarów.

– Puść nas, Assef – powiedziałem, wściekły, że głos mi się tak bardzo trzęsie. – My ci nie przeszkadzamy.

– A właśnie, że przeszkadzacie – powiedział Assef. Serce znów podeszło mi do gardła, gdy wyjął rękę z kieszeni. No tak. W słońcu zabłysła chromowana stal kastetu. – Bardzo mi przeszkadzacie. Prawdę mówiąc, ty nawet bardziej niż ten Hazara. Jak ty możesz w ogóle z nim rozmawiać, bawić się z nim, pozwalać mu się dotykać? – mówił z obrzydzeniem. Wali i Kamal pokiwali głowami i mruknęli potakująco. Assef zmrużył oczy. Pokręcił głową. Gdy znów się odezwał, był jakby zadziwiony: – Jak ty możesz nazywać go przyjacielem?

Omal nie zawołałem: „On wcale nie jest moim przyjacielem, tylko sługą!" Czy naprawdę tak myślałem? Na pewno nie. Nie. Hassana traktowałem dobrze, jak przyjaciela, nie, jeszcze lepiej, jak brata! Ale skoro tak, to dlaczego nigdy nie włączałem Hassana do zabawy, gdy do Baby przychodzili znajomi z dziećmi? Dlaczego z Hassanem bawiłem się tylko wtedy, gdy nie było nikogo innego?

Assef wsunął kastet na palce. Rzucił mi lodowate spojrzenie.

– Dlatego mi przeszkadzasz, Amir, że gdyby tacy idioci jak ty czy twój tata ich tu nie wpuścili, to by ich tu nie było. Gniliby w Hazaradżat, gdzie jest ich miejsce. To wy jesteście zakałą Afganistanu.

Spojrzałem w jego oszalałe oczy i zrozumiałem, że wierzy w to, co mówi. I że naprawdę chce mi zrobić krzywdę. Uniósł pięść i ruszył ku mnie. Wyczułem za sobą szybki ruch. Kątem oka zobaczyłem, że Hassan nagle pochyla się i równie szybko prostuje. Wzrok Assefa przesunął się za moje plecy i znieruchomiał. To samo zdumienie zobaczyłem na twarzach Kamala i Walego, gdy i oni dostrzegli to, co stało się za mną.

Odwróciłem się i tuż przed sobą ujrzałem procę Hassana. Naciągnął grubą gumę z całej siły. Tkwił w niej kamień wielkości włoskiego orzecha. Hassan mierzył z procy wprost w twarz Assefa. Jego dłoń drżała z wysiłku trzymając napiętą gumę, na czole pojawiły się kropelki potu.

– Bardzo proszę, zostaw nas w spokoju, ago – powiedział beznamiętnym głosem Hassan. Tytułował Assefa agą, więc przebiegła mi przez głowę myśl, jak to jest żyć przez cały czas ze świadomością własnego miejsca w hierarchii.

Assef zgrzytnął zębami.

– Opuść to, hazarski bękarcie.

– Bardzo proszę, zostaw nas w spokoju, ago – powtórzył Hassan.

Assef uśmiechnął się.

– Może nie zauważyłeś, że nas jest trzech, a was dwóch?

Hassan wzruszył ramionami. Ktoś, kto go nie znał, mógłby pomyśleć, że w ogóle się nie boi. Ja jednak znałem twarz Hassana od najwcześniejszego dzieciństwa, znałem jej najdrobniejszy szczegół, jej najsubtelniejsze zmiany nastroju. I wiedziałem, jak bardzo się bał.

– Masz rację, ago. Ale może ty z kolei nie zauważyłeś, że to ja mam procę. Jeżeli się poruszysz, nie będą cię już nazywać Uchojadem, ale Jednookim, bo ten kamień wycelowany jest w twoje lewe oko. – Hassan wypowiedział to takim tonem, że nawet ja musiałem z całych sił wytężać słuch, by wyczuć strach czający się w tych spokojnych słowach.

Usta Assefa zadrżały. Wali i Kamal słuchali tej rozmowy jakby z fascynacją, bo oto ktoś ośmielił się stawić czoło ich bogu i ośmieszyć go. A co gorsza uczynił to chuderlawy Hazara. Assef przeniósł wzrok z kamienia na twarz Hassana i w napięciu się jej przypatrywał. To, co w niej ujrzał, musiało go przekonać, bo opuścił pięść.

– Coś ci powiem, Hazaro – powiedział z powagą Assef. – Jestem bardzo cierpliwy. Ja tak tego nie zostawię. Możesz mi wierzyć. – Zwrócił się do mnie. – Z tobą też jeszcze nie skończyłem, Amir. Kiedyś będziesz musiał zmierzyć się ze mną sam na sam. – Cofnął się o krok. Jego świta zrobiła to samo.

– Amir, twój Hazara zrobił dziś wielki błąd – dodał jeszcze Assef. Potem cała trójka odwróciła się i odeszła. Patrzyliśmy, jak schodzą w dół i znikają za najbliższym murem.

Hassan usiłował drżącymi dłońmi zatknąć procę za pasek. Jego wargi wykrzywiły się w beznadziejnej próbie uspokajającego uśmiechu. Procę udało mu się zatknąć dopiero za piątym razem. W powrotnej drodze do domu nie rozmawialiśmy wiele. Przed każdym rogiem byliśmy niemal pewni, że Assef i jego kumple zaraz rzucą się na nas z ukrycia. Oni jednak się nie pojawili. Powinno to było podnieść nas na duchu, ale jakoś wcale nie podniosło, nic a nic.

Przez następnych kilka lat na wielu ustach w Kabulu gościły słowa „rozwój ekonomiczny" i „reformy". Zniesiono monarchię konstytucyjną, zastąpiono ją republiką rządzoną przez prezydenta. Na jakiś czas w kraju zapanowało poczucie odnowy i nowych celów w życiu. Mówiono o prawach kobiet i nowoczesnej technice.

Choć do Arg, kabulskiego pałacu królewskiego, wprowadził się nowy lokator, życie toczyło się dalej. Ludzie szli do pracy od soboty do czwartku, w piątek urządzali pikniki w parkach, nad jeziorem Garga, w ogrodach Pagmanu. Przez wąskie ulice Kabulu przeciskały się wielobarwne autobusy i ciężarówki pełne pasażerów, prowadzone ciągłymi krzykami pomocników, stojących na tylnych zderzakach i silnym kabulskim akcentem wywrzaskujących wskazówki do kierowcy. Podczas Eid, trzydniowego święta na zakończenie świętego miesiąca ramadanu, kabulczycy wdziewali najlepsze i najnowsze stroje i składali sobie wizyty. Ściskano się i całowano, pozdrawiając się nawzajem Eid Mubaraki, czyli „Szczęśliwego Eid". Dzieci otwierały prezenty i bawiły się pisankami.

Któregoś dnia na początku zimy 1974 roku, kiedy bawiliśmy się z Hassanem w ogrodzie, budując zamek ze śniegu, Ali zawołał syna.

– Hassan, sahib aga ma ci coś do powiedzenia! – Ali stał we frontowych drzwiach domu, ubrany na biało, z dłońmi wciśniętymi pod pachy. Z jego ust dobywały się kłęby pary.

Wymieniliśmy z Hassanem uśmiechy. Cały dzień czekaliśmy na to wezwanie. Dziś były urodziny Hassana.

– Nie wiesz, o co chodzi, ojcze? Nie powiesz nam? – zapytał Hassan. Oczy mu błyszczały.

Ali wzruszył ramionami.

– Sahib aga nic mi nie powiedział.

– No, Ali, powiedzże – nalegałem. – Blok do rysowania? A może nowy pistolet?

Ali, podobnie jak Hassan, był niezdolny do kłamstwa. Co rok udawał, że nie wie, co Baba kupił Hassanowi czy mnie na urodziny, ale co rok zdradzały go oczy i wyciągaliśmy z niego wszystko. Tym razem jednak chyba rzeczywiście nic nie wiedział.

Baba nigdy nie zapominał o urodzinach Hassana. Z początku wypytywał go, co by chciał, ale potem przestał, bo Hassan był zbyt nieśmiały, by poprosić o coś konkretnego. W efekcie każdej zimy Baba sam coś dla niego wybierał. Raz kupił mu japońską ciężarówkę, kiedy indziej kolejkę elektryczną. Ostatnim razem był to skórzany kowbojski kapelusz, dokładnie taki, w jakim paradował Clint Eastwood w *Dobrym, złym i brzydkim* – który to film wygrał z *Siedmioma wspaniałymi* walkę o miano naszego ulubionego westernu. Przez całą zimę nosiliśmy kapelusz na zmianę, wyśpiewując sławną muzykę z filmu, gdy wspinaliśmy się na śnieżne zaspy i kładliśmy się nawzajem trupem.

Teraz przy frontowych drzwiach zdjęliśmy rękawiczki i zaśnieżone buty. Gdy weszliśmy do sieni, przy żeliwnym piecyku siedział już Baba. Był z nim jakiś niski, łysiejący Hindus, ubrany w brązowy garnitur i czerwony krawat.

– Hassanie – powiedział Baba, uśmiechając się niewinnie. – Oto twój prezent urodzinowy.

Obaj z Hassanem spojrzeliśmy na siebie ze zdziwieniem. Nigdzie nie było widać ani pudełka w kolorowym papierze, ani torby, ani żadnej zabawki. Za nami stał Ali, przed nami Baba i ten mały Hindus, który wyglądał trochę jak nauczyciel matematyki.

Hindus uśmiechnął się i podał rękę Hassanowi.

– Jestem doktor Kumar – powiedział. – Miło mi cię poznać. – Mówił po persku silnym, śpiewnym hinduskim akcentem.

– *Salam alejkum* – odpowiedział niepewnie Hassan. Grzecznie skłonił głowę, ale oczyma szukał stojącego za nim ojca. Ali zbliżył się i położył dłoń na jego ramieniu.

Wzrok Baby napotkał niespokojne – i zadziwione – spojrzenie Hassana.

– Wezwałem doktora Kumara aż z Delhi. Doktor Kumar jest chirurgiem plastycznym.

– Wiesz, co to takiego? – zapytał Hindus. To znaczy doktor Kumar.

Hassan pokręcił głową. Spojrzał na mnie błagalnie, ale ja tylko wzruszyłem ramionami. Wiedziałem tyle, że idzie się do chirurga, kiedy ma się zapalenie wyrostka. Wiem, bo rok wcześniej w szkole jeden z moich kolegów na to umarł. Nauczyciel powiedział nam, że to dlatego, że za długo czekali z zabraniem go do chirurga. Obaj zerknęliśmy więc na Alego, ale z nim nigdy nie było nic wiadomo. Jego twarz była nieprzenikniona jak zawsze, choć jego wzrok stał się teraz jakby bardziej czujny.

– No więc – powiedział doktor – ja zajmuję się naprawianiem ludzi. Czasem naprawiam ich ciała, a czasem twarze.

– Aha – powiedział Hassan. Przeniósł wzrok z doktora na Babę, potem na Alego. Jego dłoń dotknęła dolnej wargi. – Aha – powtórzył.

– Wiem, to dość niezwykły prezent – powiedział Baba. – I pewnie nie tego się spodziewałeś, ale za to będziesz go miał do końca życia.

– Aha – powiedział jeszcze raz Hassan. Oblizał wargi, odchrząknął. – Sahibie ago, czy to... czy to...

– Nic z tych rzeczy – wtrącił się z dobrodusznym uśmiechem doktor. – Nie będzie bolało. Ani trochę. Dam ci takie lekarstwo, że nawet nic nie będziesz pamiętał.

– Aha – powiedział Hassan. Uśmiechnął się z ulgą. A na pewno z częściową ulgą. – Wcale się nie bałem, sahibie ago, tylko... – Hassan może dał się oszukać, ale ja nie. Wiedziałem dobrze, że kiedy lekarz mówi, że nie będzie boleć, to znaczy, że będzie. Zadrżałem na samo wspomnienie obrzezania, któremu poddano mnie poprzedniego roku. Doktor mówił dokładnie to samo, zarzekał się, że nic nie będzie bolało, ale gdy jeszcze tego samego dnia wieczorem przestało działać znieczulenie, wydawało mi się, że ktoś przyciska mi do krocza rozżarzony węgielek. Nie mam pojęcia, dlaczego Baba zwlekał z tym aż do moich dziesiątych urodzin; nigdy mu tego nie wybaczę.

Teraz z kolei zacząłem żałować, że i ja nie mam jakiejś blizny, którą zasłużyłbym na współczucie Baby. To niesprawiedliwe. Hassan niczego przecież nie zrobił, by zdobyć sobie taką sympatię mojego ojca – on po prostu urodził się z tą swoją głupią zajęczą wargą.

Operacja się udała. Byliśmy wszyscy nieco wstrząśnięci, gdy po raz pierwszy zdjęto bandaże, ale uśmiechaliśmy się, bo tak kazał doktor Kumar. Nie było to łatwe zadanie. Górna warga Hassana była straszną masą nabrzmiałej, nagiej tkanki. Myślałem, że Hassan krzyknie ze strachu, gdy pielęgniarka podała mu lusterko. Hassan długo wpatrywał się w nie w zamyśleniu – Ali przez cały czas trzymał go za drugą rękę. Hassan wymamrotał coś niezrozumiale. Przysunąłem ucho do jego ust. Znów szepnął to samo.

– *Taszakor*. Dziękuję.

A potem jego wargi wykrzywiły się, ale tym razem od razu zrozumiałem, co to znaczy. Hassan uśmiechał się. Dokładnie tak samo, jak wtedy, gdy wyszedł z łona matki.

Opuchlizna wkrótce sklęsła, rana zagoiła się z czasem. Wkrótce była różowym zygzakiem biegnącym w górę od wargi. Do następnej zimy została już tylko blada blizna. Tylko że jak na ironię wtedy właśnie Hassan przestał się uśmiechać.

6

Zima.
Co roku, gdy spadnie pierwszy śnieg, wychodzę z domu wczesnym rankiem, jeszcze w piżamie, dygocząc z zimna. Po kolei odszukuję podjazd, samochód ojca, mury, drzewa, dachy i góry, wszystko pokryte półmetrową warstwą śniegu. Uśmiecham się. Niebo jest bezchmurne, błękitne, śnieg tak biały, że aż bolą mnie oczy. Zgarniam garść śnieżnego puchu do ust, wsłuchuję się w stłumioną ciszę, przerywaną tylko krakaniem wron. Boso schodzę po frontowych schodach i wołam Hassana, aby przyszedł i też to zobaczył.

Zima to ulubiona pora roku wszystkich dzieci w Kabulu – przynajmniej tych, których ojców stać na porządny żeliwny piec. Powód jest prosty: na zimę zamyka się szkoły. Zima to dla mnie koniec dzielenia z resztą i bez reszty, i uczenia się, jak się nazywa na przykład stolica Bułgarii. To początek trzech miesięcy grania w karty z Hassanem przy piecu, wtorkowych darmowych poranków filmów rosyjskich w kinie Park i przedpołudniowego lepienia bałwanów, po którym idzie się na *kurmę* ze słodkiej rzepy z ryżem.

No i oczywiście latawce. Puszczanie latawców. I bieganie za nimi.

Dla garstki nieszczęśników zima nie była wcale końcem roku szkolnego. Organizowano wtedy tak zwane dobrowolne zajęcia zimowe. Oczywiście żadne ze znanych mi dzieci nie zgłaszało się na nie z własnej woli – to rodzice dokonywali owego „dobrowolnego" zgłoszenia. Na całe szczęścia Baba do nich nie należał. Pamiętam jednego takiego chłopca. Miał na imię Ahmed. Mieszkał po drugiej stronie ulicy. Jego ojciec był chyba jakimś lekarzem. Ahmed miał padaczkę i zawsze nosił wełnianą kamizelkę i grube okulary w czarnych oprawkach – był też jedną z ulubionych ofiar Assefa. Co rano przyglądałem się przez okno w sypialni, jak ich hazarski służący najpierw odgarnia śnieg z podjazdu, by po jakimś czasie Ahmed mógł odjechać sprzed domu czarnym oplem prowadzonym przez jego ojca. Zawsze chciałem widzieć, jak wsiadają do samochodu: Ahmed w swej wełnianej kamizelce i zimowym płaszczu, z tornistrem pełnym książek i ołówków. Czekałem, aż odjadą i znikną za rogiem, a potem z powrotem wskakiwałem do łóżka. Naciągałem kołdrę pod brodę i patrzyłem na zaśnieżone góry za wychodzącym na północną stronę oknem. Patrzyłem i znów powoli zapadałem w sen.

Uwielbiałem zimę w Kabulu. Uwielbiałem ją za ciche pacnięcia śniegu o szybę nocą, za skrzypienie śniegu pod czarnymi kaloszami, za ciepło żeliwnego piecyka, gdy wiatr wył po ulicach i ogrodach. Ale głównie dlatego, że gdy drzewa zamarzały, gdy lód skuwał drogi, chłód między mną a Babą nieco tajał. Wszystko dzięki latawcom. Baba i ja mieszkaliśmy w tym samym domu, ale w zupełnie innych kręgach istnienia. Jedyną, cienką jak papier wspólną częścią obu kręgów były właśnie latawce.

Każdej zimy w Kabulu odbywały się zawody, czy raczej walki latawców. Dla każdego chłopca z Kabulu ten dzień był najważniejszy o tej porze roku. W wigilię zawodów z emocji nigdy nie mogłem zasnąć. Przewracałem się z boku na bok, puszczałem cienie zwierząt na ścianę, czasem nawet otulałem się kocem i przesiadywałem w ciemności na balkonie. Czułem się jak żołnierz, który nie może zasnąć przed walną bitwą. I całkiem słusznie, bo w Kabulu walki latawców trochę przypominały wojnę.

A skoro wojna, to do boju trzeba się przygotować. Z początku wraz z Hassanem sami robiliśmy sobie latawce. Od jesieni odkładaliśmy kieszonkowe, wrzucając monety do małej skarbonki w kształcie konia, którą Baba przywiózł nam z Heratu. Gdy zaczynały wiać zimowe wiatry, a śnieg padał wielkimi płatami, odpinaliśmy zatrzask pod brzuchem konia. Szliśmy na bazar po bambus, klej, sznurek i papier. Przez następne dni całymi godzinami okorowywaliśmy kawałki bambusa na podłużne i poprzeczne listewki, które oklejaliśmy cienką bibułą – taki latawiec najlepiej pikuje i potem odrabia straconą wysokość. Potem oczywiście zabieraliśmy się do sznurka, czyli *tar*. Jeżeli sam latawiec miał być bronią palną, to *tar*, pokryta szkłem linka, była jak wprowadzony do komory nabój. Wychodziliśmy do ogrodu i tam przeciągaliśmy czasem i pięćset metrów sznurka przez mieszaninę zmielonego szkła i kleju. Potem rozwieszaliśmy to wszystko na drzewach, by wyschło. Następnego dnia gotową do boju linkę nawijaliśmy na drewnianą szpulę. Gdy śnieg topniał i rozpoczynały się wiosenne deszcze, każdy chłopiec w Kabulu miał na palcach charakterystyczne, równoległe szramy po całej zimie spędzonej na walkach latawców. Pamiętam, jak w pierwszy dzień szkoły po zimowej przerwie zbijaliśmy się wszyscy w kółko i porównywaliśmy nasze wojenne rany. Przecięcia piekły i nie goiły się całymi tygodniami, ale to nic – były pamiątką po ukochanej porze roku, która zawsze kończyła się zbyt szybko. Potem starosta szkolny dął w gwizdek na znak, że mamy odmaszerować do naszych klas, i już zaczynaliśmy tęsknić za zimą – a tymczasem wisiało nad nami widmo kolejnego, długiego roku szkolnego.

Szybko jednak okazało się, że obaj z Hassanem jesteśmy lepszymi wojownikami niż budowniczymi. Prędzej czy później taka czy inna wada konstrukcyjna dawała o sobie znać. Dlatego też Baba zaczął wozić nas do Saifo po latawce. Saifo był niemal niewidomym starcem, z zawodu *muczi* – szewcem. Był jednak również najsławniejszym wytwórcą latawców w całym mieście. Pracował w maleńkiej lepiance na Dżade Mejwand, ruchliwej ulicy na południe od błotnistych brzegów rzeki Kabul. Pamiętam, że trzeba było niemal przykucnąć, by zmieścić się w wejściu do warsztatu wielkości więziennej celi, a potem unieść klapę w podłodze i zejść po drewnianych schodkach do zatęchłej piwnicy, w której Saifo trzymał swe tak poszukiwane latawce. Baba kupował obu z nas po trzy identyczne latawce, a do każdego oczywiście szpulki ze szklaną linką. Jeżeli zmieniałem zdanie i wolałem większy, bardziej wymyślny latawiec, Baba kupował mi go – ale zawsze kupował taki sam również dla Hassana. Czasem miałem do niego żal, że tak robi, że w żaden sposób nie chce mnie wyróżnić.

Zimowe turnieje latawców to stara afgańska tradycja. Wszystko zaczyna się wczesnym rankiem w dniu zawodów, a kończy się dopiero wówczas, gdy na niebie zostaje już tylko jeden, zwycięski latawiec – pamiętam, że któregoś roku turniej przeciągnął się poza zachód słońca. Ludzie gromadzą się na chodnikach i dachach, aby zachęcać do boju własne dzieci. Ulice z kolei napełniają się zawodnikami, którzy szarpią i ciągną za sznurki, z ukosa patrząc w niebo i usiłując zająć jak najlepszą pozycję, by przeciąć sznurek przeciwnika. Każdy zawodnik ma pomocnika – w moim przypadku był nim Hassan – który trzyma szpulkę i wysnuwa sznurek.

Kiedyś jakiś przemądrzały Hindus, którego rodzice dopiero co wprowadzili się do naszej dzielnicy, opowiadał, że w jego rodzinnym mieście walki latawców mają ściśle określony zasady.

– Walczyć wolno tylko na zamkniętym obszarze, a stać trzeba pod kątem prostym do wiatru – mówił dumnie. – A do szkła na linki nie wolno dodawać aluminium.

Spojrzeliśmy wtedy na siebie z Hassanem i dostaliśmy ataku śmiechu. Mały Hindus wkrótce dowiedział się o tym, o czym wcześniej przekonali się Anglicy i o czym pod koniec lat osiemdziesiątych mieli się w końcu przekonać Rosjanie: że Afgańczycy to ludzie wolni. Afgańczycy czczą tradycję, lecz nienawidzą zakazów. Podobnie miała się rzecz z walkami latawców. Nasze reguły były proste – żadnych reguł. Puścić latawiec, ciąć przeciwników, wszystkiego najlepszego.

Tylko że to nie wszystko. Prawdziwa zabawa zaczynała się, gdy kolejny latawiec zostawał odcięty. Tu rozpoczynała się rola biegaczy, tych, którzy gonili za niesionym wiatrem latawcem z dzielnicy do dzielnicy, póki nie spadł korkociągiem na czyjeś pole czy ogród, drzewo czy dach. Wyścig ten był niezwykle zażarty; ulicami uganiały się istne hordy chłopców, przepychając się między sobą niczym ludzie w Hiszpanii, o których gdzieś czytałem, co to ulicami miasta uciekają przed bykami. Któregoś roku jakiś chłopak z naszej dzielnicy wspiął się po latawiec na sosnę, gałąź złamała się pod nim i poleciał dziesięć metrów w dół. Złamał kręgosłup i sparaliżowało mu nogi, ale spadł z latawcem w rękach. A gdy któryś z biegaczy raz chwycił latawiec, nikomu nie wolno było mu go odebrać. To nie był zakaz, tylko taki zwyczaj.

Najcenniejszą zdobyczą dla biegacza był ostatni latawiec, który spadł z nieba podczas zimowego turnieju. Było to zaszczytne trofeum, które potem stawiało się na kominku i pokazywało gościom. Gdy latawce jeden po drugim znikały z nieba, gdy zostawały na nim już tylko dwa ostatnie, każdy z biegaczy gotował się do walki. Zajmował najdogodniejszą według siebie pozycję. Czekały napięte mięśnie, szyje wyciągały się w górę, oczy mrużyły, wybuchały bójki. A gdy odcięty został ostatni latawiec, rozpoczynało się piekło.

Przez te wszystkie lata widziałem wielu chłopców, którzy szczególnie świetnie wyłapywali latawce, ale Hassan był niewątpliwie najlepszy z nich. To niesamowite, jak on potrafił zawsze ustawić się tak, że potem latawiec sfruwał na ziemię prosto w jego ręce – zupełnie jakby Hassan kierował się jakimś wewnętrznym kompasem.

Pamiętam, jak pewnego pochmurnego zimowego dnia biegliśmy z Hassanem za latawcem. Biegłem za Hassanem z jednej dzielnicy do drugiej, przeskakiwaliśmy rynsztoki w wąskich, krętych uliczkach. Byłem od niego starszy o rok, ale Hassan biegł szybciej. Coraz bardziej zostawałem z tyłu.

– Hassan, czekaj! – wrzasnąłem, z trudem łapiąc powietrze w rozpalone gardło.

On odwrócił się tylko i wskazał ręką kierunek.

– Tędy! – krzyknął i popędził za następny róg. Spojrzałem w górę i zobaczyłem, że biegniemy w przeciwną stronę, niż wiatr niósł latawiec.

– Gubimy go! Biegniemy w złą stronę! – zawołałem.

– Zaufaj mi! – usłyszałem z przodu jego głos. Za rogiem zobaczyłem, że Hassan pędzi przed siebie z pochyloną do przodu głową, nawet nie patrząc w niebo, i że na jego plecach rośnie ma koszuli plama potu. Potknąłem się o kamień i upadłem – byłem nie tylko wolniejszy od Hassana, lecz również mniej zręczny, zawsze zazdrościłem mu jego naturalnej zwinności. Gdy się podniosłem, kątem oka zobaczyłem, że Hassan znika za kolejnym rogiem. Pokusztykałem za nim, podrapane kolana kłuły mnie igiełkami bólu.

Zorientowałem się, że znaleźliśmy się na nierównej, niebrukowanej drodze niedaleko gimnazjum Isteklal. Po jednej stronie ciągnęło się pole, na którym latem rosła sałata, po drugiej rząd wiśni. Zobaczyłem, że Hassan siedzi po turecku pod jednym z drzew i zajada się trzymanymi w garści suszonymi owocami morwy.

– Co ty wyprawiasz? – zapytałem. Żołądek skręcały mi nudności.

Uśmiechnął się.

– Usiądź ze mną, Amirze ago.

Opadłem na ziemię tuż przy nim i dysząc ciężko, położyłem się na cienkim płacie śniegu.

– Tracisz czas. Nie widziałeś, że poleciał w przeciwną stronę?

Hassan wrzucił do ust kolejny owoc.

– Zaraz tu będzie – powiedział. Ja z trudem łapałem oddech, a on w ogóle nie wydawał się zmęczony.

– Skąd wiesz? – zapytałem.

– Wiem.

– Ale skąd to możesz wiedzieć?

Odwrócił się ku mnie. Z jego wygolonej głowy spadło kilka kropel potu.

– Czy mógłbym kłamać przed tobą, Amirze ago?

Nagle postanowiłem podroczyć się z nim trochę.

– Nie wiem. A mógłbyś?

– Wolałbym gryźć ziemię – powiedział oburzony.

– Naprawdę byś to zrobił?

Rzucił mi zdziwione spojrzenie.

– Co zrobił?

– No, gryzłbyś ziemię, gdybym ci kazał? – powiedziałem. Wiedziałem, że byłem okrutny, dokładnie tak samo jak wtedy, gdy śmiałem się, że nie zna jakiegoś trudnego słowa. Ale w takim droczeniu się z Hassanem było coś chorobliwie fascynującego. Trochę jak wtedy, gdy razem zabawialiśmy się dręczeniem owadów. Tylko że teraz to on był mrówką, nad którą trzymałem szkło powiększające.

Jego oczy długo badały moją twarz. Siedzieliśmy razem pod drzewem wiśniowym i patrzyliśmy, ale tak naprawdę, na siebie. I wtedy to znów się stało: Hassan zmienił twarz. Może nie zmienił, może nie tak naprawdę, ale nagle doznałem uczucia, że widzę dwie twarze: jedną dobrze mi znaną, która jest moim pierwszym wspomnieniem w życiu, i drugą, która ukrywa się tuż za tamtą. Widziałem to już wcześniej i zawsze byłem wstrząśnięty. Ta druga twarz zawsze pojawiała się tylko na ułamek sekundy, ale wystarczająco długo, by pozostawić mnie w niepokojącym przeświadczeniu, że już ją kiedyś widziałem. A potem Hassan zamrugał oczyma i znów był sobą – Hassanem.

– Gryzłbym, gdybyś mnie o to poprosił – powiedział wreszcie, patrząc mi prosto w twarz. Spuściłem wzrok. Do dziś trudno mi patrzeć w oczy ludziom takim jak Hassan, ludziom, którzy traktują serio każde swoje słowo.

– Zastanawiam się tylko – dodał – po co miałbyś mnie prosić o coś takiego, Amirze ago?

Tym samym mój żart obrócił się przeciwko mnie. Odtąd jeżeli będę się tak z nim droczył i wystawiał na próbę jego lojalność, on będzie droczył się ze mną i wystawiał na próbę mnie.

Już żałowałem, że zacząłem tę rozmowę. Zmusiłem się do uśmiechu.

– Nie bądź głupi, Hassan. Wiesz dobrze, że nigdy bym cię o to nie poprosił. Hassan odwzajemnił mój uśmiech, ale bez krztyny przymusu.

– Wiem – powiedział. Tak to już jest z ludźmi, którzy wierzą w każde swoje słowo. Są przeświadczeni, że inni też.

– Już leci – powiedział Hassan, wskazując na niebo. Wstał i zrobił kilka kroków w lewo. Spojrzałem w górę i ujrzałem opadający wprost na nas latawiec. Usłyszałem tupot biegnących kroków, okrzyki, zobaczyłem chmarę zbliżających się biegaczy. Ale oni niepotrzebnie się męczyli, bo Hassan już stał z rozłożonymi w górę ramionami i z uśmiechem czekał na latawiec. I niech Bóg mnie skarze – o ile istnieje oczywiście – jeżeli latawiec nie spadł prosto w jego nadstawione ręce.

Zimą roku 1975 widziałem po raz ostatni, jak Hassan biegał za latawcami.

Zawody odbywały się zwykle w każdej z dzielnic osobno, ale w tym roku na turniej w Uazir Akbar Chan zaproszono też zawodników z Karte-Czar,

Karte-Parwan, Mekro-Rajan i Kote-Sangi. Gdziekolwiek się poszło, wszędzie mówiono tylko o tym. Miał to być największy turniej od dwudziestu pięciu lat.

Pewnego wieczoru tej samej zimy, na cztery dni przed owym wielkim wydarzeniem, siedzieliśmy wraz z Babą w skórzanych fotelach przy kominku w jego gabinecie. Popijaliśmy herbatę i rozmawialiśmy. Ali podał nam obiad wcześniej – ziemniaki, kalafior w curry, ryż – i obaj z Hassanem poszli do siebie. Baba nabijał fajkę, ja nudziłem go, by opowiedział mi, jak to było, gdy którejś zimy wataha wilków zeszła z gór do Heratu i ludzie przez tydzień bali się wychodzić z domów. Baba zapalił zapałkę i powiedział jakby od niechcenia:

– Wydaje mi się, że może w tym roku uda ci się wygrać. Jak myślisz?

Nie wiedziałem, co myśleć. I co powiedzieć. I co Baba chciał mi przez to powiedzieć. Rzeczywiście byłem dobry. Parę razy omal nie wygrałem zawodów, raz nawet znalazłem się w pierwszej trójce. Ale przecież prawie wygrać to nie to samo, co wygrać naprawdę. Baba nie wygrywał „prawie". Baba zawsze wygrywał, bo był urodzonym zwycięzcą, a inni wracali do domu z kwitkiem. Baba miał zwycięstwo w zwyczaju – zwycięstwo we wszystkim. Czyż nie miał więc prawa wymagać tego samego od własnego syna? A w dodatku gdyby rzeczywiście udało mi się wygrać...

Baba palił fajkę i mówił. Udawałem, że słucham, ale tak naprawdę nie słuchałem, bo ta jego niedbale rzucona uwaga zasiała mi w głowie nieodpartą myśl. Muszę wygrać, nie ma innego wyjścia. Wygram i w dodatku pobiegnę za ostatnim latawcem, żeby przynieść go do domu i pokazać Babie. I pokazać mu raz na zawsze, że jego syn nie jest do niczego. Może wtedy przestanę być dla niego w tym domu tylko widmem. Marzyłem, że odtąd podczas naszych wspólnych kolacji rozbrzmiewać będzie rozmowa i śmiech, a nie tylko brzęk sztućców i zdawkowe uwagi. I że co piątek będziemy jeździć samochodem Baby do Pagmanu, zatrzymując się po drodze nad jeziorem Garga na smażonego pstrąga z ziemniakami. I że gdy znów pójdziemy do zoo oglądać lwa Marżana, Baba nie będzie co chwila ziewał i ukradkiem spoglądał na zegarek. I że może Baba przeczyta jakieś moje opowiadanie. Napisałbym mu ich ze sto, gdybym wiedział, że przeczyta choć jedno. I że może będzie do mnie mówił Amir-dżan, tak jak Rahim Chan. I że może nawet wybaczy mi, że zabiłem matkę.

Tymczasem Baba opowiadał mi dalej, jak to jednego dnia strącił czternaście latawców. Uśmiechałem się, potakiwałem, śmiałem się we właściwych miejscach, ale nie słyszałem chyba ani słowa z tego, co mówił. Teraz miałem do spełnienia misję. I nie zamierzałem zawieść Baby. Tym razem – nie.

W ostatni wieczór przed zawodami padał gęsty śnieg. Siedzieliśmy z Hassanem pod *kursi* i graliśmy w pandżpar, a wiatr tłukł gałęziami w okna. To Ali na moją prośbę zrobił nam *kursi* – czyli pod niskim, nakrytym kołdrą stołem umieścił elektryczny grzejnik. Wokół stołu rozstawił materace i poduszki tak, że nawet dwadzieścia osób mogło rozsiąść się i wsunąć nogi pod kołdrę. Tak właśnie spędzaliśmy z Hassanem śnieżne dni: grzejąc się w *kursi* graliśmy w szachy i w karty – najchętniej właśnie w pandżpar.

Przebiłem dziesiątkę karo Hassana, zagrałem dwoma waletami i szóstką. Obok, w gabinecie, Baba i Rahim Chan rozmawiali o interesach z kilkoma innymi – był wśród nich też ojciec Assefa. Zza ściany w akompaniamencie szumów i trzasków dobiegał dziennik Radia Kabul.

Hassan przebił szóstkę, zabrał walety. Daud Chan mówił w radiu o inwestycjach zagranicznych.

– Mówi właśnie, że kiedyś będziemy mieli telewizję – powiedziałem.

– Kto mówi?

– Daud Chan, ośle, nasz prezydent.

Hassan zachichotał.

– Słyszałem, że w Iranie już jest.

Westchnąłem.

– Ale mają dobrze. – Dla większości Hazarów Iran był w dodatku swego rodzaju oparciem, pewnie dlatego, że większość jego mieszkańców była, jak Hazarowie, szyitami. Ale równocześnie przypomniałem sobie, co mówił o Irańczykach mój nauczyciel: że to spryciarze, którzy jedną ręką klepią człowieka po plecach, a drugą obrabiają mu kieszenie. Kiedyś powtórzyłem to Babie, a on powiedział, że mój nauczyciel to typowy Afgańczyk, zazdrosny o to, że Iran staje się jednym z najpotężniejszych państw w Azji, podczas gdy większość ludzi na świecie nie ma pojęcia, gdzie szukać Afganistanu na mapie.

– To przykre – powiedział wtedy, wzruszając ramionami – ale lepiej mówić przykrą prawdę, niż pocieszać się kłamstwem.

– Kupię ci telewizor – powiedziałem teraz do Hassana.

Jego twarz rozjaśniła się.

– Telewizor? Naprawdę?

– Pewnie. I to nie taki czarno-biały. Pewnie będziemy już wtedy dorośli, ale kupię dwa, po jednym dla każdego z nas.

– Postawię go na stole, tam, gdzie trzymam rysunki – powiedział Hassan.
Zrobiło mi się trochę smutno, smutno o to, kim jest Hassan, gdzie mieszka. I że z góry zgadza się na to, że zestarzeje się w tej glinianej chatce na podwórku, tak jak jego ojciec. Wyciągnąłem ostatnią kartę, zagrałem dwie damy i dziesiątkę.

Hassan wziął damy.

– Wiesz co? Wydaje mi się, że jutro sahib aga będzie z ciebie bardzo dumny.

– Tak myślisz?

– *Inszallach* – odpowiedział.

– *Inszallach* – powtórzyłem za nim, choć w moich ustach owo „jeśli Bóg pozwoli" nie zabrzmiało już tak szczerze. Taki już był ten Hassan, taki prostolinijny, że przy nim każdy czuł się jak oszust.

Przebiłem króla i zagrałem ostatnią kartę, asa pik. Musiał ją wziąć, więc wygrałem, ale gdy tasowałem karty na kolejne rozdanie, miałem nieodparte wrażenie, że dał mi wygrać.

– Amirze ago?

– Co?

– Wiesz... Ja lubię mieszkać tak, jak mieszkam. – Jak zawsze w lot odgadł moje myśli. – Tu jest mój dom.

– Dobra, dobra – powiedziałem. – No to ogram cię jeszcze raz.

7

Następnego dnia rano, parząc dla mnie na śniadanie czarną herbatę, Hassan opowiedział mi swój sen.

– Byliśmy nad jeziorem Garga. Ty, ja, ojciec, sahib aga, Rahim Chan i tysiące innych ludzi. Było ciepło i słonecznie, a jezioro było przejrzyste jak lustro. Ale nikt się nie kąpał, bo mówiono, że w jeziorze zadomowił się potwór, który pływa przy samym dnie i czyha.

Nalał mi filiżankę, dodał cukru, kilkakrotnie podmuchał i postawił przede mną na stole.

– Wszyscy bali się wejść do wody, aż tu nagle ty, Amirze ago, zdjąłeś buty i ściągnąłeś koszulę. Powiedziałeś, że nie ma żadnego potwora i że zaraz to udowodnisz. I zanim ktokolwiek zdążył cię powstrzymać, wskoczyłeś do wody i odpłynąłeś. Ja wskoczyłem za tobą i też płynąłem.

– Przecież ty nie umiesz pływać.

Hassan zaśmiał się.

– Przecież to sen, Amirze ago, we śnie wszystko jest możliwe. No więc płyniemy, wszyscy krzyczą, żebyśmy wyszli z wody, a my nic. Wypływamy na środek jeziora, zatrzymujemy się i machamy. Ludzie są już mali jak mrówki, ale słyszymy, że biją brawo. Bo wszyscy się przekonali, że nie ma żadnego potwora. Potem zmienili nazwę jeziora. Teraz nazywa się ono „Jezioro Amira i Hassana, sułtanów Kabulu" i każdy, kto chce się w nim kąpać, musi nam płacić.

– No, a co znaczy cały ten sen? – zapytałem.

Hassan posmarował *nan* marmoladą i położył mi go na talerzu.

– Nie wiem. Miałem nadzieję, że ty mi powiesz.

– To głupi sen, bo nic się w nim nie działo.

– Ojciec mówi, że sny zawsze coś znaczą.

Pociągnąłem łyk herbaty.

– No, to go zapytaj, skoro taki mądry – powiedziałem bardziej sucho, niż chciałem. Nie spałem całą noc, szyja i plecy były jak napięte sprężyny, piekły mnie oczy. To nie zmieniało faktu, że zachowałem się złośliwie. Chciałem go przeprosić, ale jakoś nie mogłem. Zresztą Hassan na pewno wiedział, że to ze zdenerwowania. Hassan zawsze mnie rozumiał.

Z łazienki Baby na piętrze dobiegał dźwięk wody puszczonej do umywalki.

Ulice lśniły świeżym śniegiem, niebo było nieskazitelnie błękitne. Śnieg pokrywał gęstą czapą każdy dach i przyginał do dołu gałęzie morw, rosnących wzdłuż naszej ulicy. Zmrużyłem oczy od oślepiającej bieli, gdy wraz z Hassanem wychodziliśmy przez żelazną bramę, którą Ali zaraz za nami zamknął. Usłyszałem, że odmawia szeptem modlitwę. Zawsze tak robił, gdy jego syn wychodził z domu.

Nigdy jeszcze nie widziałem na naszej ulicy tylu ludzi. Dzieci rzucały w siebie śnieżkami, przepychały się, goniły, chichotały. Zawodnicy pochylali się nad szpulami, dokonując ostatnich poprawek. Z sąsiednich ulic dobiegał podobny gwar i śmiech. Dachy już teraz pełne były widzów, rozpartych na fotelach ogrodowych. Co przezorniejsi zaopatrzyli się w termosy z gorącą herbatą. Z magnetofonów kasetowych płynęła muzyka Ahmada Zafira. Ten wielce popularny artysta zrewolucjonizował muzykę afgańską i zgorszył purystów, dodając do tradycyjnych bębenków i harmonii gitary elektryczne, perkusję i trąbki. Grając na koncertach i na przyjęciach, porzucił surowy, czasem wręcz ponury wyraz twarzy dawnych śpiewaków – gdy śpiewał, potrafił uśmiechać się, i to nawet do kobiet. Przeniosłem wzrok na dach naszego domu i zobaczyłem tam na tarasie Babę i Rahima Chana. Siedzieli na ławce w wełnianych swetrach i popijali herbatę. Baba pomachał, ale nie wiem, komu bardziej – mnie czy Hassanowi.

– Czas na nas – powiedział Hassan. Miał na sobie czarne śniegowce i jaskrawozielony *czapan*, spod którego wystawał gruby sweter i sprane sztruksowe spodnie. Słońce lało mu się wprost w twarz; gdy na niego spojrzałem, zobaczyłem, jak świetnie zagoiła się różowa blizna nad wargą.

Nagle zapragnąłem uciec. Zabrać latawiec, zabrać szpulę, wrócić do domu. Jak ja mogłem mieć nadzieję, że mi się uda? Po co się męczę, skoro z góry wiadomo, jak to się skończy? Baba jest na dachu. Patrzy na mnie. Czułem na sobie jego spojrzenie jak palące promienie słońca. To będzie wielka kompromitacja. Nawet jak na mnie.

– Ja chyba nie mam dziś ochoty na latawce – powiedziałem.

– Piękna pogoda – powiedział Hassan.

Nerwowo przestąpiłem z nogi na nogę.

– No, nie wiem. Może wracajmy do domu?

Wtedy podszedł do mnie o krok i cichym głosem powiedział coś, co mnie trochę przestraszyło.

– Pamiętaj, Amirze ago, że nie ma żadnego potwora. Jest tylko ten piękny dzień.

Jak to możliwe, że ja byłem dla niego otwartą książką, podczas gdy sam prawie nigdy nie wiedziałem, jakie myśli snują się w jego głowie? A przecież to ja chodziłem do szkoły, umiałem czytać i pisać, to ja miałem być wykształcony, nie on. Hassan nie potrafił przeczytać jednej choćby strony z elementarza, ale we mnie czytał jak z nut. Było to trochę niepokojące – ale i przyjemne, że jest ktoś, kto zawsze wie, czego mi potrzeba.

– Nie ma potwora – powiedziałem i ku własnemu zdziwieniu poczułem się nieco pewniej.

Uśmiechnął się.

– Nie ma.

– Na pewno?

Zamknął oczy. Skinął głową.

Spojrzałem na dzieci biegające po ulicy, okładające się śniegiem.

– Piękna pogoda, co?

– No, to lecimy – powiedział.

Pomyślałem sobie, że może Hassan zmyślił swój sen. Czy to możliwe? Uznałem, że nie, że taki mądry nie jest. Nawet ja nie jestem taki mądry.

Zresztą czy sen był zmyślony, czy nie, jakoś dziwnie podniósł mnie na duchu. Może rzeczywiście powinienem zdjąć koszulę, popływać w jeziorze. Czemu nie?

– Lecimy – powiedziałem.

Twarz Hassana pojaśniała.

– Dobrze – powiedział. Podniósł nasz latawiec – czerwony o żółtych brzegach, ozdobiony tuż pod miejscem, w którym krzyżowały się poprzeczna i podłużna listewka, charakterystycznym autografem Saifo. Hassan polizał palec, sprawdził, skąd wieje wiatr i popędził w tamtą stronę. Gdy puszczaliśmy latawce w lecie – rzadko się to zdarzało – Hassan sprawdzał kierunek wiatru, wzbijając nogami kłęby kurzu. Szpula w moich dłoniach zakręciła się i znieruchomiała, gdy Hassan zatrzymał się jakieś piętnaście metrów ode mnie. Uniósł latawiec wysoko nad głową, jak olimpijczyk demonstrujący złoty medal. Dwukrotnie szarpnąłem za linkę – nasz zwykły sygnał. Hassan rzucił latawiec.

Rozdarty między Babę i szkolnych mułłów wciąż nie wiedziałem, co myśleć o Bogu. Ale gdy na usta zaczął cisnąć mi się *ajat* z Koranu, którego nauczyłem się na lekcjach religii, nie broniłem się przed nim. Wziąłem głęboki wdech, wypuściłem powietrze z płuc i pociągnąłem linkę. Po chwili mój latawiec pędził po niebie jak strzała, wydając dźwięk taki, jakby machał skrzydłami papierowy ptak. Hassan klasnął w dłonie, zagwizdał i podbiegł do mnie z powrotem. Podałem mu szpulę, nie wypuszczając sznurka z rąk, on zaś nawinął jego nadmiar na szpulę.

W powietrzu wisiało już ponad dwadzieścia latawców, a każdy był jak papierowy rekin, szukający, kogo pożreć. W ciągu następnej godziny ich liczba jeszcze się podwoiła, czerwone, niebieskie i żółte plamy wznosiły się i uwijały na niebie. Poczułem we włosach chłodny wiatr, doskonały do puszczania latawców, dość silny, by unosić je bez trudu, i ułatwiający atak na przeciwnika. Hassan stał tuż obok mnie. Trzymał szpulę. Palce już mu krwawiły.

Wkrótce walka rozpoczęła się na dobre. Pierwsze pokonane latawce kręciły się już bezradnie po niebie, szybując w dół jak spadające gwiazdy o jaskrawych, połyskliwych ogonach, by na bliższych i dalszych ulicach paść łupem biegaczy. Już teraz słyszałem ich krzyki to z jednej, to z drugiej strony. Ktoś wołał, że dwie przecznice dalej już się biją o latawiec.

Co chwila rzucałem spojrzenia na Babę, siedzącego na dachu wraz z Rahimem Chanem, i zastanawiałem się, co sobie myśli. Czy kibicuje mi, czy też w duchu cieszy się, że znów mi się nie uda? Tak to już jest, gdy się puszcza latawce – myśli wędrują wraz z nimi.

Teraz latawce były już wszędzie. Mój ciągle był wśród nich, ciągle unosił się w powietrzu. Mój wzrok znów pobiegł ku Babie, otulonemu grubym wełnianym swetrem. Czy dziwi się, że tak długo wytrzymałem? „Jak nie będziesz patrzył w niebo, długo nie wytrzymasz". Zmusiłem się, by patrzeć na latawce. Już pędził w stronę mojego jakiś inny, czerwony – dostrzegłem go w ostatniej chwili. Trochę trwało, nim sobie z nim poradziłem, ale w końcu tamten zniecierpliwił się i usiłował zajść mnie od dołu, i wtedy go ściąłem.

Z obu stron powracali już biegacze, triumfalnie ukazując niesione w wyciągniętych w górę dłoniach złapane latawce. Pysznili się nimi przed rodzicami i znajomymi. Ale wszyscy wiedzieli, że najlepsze dopiero nadejdzie, że w powietrzu wciąż jeszcze unosi się to najcenniejsze trofeum. Ściąłem jasnożółty latawiec z białym, skręconym ogonem – kosztowało mnie to kolejną ranę na palcu wskazującym. Krew spływała mi po dłoni, musiałem przekazać linkę Hassanowi i najpierw wyssać palec do sucha, a potem jeszcze tamować krew na dżinsach.

W ciągu następnej godziny liczba latawców na niebie spadła z pięćdziesięciu do mniej więcej dziesięciu. Mój wciąż utrzymywał się w powietrzu. A więc miałem już miejsce w pierwszej dziesiątce. Wiedziałem, że to jeszcze trochę potrwa, bo ci, co zostali, byli naprawdę dobrzy. Oni nie dadzą się nabrać na starą, ulubioną sztuczkę Hassana: wzlot do góry i nagłe pikowanie w dół.

Około trzeciej po południu na niebie pojawiły się pierwsze chmurki. Słońce kryło się za nie co chwila, cienie stawały się coraz dłuższe. Widzowie tkwiący na dachach okutali się szalikami i futrami. Zostało sześciu zawodników, wśród nich ja. Bolały mnie nogi, szyja całkiem mi zesztywniała. Ale z każdym pokonanym latawcem rosła mi w sercu nadzieja, jak gromadzący się na murze śnieg – płatek po płatku.

Mój wzrok padał coraz częściej na niebieski latawiec, który przez ostatnią godzinę poczynił prawdziwe spustoszenie.

– Ile ściął? – zapytałem.

– Ja naliczyłem jedenaście – odpowiedział Hassan.

– Nie wiesz, czyj to?

Hassan mlasnął językiem i uniósł podbródek w górę. Zawsze tak robił, gdy chciał powiedzieć, że nie ma pojęcia. Niebieski latawiec rozprawił się właśnie z innym, purpurowym i dwukrotnie zatoczył szeroki krąg. Dziesięć minut później ściął jeszcze dwa kolejne. Rzuciła się za nimi istna horda biegaczy.

Minęło kolejne pół godziny, zostały cztery latawce. Mój też. Miałem wrażenie, że nie popełniłem dotąd ani jednego błędu, zupełnie jakby wiatr był dziś po mojej stronie. Nigdy nie czułem się tak silny, tak szczęśliwy. Upojony powodzeniem nie śmiałem skierować wzroku na dach, nie śmiałem spuszczać oka z nieba. Musiałem być skupiony, musiałem być sprytny. Jeszcze kwadrans i to, co rano wydawało się marzeniem ściętej głowy, teraz stało się faktem: zostałem tylko ja i ten drugi. Ten od niebieskiego latawca.

Atmosfera była teraz napięta tak, jak szklana linka, którą wciąż szarpałem coraz bardziej krwawiącymi dłońmi. Ludzie tupali, klaskali, szeptali i skandowali *„Boboresz! Boboresz!"* „Zetnij go, zetnij!" Zastanawiałem się, czy słyszę też głos Baby. Muzyka grała wniebogłosy, z dachów i otwartych drzwi domów płynęły zapachy gotowanych *mantu* i smażonych *pakora*.

Ale ja słyszałem, ja wsłuchiwałem się tylko w dudnienie w skroniach własnej krwi. Widziałem tylko niebieski latawiec. W nozdrzach czułem tylko jedno: zwycięstwo. Zbawienie. Odkupienie. Jeżeli Baba się myli, jeżeli Bóg istnieje, tak, jak uczono mnie w szkole, to da mi wygrać. Nie miałem pojęcia, co może być stawką mojego ostatniego przeciwnika – może tylko to, że przez następny rok miałby się czym chwalić. Ale dla mnie była to jedyna szansa, by stać się kimś, kogo się zauważa, a nie tylko widzi, kogo się słucha, nie tylko słyszy. Jeżeli Bóg istnieje, to tak pokieruje wiatr, bym jednym cięciem mojej ostrej jak brzytwa linki odciął cały mój ból, całą moją tęsknotę. Dość się już wycierpiałem, zaszedłem już dość daleko. Nagle nadzieja zmieniła się w pewność. Wiedziałem już, że wygram, że to tylko kwestia czasu.

I to bardzo krótkiego czasu, jak się okazało. Powiew wiatru porwał mój latawiec w górę. Natychmiast to wykorzystałem. Popuściłem sznurek, latawiec wzniósł się, zakręciłem nim tak, że znalazł się nad niebieskim i tak pozostał. Tamten wiedział, że jest w tarapatach i rozpaczliwie usiłował się ratować, ale ja trzymałem się wciąż w tej samej pozycji. Tłum wyczuł, że nadchodzi koniec. Chór głosów: „Zetnij go! Zetnij!" jeszcze się wzmógł. Tak chyba Rzymianie zachęcali gladiatorów, by dobili przeciwnika.

– Już prawie, Amirze ago! Już prawie go masz! – Hassan aż sapał.

I wreszcie stało się. Zamknąłem oczy i poluźniłem uchwyt na lince. Znów poczułem, że rozcina mi dłoń, bo wiatr zaraz porwał ją w górę. A potem... Nawet nie musiałem usłyszeć ryku tłumu, nawet nie musiałem patrzeć. Hassan darł się jak opętany, ramieniem obejmując mnie za szyję.

– Brawo! Brawo, Amirze ago!

Otworzyłem oczy i zobaczyłem, że niebieski latawiec wije się w dół w szaleńczym korkociągu, jak opona, która nagle odpadła z koła pędzącego samochodu. Zamrugałem oczyma, usiłowałem coś powiedzieć, ale nie byłem w stanie wykrztusić ani słowa. Nagle uniosłem się ponad siebie, ujrzałem się, jakbym patrzył na siebie z góry. Czarna skórzana kurtka, czerwony szalik, nowe dżinsy. Chudy chłopak o nieco ziemistej cerze, trochę za mały jak na swoich dwanaście lat, o wąskich ramionach i nieco podkrążonych, piwnych oczach. Wiatr targał go za ciemnoblond czuprynę. Spojrzał na mnie, uśmiechnęliśmy się do siebie.

A potem ja też wrzeszczałem, nagle zalały mnie barwy i dźwięki, było żywo, było dobrze. Wolną ręką obejmowałem Hassana, podskakiwaliśmy razem w górę i w dół, śmialiśmy się i płakaliśmy.

– Wygrałeś, Amirze ago! Wygrałeś!

– My wygraliśmy! My! – Nic więcej nie mogłem powiedzieć. To nie może być prawda. Za chwilę otworzę oczy i zbudzę się z tego pięknego snu, wstanę z łóżka i zejdę do kuchni na śniadanie. Będzie ze mną tylko Hassan. Ubiorę się, poczekam na Babę, nic mi się nie uda, wrócę do dawnego życia. I wtedy zobaczyłem Babę. Stał na tarasie na naszym dachu i z całej siły bił dłonią w dłoń. Klaskał i darł się na całe gardło. Była to najpiękniejsza chwila w całym moim dwunastoletnim życiu: widziałem, że Baba wreszcie jest ze mnie dumny.

Ale zaraz zaczął gorączkowo do mnie machać. Zrozumiałem.

– Hassan, trzeba...

– Wiem – powiedział, wyrywając się z moich objęć. – *Inszallach*, będziemy świętować później. Teraz biegnę dla ciebie po ten niebieski latawiec.

Rzucił szpulę na ziemię i ruszył pędem przed siebie. Rąbek zielonego *czapan* wlókł się za nim po śniegu.

– Hassan! – zawołałem. – Złapiesz go?

Już skręcał w najbliższą przecznicę. Spod butów pryskał mu śnieg. Ale zatrzymał się i odwrócił. Przyłożył zwinięte w trąbkę dłonie do ust.

– Dla ciebie – tysiąc razy! – zawołał. Po czym uśmiechnął się swym hassanowym uśmiechem i zniknął za rogiem. Następnym razem taki sam radosny uśmiech ujrzałem na jego twarzy dopiero dwadzieścia sześć lat później – na spłowiałej polaroidowej fotografii.

Zacząłem ściągać latawiec na ziemię, a ludzie już biegli z gratulacjami. Ściskałem ich dłonie, dziękowałem. Młodsze dzieci patrzyły na mnie z podziwem. Byłem bohaterem. Dorośli klepali mnie po plecach, tarmosili za włosy. Ściągałem latawiec, odwzajemniałem każdy uśmiech, ale myślałem tylko o tamtym niebieskim latawcu.

Mój latawiec wreszcie znalazł się w moich rękach. Zwinąłem na szpulę cały nadmiar linki, który leżał mi u stóp, uścisnąłem jeszcze kilka dłoni i pobiegłem do domu. Gdy dotarłem do żelaznej bramy, Ali już czekał po drugiej stronie. Wyciągnął rękę przez kratę.

– Gratuluję – powiedział.

Podałem mu latawiec i szpulę, uścisnąłem dłoń.

– *Taszakor*, Ali-dżan.

– Modliłem się za was cały czas.

– Pomódl się jeszcze trochę, bo to nie koniec.

Pośpiesznie wróciłem na ulicę. Nie zapytałem Alego o Babę, bo jeszcze nie chciałem widzieć się z ojcem. Wszystko już sobie zaplanowałem: że wrócę do domu jak triumfator, jak bohater z wojennym trofeum w zakrwawionych rękach. Nasze głowy zwrócą się ku sobie, oczy spotkają, Rostam i Sohrab zmierzą się wzrokiem. Dramatyczna chwila ciszy – a potem stary wojownik podejdzie do młodego, uściska go, uzna jego męstwo. Uznanie. Zbawienie. Odkupienie. A potem? A potem, oczywiście, będziemy żyć długo i szczęśliwie. Jakże mogłoby być inaczej?

Ulice Uazir Akbar Chan są ponumerowane i leżą względem siebie pod kątem prostym, jak krata. Była to wtedy wciąż nowa dzielnica; na każdej ulicy, między domami ogrodzonymi wysokim murem było jeszcze dużo pustych działek i placów budowy. Byłem chyba wszędzie, szukając Hassana. Wszędzie składano ogrodowe fotele, pakowano żywność i nakrycia po całym dniu świętowania. Ci, którzy jeszcze nie zeszli z dachów, gratulowali mi głośnymi krzykami.

Cztery przecznice na południe od naszego domu natknąłem się na Omara, syna zaprzyjaźnionego z Babą inżyniera. Omar grał z młodszym bratem w piłkę przed domem. Omar był całkiem fajny. Chodziliśmy razem do czwartej klasy. Kiedyś dał mi wieczne pióro, takie na naboje.

– Słyszałem, że wygrałeś, Amir – powiedział. – Gratuluję.

– Dziękuję. Widziałeś Hassana?

– Tego twojego Hazarę?

Skinąłem głową.

Omar zagłówkował do brata.

– On podobno świetnie łapie latawce. – Brat też popisał się piękną główką. Omar chwycił piłkę w ręce, pokozłował. – Nie mam pojęcia, jak on to robi. Jak on w ogóle może coś zobaczyć przez te wąskie, skośne oczka?

Brat Omara zaśmiał się krótko i poprosił o piłkę. Omar nie zwrócił na niego uwagi.

– Widziałeś go?

Wskazał palcem na południowy zachód.

– Jakiś czas temu biegł tędy w stronę bazaru.

– Dzięki. – Rzuciłem się w tamtym kierunku.

Gdy dotarłem na plac targowy, słońce zdążyło już prawie skryć się za góry, a zmierzch zamalował niebo na różowo i purpurowo. Parę przecznic dalej z minaretu przy meczecie Hadżi Jagub mułła wyśpiewywał już *azan*, nawołując wiernych, by rozwinęli dywaniki i w modlitwie skłonili głowy ku zachodowi. Hassan nigdy nie opuszczał żadnej z pięciu codziennych modlitw – nawet gdy bawiliśmy się, przepraszał na chwilę, brał wodę ze studni na podwórku, obmywał się i znikał w chatce. Kilka minut później wynurzał się z niej z uśmiechem i podchodził do mnie, czekającego nań pod ścianą lub siedzącego na drzewie. Dziś jednak opuści jedną z modlitw – dla mnie.

Bazar szybko pustoszał, kupcy kończyli na dziś swoje hałaśliwe targi. Biegłem błotnistym przejściem między ciasno stojącymi obok siebie straganami. Na jednym można było kupić świeżo zabitego bażanta, na sąsiednim na przykład kalkulator. Przepychałem się przez rzedniejący tłum, mijałem kulawych żebraków odzianych w kilka warstw podartych łachmanów, sprzedawców ze zwiniętymi dywanami na ramionach, handlarzy suknem i rzeźników, zamykających na noc swoje kramy. Hassana nigdzie nie było.

Zatrzymałem się przy straganie z suszonymi owocami i opisałem Hassana staremu kupcowi, który ładował na grzbiet muła skrzynki z pinolami i rodzynkami. Miał na głowie jasnoniebieski turban.

Długo patrzył na mnie, nim odpowiedział.

– Chyba go widziałem.

– W którą stronę pobiegł?

Zmierzył mnie wzrokiem.

– A co taki chłopiec jak ty robi o tej porze na placu? I jeszcze szuka jakiegoś Hazary? – Jego wzrok spoczął z podziwem na mojej skórzanej kurtce i nowych dżinsach – „kowbojkach", jak je nazywano. W Afganistanie posiadanie czegokolwiek, co pochodziło z Ameryki, i to w dodatku nowego, było oznaką bogactwa.

– Muszę go znaleźć, ago.

– A cóż on cię tak obchodzi? – zapytał. Nie miałem pojęcia, o co mu chodzi, ale wiedziałem, że jeżeli będę się niecierpliwił, on wcale mi szybciej nie powie.

– To syn naszego służącego.

Stary uniósł w górę szpakowatą brew.

– Tak? To szczęściarz z niego, że ma takiego troskliwego pana. Jego ojciec powinien paść na kolana i powiekami zamiatać przed tobą proch.

– To gdzie on jest?

Oparł dłoń na karku muła i wskazał na południe.

– Chłopak, który wyglądał, jak go opisałeś, biegł w tamtą stronę. W ręce miał latawiec. Niebieski.

– Miał latawiec? – powtórzyłem. „Dla ciebie – tysiąc razy". Tak jak obiecał. Porządny chłopak z tego Hassana. Można na nim polegać. Dotrzymał słowa. Złapał dla mnie ostatni latawiec.

– Tamci pewnie już go dogonili – dodał stary kupiec. Stęknął i wrzucił na grzbiet muła jeszcze jedną skrzynkę.

– Kto?

– Ci inni chłopcy – powiedział. – Ci, co go gonili. Byli ubrani tak jak ty.

– Spojrzał w niebo i westchnął. – No widzisz, przez ciebie spóźnię się na *namaz*.

Ale ja już pędziłem na południe.

Przez kilka następnych minut na próżno przeszukiwałem bazar. Może stary kupiec się mylił. Tylko że wyraźnie powiedział o niebieskim latawcu. Byle tylko dostać go w ręce... Zaglądałem w każdy kąt, w każdy stragan. Hassana ani śladu.

Już zacząłem się niepokoić, że nim go znajdę, zrobi się całkiem ciemno, gdy nagle, gdzieś z przodu, usłyszałem głosy. Dotarłem na ustronną, błotnistą uliczkę, biegnącą prostopadle do głównej arterii przecinającej bazar. Skręciłem w przecznicę i ruszyłem w ślad za głosami. Buty co krok zagłębiały się w błoto, z ust wydychałem kłęby pary. Uliczka zmieniła się w wąską ścieżkę biegnącą wzdłuż zasypanej śniegiem rozpadliny, którą wiosną pewnie płynął strumień. Z drugiej strony ścieżki rósł rząd objuczonych śniegiem cyprysów wśród płaskich domków z gliny – najczęściej bardzo nędznych – oddzielonych wąskimi zaułkami.

Znów usłyszałem głosy, tym razem głośniejsze. Dochodziły właśnie z jednego z takich zaułków. Podkradłem się do jego wylotu i wstrzymałem oddech. Wyjrzałem za róg.

Zaułek był ślepy. Na jego końcu, w obronnej, wyzywającej postawie, na szeroko rozstawionych nogach, z zaciśniętymi pięściami – stał Hassan. Za nim, na stercie gruzu i rupieci leżał niebieski latawiec, mój klucz do serca Baby.

Na drodze Hassana z zaułka stali trzej chłopcy. Ci sami, na których natknęliśmy się na wzgórzu w dzień po zamachu stanu Dauda Chana. Wtedy, gdy uratowała nas proca Hassana. Z jednej strony stał Wali, z drugiej Kamal. A w środku Assef. Poczułem, że ciało mi tężeje, że coś zimnego pełznie mi po plecach. Assef był spokojny, pewny siebie. Obracał w dłoni swój kastet. Dwaj pozostali niepewnie przestępowali z nogi na nogę i patrzyli to na Assefa, to na Hassana, jakby schwytali dzikie zwierzę, które tylko Assef potrafi okiełznać.

– No, gdzie masz tę swoją procę, Hazaro? – pytał Assef, wciąż bawiąc się kastetem. – Jak wtedy mówiłeś? Że będą mnie nazywać jednookim? O, właśnie tak. Assef Jednooki. Ładnie to wymyśliłeś. Naprawdę ładnie. No, ale łatwo się mówi, jak się ma nabitą broń.

Zdałem sobie sprawę, że wciąż wstrzymuję oddech. Powoli i jak najciszej wypuściłem powietrze z płuc. Byłem jak sparaliżowany. Patrzyłem, jak zbliżają się do chłopca, z którym dorastałem, którego oszpecona zajęczą wargą twarz jest moim pierwszym wspomnieniem.

– Ale dziś masz szczęście, Hazaro – mówił dalej Assef. Stał odwrócony do mnie plecami, ale wiedziałem dobrze, jak się uśmiecha. – Dziś mam ochotę ci wybaczyć. Co wy na to, chłopaki?

– Jesteś wspaniałomyślny – pośpieszył z odpowiedzią Kamal. – Szczególnie po tym, jak chamsko się zachował. – Usiłował być tak spokojny jak Assef, ale głos mu drżał. Nagle zrozumiałem: tak naprawdę nie bał się Hassana. Bał się, bo nie miał pojęcia, co zamierza Assef.

Assef uczynił lekceważący ruch ręką.

– *Bachszida*. Przebaczam. Nie ma o czym mówić. – Lekko zniżył głos. – Oczywiście na świecie nie ma nic za darmo. Moje przebaczenie będzie cię trochę kosztowało.

– Słusznie – powiedział Kamal.

– Za darmo nic – dodał Wali.

– Masz szczęście, Hazaro – powiedział Assef, postępując o krok w stronę Hassana. – Bo dziś będzie cię to kosztowało tylko ten niebieski latawiec. To chyba sprawiedliwe, co, chłopaki?

– Bardzo sprawiedliwe – powiedział Kamal.

Nawet stąd, skąd na to patrzyłem, dostrzegłem w oczach Hassana strach. Mimo to pokręcił głową.

– Amir aga wygrał. Ten latawiec zdobyłem dla niego w uczciwej walce. Ten latawiec należy do Amira agi.

– Wierny Hazara. Wierny jak pies – powiedział Assef.

Kamal zaśmiał się piskliwie, nerwowo.

– Ale zanim poświęcisz się dla niego, pomyśl. Czy on zrobiłby to samo dla ciebie? Nigdy się nie zastanawiałeś, dlaczego nie zaprasza cię do zabawy, gdy ma gości? Że bawi się z tobą tylko wtedy, gdy nie ma nikogo innego? Zaraz ci to wytłumaczę, Hazaro. Bo ty jesteś dla niego tylko brzydkim psem. Takim, z którym się pobawi, jak mu się nudzi, albo którego kopnie, kiedy jest zły. Nie oszukuj się, że jest inaczej.

– Amir aga jest moim przyjacielem – powiedział Hassan. Jego policzki poczerwieniały.

– Przyjacielem! – zaśmiał się Assef. – Żałosny głupcze! Kiedyś się ockniesz i przekonasz, jaki z niego przyjaciel. A teraz *bas*! Dość tego. Dawaj latawiec.

Hassan pochylił się i podniósł kamień.

Assef cofnął się o krok.

– Mówię ostatni raz.

W odpowiedzi Hassan podniósł dłoń trzymającą kamień.

– Jak chcesz. – Assef rozpiął kurtkę, złożył ją powoli i starannie. Położył ją pod murem.

Otworzyłem usta i omal się nie odezwałem. Omal. Gdybym się odezwał, całe moje życie potoczyłoby się inaczej. Ale się nie odezwałem. Patrzyłem. Zdrętwiałem.

Assef wykonał rozkazujący gest, dwaj pozostali rozsunęli się na boki, tworząc półokrąg wokół Hassana.

– Zmieniłem zdanie – powiedział Assef. – Pozwolę ci zatrzymać latawiec, Hazaro. Na pamiątkę tego, co ci teraz zrobię.

Ruszył na Hassana. Ten rzucił kamieniem, trafiając napastnika w czoło. Assef zawył, ale rzucił się na Hassana i obalił go na ziemię. Wali i Kamal skoczyli, by pomóc Assefowi.

Wsadziłem pięść w usta i zagryzłem z całej siły. Zamknąłem oczy.

Wspomnienie.

Wiesz, że i ciebie, i Hassana wykarmiła ta sama pierś? Wiesz o tym, Amirze ago? Mamka nazywała się Sakina. Pochodziła z Hazarów z Bamian, była piękna, niebieskooka. Śpiewała wam stare pieśni weselne. Mówi się, że ci, których wykarmiła ta sama pierś, stają się braćmi. Wiesz o tym?

Wspomnienie.

– Za jedną rupię od każdego z was rozchylę przed wami zasłonę prawdy. – Starzec siedzi pod glinianym murkiem, jego niewidzące oczy tkwią w oczodołach jak płynne srebro w dwóch jednakowych, głębokich kraterach. Skulony nad laską wróżbita przesuwa sękatą dłonią po wychudłych policzkach. I wyciąga ją do nas. – Po rupii od każdego to chyba niedużo za prawdę? Hassan upuszcza monetę w podstawioną dłoń, ja też. – W imię Allacha, Łaskawego, Miłosiernego – szepcze stary wróżbita. Najpierw chwyta dłoń Hassana, przesuwa po jej powierzchni zakrzywiony pazur w kółko, w kółko, w kółko. Palec wędruje teraz ku twarzy Hassana i z suchym dźwiękiem przesuwa się po jego policzkach, po krawędzi uszu; zrogowaciałe opuszki palców muskają Hassana oczy. Dłoń zatrzymuje się, przez twarz starca przebiega cień. Wymieniamy z Hassanem spojrzenia. Starzec znów chwyta jego dłoń i oddaje mu rupię. Zwraca się do mnie. – A ty, młody przyjacielu? – mówi. Po drugiej stronie murku pieje kur. Starzec sięga po moją dłoń, ja ją odsuwam.

Sen.

Zgubiłem się w śnieżnej zawiei. Wiatr wyje, miota mi w oczy ostrym śniegiem. Po omacku brnę przez nawiewający, śnieżny pył. Wołam o pomoc, ale wicher zagłusza moje krzyki. Padam i ciężko dysząc, leżę na śniegu, zagubiony w tej bieli, wiatr wyje mi w uszach. Widzę, że śnieg zamazuje moje świeże ślady. Myślę sobie, że jestem duchem, duchem, bo nie zostawiam śladów. Znów wołam, nadzieja ginie we mnie jak te ślady, ale tym razem słyszę stłumiony okrzyk. Chroniąc dłonią oczy, podnoszę się i za powiewającą zasłoną śniegu dostrzegam ruch, dostrzegam inną jeszcze barwę niż biel. Pojawia się przede mną znana postać, wyciąga do mnie dłoń, widzę na niej równoległe rany, na śnieg kapie z nich krew. Chwytam za ową dłoń i nagle śnieg znika. Stoimy na polu porośniętym trawą, nad naszymi głowami płyną miękkie strzępy chmur. Patrzę w górę i widzę, że niebo jest pełne latawców: zielonych, żółtych, czerwonych, pomarańczowych. Wszystkie lśnią w popołudniowym słońcu.

Zaułek jest pełen rupieci i gruzu. Wśród stert cegieł i plam cementu walają się łyse opony rowerowe, odarte z naklejek butelki, stare czasopisma, pożółkłe gazety. Zardzewiały, pęknięty żeliwny piecyk stoi wsparty o mur. Od dwóch rzeczy w zaułku nie mogę oderwać oczu. Jedną z nich jest latawiec oparty o mur przy piecyku, drugą – brązowe sztruksy Hassana, rzucone byle jak na stertę pokruszonych cegieł.

– No, nie wiem – odzywa się Wali. – Ojciec mówi, że to grzech. – W jego głosie brzmi równocześnie niepewność, podniecenie, strach. Hassan leży na brzuchu, przygwożdżony do ziemi, Kamal i Wali wykręcają mu ręce na plecach. Nad nimi stoi Assef, przyciskając butem kark Hassana.

– Twój ojciec się nie dowie – mówi Assef. – A w dodatku to żaden grzech dać nauczkę niewychowanemu chamowi.

– No, nie wiem – powtarza Wali.

– Nie, to nie – mówi Assef. Zwraca się do Kamala. – A ty?

– No... ja...
– Przecież to Hazara – mówi Assef. Ale Kamal odwraca wzrok.
– W porządku – ucina Assef. – Chodzi mi o to, żebyście go mi tylko przytrzymali. To potraficie?
Wali i Kamal potakują. Wyraźnie oddychają z ulgą.
Assef klęka za Hassanem, opiera się na jego udach, unosi jego obnażone pośladki. Trzymając jedną dłoń na karku Hassana wolną ręką rozpina własny pas, potem dżinsy, zsuwa bieliznę. Hassan się nie wyrywa, nawet nie jęczy. Lekko obraca głowę i wtedy widzę jego twarz. I malującą się na niej rezygnację. Takie spojrzenie już kiedyś widziałem. U baranka.

Jutro dziesiąty dzień Zul Hidżdża, ostatniego miesiąca w kalendarzu muzułmańskim, pierwszy z trzech dni Eid-Al-Adha, czy też Eid-e-Kurban, jak mówią Afgańczycy – dzień, w którym świętuje się to, że prorok Ibrahim mimo wszystko nie złożył swego syna w ofierze Bogu. Baba już sam zdążył wybrać baranka, którego jak co roku złożymy w ofierze. W tym roku baranek jest biały, z krzywymi, czarnymi uszkami.
Wszyscy: Ali, Hassan, Baba i ja stoimy na podwórku. Mułła recytuje modlitwę i gładzi brodę, Baba mruczy pod nosem: „No, szybciej". Złości go ten niekończący się rytuał, który ma sprawić, że mięso będzie *halal*. Baba szydzi sobie z całej historii Eid, podobnie jak szydzi ze wszystkiego, co ma związek z religią, ale szanuje tradycję Eid-e-Kurban. Według zwyczaju mięso dzieli się na trzy części: dla rodziny, dla przyjaciół i dla biednych, ale Baba co roku oddaje biednym wszystko. Mówi, że bogaci są już dość grubi.
Mułła kończy modlitwę. Amen. Podnosi kuchenny nóż o długim ostrzu. Tradycja każe, by ofiara nie widziała noża. Ali podtyka barankowi kostkę cukru – to też tradycja, żeby śmierć była słodka. Baranek prawie się nie wyrywa. Mułła chwyta go za szczękę i opiera ostrze na jego szyi. Na ułamek sekundy przed dobrze wyćwiczonym ciosem widzę oczy baranka; ich wyraz będzie mnie prześladował w snach przez wiele następnych tygodni. Nie wiem, dlaczego co roku oglądam to, co się wtedy odbywa u nas na podwórku – plamy krwi na trawniku znikają znacznie szybciej niż moje koszmary – ale zawsze oglądam. Oglądam właśnie z powodu tej rezygnacji, jaką odczytuję we wzroku zwierzęcia. Choć to kompletna bzdura, wydaje mi się, że zwierzę rozumie, iż umiera dla większej sprawy. Tak właśnie patrzył...

Zamknąłem oczy. Odwróciłem się plecami do sceny w zaułku. Poczułem, że coś ciepłego płynie mi po nadgarstku. Zamrugałem oczyma i zobaczyłem, że wciąż jeszcze gryzę się w pięść, tak mocno, że palce mi krwawią. Zorientowałem się też, że płaczę. Zza rogu dochodziły szybkie, rytmiczne postękiwania Assefa.

To była ostatnia chwila, aby podjąć decyzję. Ostatnia szansa, aby zdecydować, kim być. Mogłem wrócić do zaułka, stanąć w obronie Hassana – tak jak on tyle razy stawał w mojej obronie – i pogodzić się z tym, co mnie spotka. Albo – uciec.

W końcu uciekłem.

Uciekłem, bo stchórzyłem. Bałem się Assefa i tego, co może mi zrobić. Bałem się bólu. To sobie powtarzałem, gdy odwróciłem się plecami do zaułka – do Hassana. Tak sobie to tłumaczyłem. Wręcz wolałem być tchórzem, bo alternatywa i prawdziwy powód mojej ucieczki był taki, że Assef ma rację, że na świecie nie ma nic za darmo. I że może Hassan to właśnie cena, jaką muszę zapłacić. Może Hassan to baranek, którego muszę poświęcić, żeby zdobyć Babę. Czy to sprawiedliwa cena? Odpowiedź spłynęła mi w świadomość, nim zdążyłem ją powstrzymać: przecież to tylko Hazara.

Uciekałem tą samą drogą, którą tu przybiegłem. Dotarłem do prawie całkiem już opustoszałego bazaru, oparłem się o jakiś zamknięty na kłódkę stragan. Stałem tam zlany potem, dysząc i wyobrażając sobie, że wszystko jednak potoczyło się inaczej.

Jakieś piętnaście minut później usłyszałem głosy i kroki. Przywarłem do straganu. Assef i tamci dwaj minęli mnie pędem. Śmiali się, biegnąc pustą ulicą. Zmusiłem się, by odczekać dziesięć minut, po czym pobiegłem z powrotem na ścieżkę nad zaśnieżoną rozpadliną. Zmrużyłem oczy w zapadającym zmroku i wtedy zobaczyłem Hassana idącego powoli w moją stronę. Stanęliśmy twarzą w twarz pod bezlistną brzozą na skraju rozpadliny.

Pierwsze, co zobaczyłem to, że niósł niebieski latawiec. Nie będę kłamał: tak, od razu popatrzyłem, czy się gdzieś nie podarł. *Czapan* Hassana był ubłocony od przodu, koszulę miał rozerwaną tuż pod kołnierzem. Zatrzymał się. Zachwiał, jakby miał upaść, ale wyprostował się i wręczył mi latawiec.

– Gdzie byłeś? Szukałem cię – powiedziałem. Wypowiadając te słowa, czułem się, jakbym gryzł kamienie.

Hassan przeciągnął rękawem po twarzy, otarł smarki i łzy. Czekałem, by coś powiedział, ale staliśmy w milczeniu i gasnącym świetle dnia. Byłem wdzięczny wieczornym cieniom, że padają na twarz Hassana i skrywają moją. I że nie muszę patrzeć mu w oczy. Czy wiedział, że wiem? A jeżeli wiedział, to co bym zobaczył, gdybym jednak spojrzał mu w oczy. Wyrzut?

Oburzenie? Czy, nie daj Boże, to, czego obawiałem się najbardziej: czyste poświęcenie? Tego nie zniósłbym na pewno.

Zaczął mówić, ale głos mu się załamał. Zamknął usta, otworzył je, znowu zamknął. Cofnął się o krok, wytarł twarz – i nigdy już nie wróciliśmy do tego, co stało się w zaułku. Myślałem, że może wybuchnie płaczem, ale ku mojej uldze powstrzymał się. Teraz musiałem już tylko udawać, że nie słyszę drżenia w jego głosie. I że nie widzę ciemnej plamy z tyłu jego spodni. I drobnych kropli, które padały mu spod spodni i plamiły śnieg na czarno.

– Sahib aga pewnie już się o nas niepokoi – powiedział tylko. Odwrócił się i pokusztykał przed siebie.

Wszystko odbyło się tak, jak to sobie zaplanowałem. Otworzyłem drzwi do zadymionego gabinetu i wszedłem do środka. Baba i Rahim Chan pili herbatę i słuchali trajkotu dziennika radiowego. Ich głowy zwróciły się ku mnie, na ustach ojca pojawił się uśmiech. Rozwarł ramiona. Odłożyłem latawiec i wszedłem wprost w objęcia jego włochatych ramion. Skryłem twarz w jego ciepłą pierś i rozpłakałem się. Baba tulił mnie do siebie i kołysał. W jego ramionach zapomniałem o tym, co zrobiłem. I było mi z tym dobrze.

8

Przez następny tydzień właściwie Hassana nie widziałem. Gdy się budziłem, na stole w kuchni czekał już opiekany chleb, zaparzona herbata i gotowane jajko. Ubranie było wyprasowane i ułożone na trzcinowym fotelu w sieni, gdzie Hassan zwykle dotąd prasował. Dawniej czekał na mnie przy stole, żebyśmy mogli pogadać, nim zabierze się do prasowania. Potem śpiewał do wtóru syku żelazka stare hazarskie pieśni o polach tulipanów. Teraz czekał na mnie w sieni tylko odprasowany strój. I śniadanie w kuchni, na które jakoś nie miałem ochoty.

Pewnego pochmurnego poranka, gdy bawiłem się jajkiem popychając je wokół talerza, wszedł Ali z naręczem porąbanego drewna. Zapytałem go, gdzie jest Hassan.

– Wrócił do łóżka – powiedział Ali, klękając przy piecu. Otworzył małe, kwadratowe drzwiczki.

– Czy Hassan będzie mógł się dziś bawić?

Trzymana przez Alego szczapa znieruchomiała. Na jego twarzy pojawił się niepokój.

– On ostatnio jakoś tylko śpi i śpi. Robi, co do niego należy, już ja go dopilnuję, ale potem znowu włazi pod koc. Czy mogę cię o coś zapytać?

– Jeśli musisz...

– Po zawodach latawców wrócił do domu trochę pokrwawiony, w podartej koszuli. Zapytałem, co się stało, a on powiedział, że to nic, że pobił się z kimś o latawiec.

Milczałem. I dalej popychałem jajko wokół talerza.

– Czy coś mu się stało, Amirze ago? Coś, o czym mi nie powiedział?

Wzruszyłem ramionami.

– A skąd ja mam to wiedzieć?

– Ale powiedziałbyś mi, prawda? *Inszallach*, powiedziałbyś mi, gdyby coś się stało?

– Mówiłem już: skąd mam wiedzieć, co mu jest – uciąłem. – Może jest chory. W końcu może być chory, Ali. No, napalisz wreszcie w piecu czy mam tu zamarznąć na śmierć?

Tej nocy poprosiłem Babę, aby wziął mnie w piątek do Dżalalabadu. Kołysał się na skórzanym bujaku za biurkiem i czytał gazetę. Odłożył ją i zdjął okulary do czytania, których tak nie cierpiałem – przecież nie jest jakimś starcem, ma jeszcze wiele lat życia przed sobą, po co mu te głupie okulary!

– A czemu nie? – powiedział. Ostatnio Baba spełniał każdą moją zachciankę. A nawet więcej: dwa dni temu sam mnie zapytał, czy mam ochotę pójść do kina Ariana na *Cyda* z Charltonem Hestonem. – Chcesz wziąć Hassana do Dżalalabadu?

Czy ten Baba zawsze musiał wszystko popsuć?

– Jest *mariz* – powiedziałem. – Źle się czuje.

– Naprawdę? – Baba przestał się kołysać. – Co mu jest?

Wzruszyłem ramionami i opadłem na kanapę przy kominku.

– Chyba po prostu jest przeziębiony. Ali mówił mi, że odsypia.

– Jakoś ostatnio w ogóle Hassana nie widziałem – powiedział Baba. – Ale to tylko przeziębienie, tak?

Mimo woli byłem wściekły, że Baba od razu zmarszczył się z niepokoju.

– Tak. Zwykłe przeziębienie. To pojedziemy w piątek?

– Tak, tak – powiedział Baba, odsuwając się od biurka. – Szkoda, że Hassana nie będzie. Gdyby pojechał, byłoby ci weselej.

– No, we dwóch też może nam być wesoło – powiedziałem.

Baba uśmiechnął się. I mrugnął do mnie.
– Ubierz się ciepło – dodał.

Miałem wielką ochotę, abyśmy rzeczywiście pojechali tylko we dwóch – tak to sobie zaplanowałem – ale już w środę Babie udało się doprosić ponad dwadzieścia osób. Zatelefonował do swojego kuzyna Homajuna – był to tak naprawdę dość daleki kuzyn – i wspomniał mu, że w piątek wybieramy się do Dżalalabadu. Homajun, który studiował budownictwo we Francji i miał w Dżalalabadzie dom, powiedział, że koniecznie musimy się tam zatrzymać, on też przyjedzie, zabierze dzieci i obie żony. I że może jeszcze pojedzie z nimi jego kuzynka Szafika, która właśnie przywiozła w odwiedziny całą swoją rodzinę z Heratu. W Kabulu mieszka u innego kuzyna, Nadera, więc jego rodzinę też trzeba zaprosić, choć on, Homajun, żyje w pewnej nieprzyjaźni z Naderem, tylko że jeżeli zaprosimy Nadera, to trzeba też koniecznie zabrać jego brata, Faruka, bo inaczej może się obrazić i nie zaprosić nas na wesele córki, a to już za miesiąc, a skoro...

W końcu trzeba było jechać trzema busikami. Jechałem z Babą, Rahimem Chanem, kaką Homajunem – Baba uczył mnie od dziecka, że do każdego starszego mężczyzny mam zwracać się *kaka*, czyli wujku, a do każdej starszej kobiety *chala*, czyli ciociu. W tym samym aucie jechały z nami obie żony kaki Homajuna – starsza, o zasuszonej twarzy i brodawkach na dłoniach, i młodsza, która zawsze pachniała perfumami i tańczyła z zamkniętymi oczyma – oraz dwie córki bliźniaczki kaki Homajuna. Siedziałem na ostatnim siedzeniu, było mi niedobrze, kręciło mi się w głowie, a w dodatku byłem wciśnięty między bliźniaczki, siedmiolatki, które co chwila przechylały się przeze mnie i biły między sobą. Droga do Dżalalabadu to dwie godziny jazdy po wijącej się wysoko nad przepaścią górskiej drodze. Żołądek wywracał mi się do góry dnem na każdej serpentynie. Towarzysze podróży wciąż gadali, głośno i wszyscy naraz, niemal krzykiem, czyli właśnie tak, jak zwykle rozmawiają Afgańczycy. Poprosiłem którąś z bliźniaczek – nie wiem, czy była to Fazila, czy Karima, nigdy ich nie odrozróżniałem – czy nie zamieniłaby się ze mną miejscami, żebym mógł wychylić się przez okno, bo mi niedobrze. Pokazała mi język i powiedziała, że nie. Ja na to, że w porządku, ale niech potem nie ma do mnie pretensji, jeżeli zarzygam jej nową sukienkę. Już po chwili wychylałem się przez okno i patrzyłem, jak nasza droga wije się, wznosi i opada, i kryje ogon za zboczem góry i liczyłem wielobarwne ciężarówki pełne przykucniętych na pace ludzi. Zamykałem oczy, wystawiałem policzki na wiatr, otwierałem usta na świeże powietrze, ale wcale nie czułem się lepiej. Poczułem, że ktoś szturcha mnie palcem w bok: była to Fazila. Albo Karima.

– Co? – zapytałem.

– Właśnie opowiadam o turnieju – powiedział siedzący za kierownicą Baba. Ze środkowego rzędu uśmiechały się do mnie twarze kaki Homajuna i jego żon.

– Latawców było wtedy chyba ze sto – powiedział Baba. – Prawda, Amir?

– Chyba tak – powiedziałem cicho.

– Sto latawców, Homajun-dżan. To nie *laf*. A potem na niebie był tylko jeden latawiec, Amira. Ostatni, który strącił, ma teraz w domu. Piękny, niebieski latawiec. Złapali go razem z Hassanem.

– Gratuluję – powiedział kaka Homajun. Jego pierwsza żona, ta z brodawkami, klasnęła w dłonie. – *Ła, ła*, Amir-dżan, tacy jesteśmy z ciebie dumny! – Młodsza zaraz jej zawtórowała. A potem wszyscy klaskali, wychwalali mnie pod niebiosa, powtarzali, że tacy są ze mnie dumni. Milczał tylko Rahim Chan siedzący obok Baby. Milczał i patrzył na mnie tak jakoś dziwnie.

– Baba, zatrzymaj się – powiedziałem.

– Co?

– Niedobrze mi – wymamrotałem, przechylając się na siedzeniu przez córki kaki Homajuna. Twarz Fazili/Karimy wykrzywiła się z przerażenia.

– Zatrzymaj się, kaka, on jest cały żółty! Zaraz zarzyga mi sukienkę! – zakwiliła.

Baba zaczął zwalniać, ale nie zdążył. Kilka minut później siedziałem już na kamieniu przy drodze. Samochód trzeba było przewietrzyć. Baba i kaka Homajun palili, wujek tłumaczył Fazili/Karimie, żeby przestała płakać, że kupi jej nową sukienkę w Dżalalabadzie. Zamknąłem oczy i wystawiłem twarz do słońca. Pod powiekami zaczęły mi się formować kształty, podobne do tych, które rzuca się na ścianę przy zabawie w cienie. Wirowały wokół siebie, łączyły i w końcu zlały w jedno: w kształt sztruksowych spodni Hassana rzuconych na stertę starych cegieł w zaułku.

Biały, piętrowy dom kaki Homajuna w Dżalalabadzie miał balkon nad wielkim, otoczonym murem ogrodem oraz sadem pełnym śliw i jabłoni. Były tam też żywopłoty, latem przycinane przez ogrodnika w kształty zwierząt, i basen wyłożony błękitnymi kafelkami. Siedziałem ze spuszczonymi w dół nogami na krawędzi basenu, pustego o tej porze roku, na którego dnie leżały tylko resztki śniegu. Dzieci kaki Homajuna bawiły się w chowanego na drugim końcu ogrodu. Kobiety gotowały, już czułem dochodzącą woń smażonej cebuli, słyszałem psyknięcia szybkowaru, muzykę, śpiewy. Baba, Rahim Chan, kaka Homajun i kaka Nader siedzieli na balkonie i palili. Kaka Homajun mówił właśnie, że przywiózł projektor, żeby pokazać nam wszystkim przeźrocza z Francji. Wrócił z Paryża dziesięć lat temu, a dalej męczy ludzi tymi swoimi głupimi slajdami. Przecież miało być inaczej. Przecież w końcu staliśmy się z Babą sobie bliscy. Parę dni temu byliśmy w zoo, oglądaliśmy lwa Marżana, udało mi się nawet rzucić małym kamykiem w niedźwiedzia, kiedy nikt nie patrzył. Potem poszliśmy do kebabiarni Dachody naprzeciw kina Park, na jagnięcy kebab z *nan* prosto z pieca *tandur*. Baba opowiadał mi o swoich podróżach po Indiach i Rosji, o ludziach, których tam poznał, na przykład o bezrękim i beznogim małżeństwie z Bombaju, które przeżyło razem czterdzieści siedem lat i wychowało jedenaścioro dzieci. Przecież miało być inaczej, przecież Baba i dziś miał snuć swe opowieści. W końcu osiągnąłem to, czego pragnąłem od tak dawna. Tylko że choć to osiągnąłem, czułem się pusty jak ten basen, nad którym teraz siedziałem.

O zachodzie słońca żony i córki podały kolację – ryż, *kofta* i *kurma* z kurczaka. Jedliśmy w sposób tradycyjny, siedząc na poduszkach rozłożonych wokół położonego na podłodze obrusa i sięgając palcami do wspólnych mis w cztero- lub pięcioosobowych grupkach. Nie byłem głodny, ale zasiadłem przy jednej misie z Babą, kaką Farukiem i dwoma synami kaki Homajuna. Baba, który przed kolacją zdążył wlać w siebie parę szklanek whisky, dalej opowiadał w najlepsze o zawodach latawców, o tym, jak przetrzymałem wszystkich rywali, jak wróciłem do domu z ostatnim strąconym latawcem. Jego tubalny głos górował nad zgromadzeniem, ludzie podnosili głowy znad mis i głośno mi gratulowali, kaka Faruk klepał mnie po plecach czystą ręką. Miałem ochotę wbić sobie nóż w oko.

Później, dobrze po północy, po kilkugodzinnej partii pokera, jaką Baba uciął sobie z krewniakami – „żeby lepiej trawić" – mężczyźni pokładli się na ułożonych rzędem materacach w tej samej sali, w której odbyła się kolacja. Kobiety poszły na piętro. Minęła godzina, a ja dalej nie mogłem zasnąć. Kuzyni chrapali, stękali, wzdychali przez sen, ja przewracałem się z boku na bok. Usiadłem. Przez okno padał do środka klin księżycowego światła.

– Patrzyłem, jak gwałcili Hassana – powiedziałem na głos. Baba poruszył się we śnie, kaka Homajun coś mruknął. Miałem nadzieję, że ktoś się obudzi i usłyszy, żebym nie musiał dłużej żyć w tym kłamstwie. Ale nikt się nie obudził. W zapadłej na nowo ciszy zrozumiałem, na czym będzie polegać moje przekleństwo: na tym, że nikt się o nim nie dowie.

Pomyślałem o śnie Hassana, tym, w którym pływaliśmy w jeziorze. „Nie ma żadnego potwora" – powiedział – „jest tylko woda". Tylko że się mylił. W jeziorze był potwór. Złapał Hassana za kostki i wciągnął w muliste dno. Tym potworem byłem ja.

Od tej nocy zacząłem cierpieć na bezsenność.

Z Hassanem rozmawiałem dopiero w połowie następnego tygodnia. Odsunąłem od siebie na wpół tylko zjedzony obiad, on zmywał naczynia. Ruszyłem na górę, do swego pokoju i wtedy Hassan zapytał, czy chcę się z nim przejść na wzgórze. Powiedziałem, że jestem zmęczony. Hassan też wyglądał na zmęczonego – wychudł, pod napuchniętymi oczyma pojawiły się szare półkola. Ale gdy poprosił jeszcze raz, niechętnie się zgodziłem.

Ruszyliśmy pod górę, rozgniatając butami błotnisty śnieg. Żaden z nas nic nie mówił. Usiedliśmy pod granatem i wtedy wiedziałem na pewno, że zrobiłem błąd, że nie powinienem był tu przychodzić. Te słowa, wyryte na pniu: „Amir i Hassan, sułtani Kabulu"... Teraz nie mogłem na nie patrzeć.

Poprosił mnie, bym poczytał mu *Szahname*. Powiedziałem, że już nie mam ochoty, że chcę wracać do siebie. Odwrócił wzrok, wzruszył ramionami. Szliśmy do domu tak samo, jak na wzgórze: w milczeniu. Po raz pierwszy w życiu nie mogłem doczekać się wiosny.

Moje późniejsze wspomnienia z zimy roku 1975 są dość mgliste. Pamiętam, że gdy Baba był w domu, czułem się nawet nieźle. Jedliśmy razem, chodziliśmy do kina, odwiedzaliśmy Kakę Homajuna lub Kakę Faruka. Czasem przychodził Rahim Chan – Baba pozwalał mi zostać w gabinecie i pić z nimi herbatę. Czasem nawet prosił, żebym mu przeczytał któreś z moich opowiadań. Było mi wtedy dobrze i nawet potrafiłem uwierzyć, że tak będzie zawsze. Wydaje mi się, że Baba też w to wierzył. Myliliśmy się obaj. Przez kilka miesięcy po zawodach latawców mamiliśmy się obaj tą słodką iluzją; widzieliśmy się takimi, jakimi nigdy dotąd dla siebie nie byliśmy. Udało nam się obu uwierzyć, że zabawka z bibuły, kleju i bambusa może w ten czy inny sposób zasypać dzielącą nas przepaść.

Ale gdy Baba był poza domem – a wychodził i wyjeżdżał często – zamykałem się u siebie w pokoju. Co parę dni połykałem kolejną książkę, pisałem opowiadania, uczyłem się rysować konie. Słyszałem, jak Hassan krząta się rano po kuchni, słyszałem brzęk sztućców, gwizd czajnika. Czekałem, aż usłyszę, że zamyka za sobą drzwi, i dopiero wtedy schodziłem na śniadanie. W kalendarzu zakreśliłem pierwszy dzień szkoły i niecierpliwie liczyłem dni.

Ku mojemu przerażeniu Hassan usiłował wrócić do dawnej zażyłości. Pamiętam dokładnie ostatnią taką próbę z jego strony. Byłem u siebie. Czytałem skrócony perski przekład *Ivanhoe*, gdy Hassan zapukał do drzwi.

– O co chodzi?

– Wychodzę po *nan* – powiedział z drugiej strony. – Pomyślałem sobie, że... że może chciałbyś pójść ze mną.

– Chyba sobie poczytam – odpowiedziałem, trąc skronie. Od pewnego czasu w towarzystwie Hassana zawsze zaczynała mnie boleć głowa.

– Jest ładna pogoda.

– Widzę.

– Może fajnie będzie się przejść.

– Idź sam.

– Chciałbym, żebyś ty też poszedł – powiedział i urwał. Coś, może jego czoło, uderzyło w drzwi. – Nie wiem, co ja takiego zrobiłem, Amirze ago. Proszę, byś mi powiedział. Nie wiem, czemu już się razem nie bawimy.

– Nic takiego nie zrobiłeś, Hassan. Idź sam.

– Powiedz, to więcej tego nie zrobię.

Pochyliłem głowę aż na kolana, jak imadłem ścisnąłem nimi skronie.

– No dobrze, powiem ci, czego masz nie robić.

– Proszę.

– Masz przestać mnie zadręczać. Chcę, żebyś sobie poszedł – rzuciłem. Pragnąłem z całych sił, by się odgryzł, wyłamał drzwi, nakrzyczał na mnie – wtedy byłoby łatwiej, lepiej. Ale nie. Gdy po kilku minutach otworzyłem drzwi, już go za nimi nie było. Rzuciłem się na łóżko, skryłem głowę pod poduszką i długo płakałem.

Odtąd Hassan pojawiał się tylko na obrzeżach mego życia. Pilnowałem, by nasze ścieżki krzyżowały się jak najmniej, tak planowałem cały dzień. Gdy był przy mnie, wokół zaczynało brakować tlenu, płuca się kurczyły, nie mogłem złapać tchu. Stałem tylko i dusiłem się we własnej, pozbawionej powietrza bańce. Zresztą nawet gdy go nie było – był. Był w ręcznie wypranych i wyprasowanym ubraniu na trzcinowym fotelu, w szczapach płonących w piecu, gdy schodziłem na śniadanie. Wszędzie, gdzie się obrócić, widać było dowody jego wierności, jego przeklętej, niewzruszonej wierności.

Na początku wiosny, na kilka dni przed rozpoczęciem roku szkolnego, sadziliśmy z Babą tulipany w naszym ogrodzie. Śnieg prawie całkiem już stopniał, zbocza gór na północy zaczynały się zielenić połaciami trawy.

Było chłodno i pochmurno. Baba kucał tuż przy mnie, kopiąc dołki i wkładając w nie podawane przeze mnie cebulki. Mówił mi właśnie, iż większość ludzi uważa, że tulipany lepiej sadzić jesienią i że to nieprawda, gdy postanowiłem postawić sprawę otwarcie.

– Baba, czy myślałeś kiedyś o najęciu nowych służących?

Upuścił cebulkę tulipana i wbił rydel w ziemię. Zdjął rękawice. Był wyraźnie zaskoczony.

– *Czi*? Coś ty powiedział?

– Tak się tylko zastanawiam...

– Ale po co? – zapytał ostro.

– No tak. Tak tylko pytałem. – Głos przycichł mi aż do szeptu. Już żałowałem, że to powiedziałem.

– Chodzi o Hassana i ciebie, tak? Wiem, że coś między wami zaszło, ale to twój problem, nie mój. Ja się w to nie mieszam.

– Przepraszam, Baba.

Z powrotem nałożył rękawice.

– Dorastałem z Alim – powiedział przez zaciśnięte zęby. – Mój ojciec wziął Alego do domu, kochał go jak własnego syna. Ali był u nas w rodzinie przez czterdzieści lat, przez całe czterdzieści lat. A tobie się wydaje, że jak go teraz tak po prostu wyrzucę na bruk? – Teraz odwrócił się do mnie. Twarz miał czerwoną jak tulipan. – Nigdy nie podniosłem na ciebie ręki, ale jeżeli jeszcze raz powiesz coś takiego... – Odwrócił wzrok, pokręcił głową. – Wstyd mi za ciebie. A co do Hassana... Hassan tu zostanie, rozumiesz?

Spuściłem wzrok, podniosłem garść chłodnej ziemi i przesypałem ją między palcami.

– Pytam, czy zrozumiałeś? – ryknął Baba.

Skuliłem się.

– Zrozumiałem, Baba.

– Hassan zostanie – powtórzył Baba. Wykopał rydlem kolejny dołek, uderzając mocniej, niż trzeba. – Zostanie tu, z nami, tu, gdzie jest jego miejsce. Tu jest jego dom, jesteśmy jego rodziną. I już nigdy do tego nie wracajmy!

– Nie będę, Baba. Przepraszam.

Resztę tulipanów zasadziliśmy w całkowitym milczeniu.

Z ulgą przyjąłem początek roku szkolnego. Po podwórku szkoły spacerowały grupki uczniów z nowymi zeszytami i zatemperowanymi ołówkami w dłoniach, wzbijając kłęby kurzu, rozmawiając w oczekiwaniu na gwizdki starostów. Baba podjechał pod bramę szkolną. Szkoła mieściła się w starym, piętrowym budynku z powybijanymi szybami i ciemnymi, wyłożonymi kamieniem korytarzami; pomiędzy odstającymi od ścian płatami tynku widać było plamy starej, brudnożółtej farby. Większość chłopców szła do szkoły na piechotę, więc czarny ford mustang Baby przyciągał niejedno zazdrosne spojrzenie. Powinienem pękać z dumy, że mnie podwozi – tak na pewno byłoby dawniej – ale teraz czułem jedynie lekkie zażenowanie. Zażenowanie – i pustkę, bo Baba odjechał bez słowa pożegnania.

Tym razem darowałem sobie wzajemne oględziny blizn po linkach latawców i ustawiłem się w szeregu. Zabrzmiał dzwonek, rozeszliśmy się do klas. Usiadłem w ostatnim rzędzie. Gdy nauczyciel perskiego rozdawał podręczniki, modliłem się w duchu, aby dużo nam zadał.

Szkoła stała się dla mnie pretekstem, do przesiadywania całymi godzinami u siebie w pokoju. I na chwilę pozwalała zapomnieć o tym, co zdarzyło się zimą, o tym, że na to przyzwoliłem. Na kilka tygodni pogrążyłem się bez reszty w sile ciężkości i sile bezwładności, atomach i komórkach, wojnach afgańsko-angielskich, nie myślałem o Hassanie i o tym, co się z nim stało. Ale mój umysł zawsze jakoś powracał do tamtego zaułka. Do sztruksowych spodni Hassana, rzuconych na cegły. I do kropelek krwi, plamiących śnieg na tak ciemnoczerwono, że aż czarno.

Na początku lata, pewnego parnego, zamglonego popołudnia, poprosiłem Hassana, by poszedł ze mną na wzgórze. Powiedziałem, że chcę mu przeczytać moje nowe opowiadanie. Rozwieszał właśnie pranie na podwórzu. Widziałem, jak bardzo się z tym spieszył.

Wspinaliśmy się na wzgórze, gadając o tym i owym. Pytał mnie o szkołę, o to, czego się uczę, ja opowiadałem mu o nauczycielach, o jednym szczególnie nieprzyjemnym matematyku, który karał za rozmowy na lekcji w ten sposób, że wpychał winowajcy między palce metalowy pręt, po czym ściskał je na nim z całej siły. Hassan aż się wzdrygnął i powiedział, że wolałby nigdy czegoś takiego nie doświadczyć. Powiedziałem mu, że ja na razie miałem szczęście; powiedziałem to, wiedząc, że nie była to kwestia szczęścia, bo ja też gadałem na lekcjach. Nie zawarłem dotąd znajomości z metalowym prętem po prostu dlatego, że mój ojciec był znany i bogaty.

Usiedliśmy pod niskim murkiem cmentarnym w cieniu granatu. Miesiąc, może dwa później całe wzgórze pokrywa się zwykle wyschniętymi, żółtymi chwastami, ale tego roku wiosenne deszcze trwały trochę dłużej, aż do początku lata, więc trawa była wciąż zielona, nakrapiana polnymi kwiatami. Poniżej lśniły w słońcu białe, o płaskich dachach domy Uazir Akbar Chan, a rozwieszone w podwórkach i ogrodach pranie tańczyło na sznurach jak motyle.

Zerwaliśmy z drzewa kilkanaście granatów. Rozwinąłem przyniesione przeze mnie opowiadanie, otworzyłem je na pierwszej stronie, potem odłożyłem papier. Wstałem i podniosłem jeden z opadłych na ziemię granatów.

– Co byś zrobił, gdybym ci nim przywalił? – powiedziałem, podrzucając owoc w ręce.

Uśmiech zniknął z twarzy Hassana. Wyglądaj starzej niż dawniej. Nie, nawet nie starzej, po prostu staro. Czy to możliwe? Na jego opalonej twarzy pojawiły się zmarszczki wokół oczu i ust. Czułem się, jakbym to ja wyciął je tam nożem.

– No, co byś zrobił? – powtórzyłem.

Zbladł. Leżące obok niego, spięte zszywaczem kartki opowiadania powiewały na wietrze. Z całej siły rzuciłem w niego owocem. Uderzył go w pierś, wybuchając czerwonym miąższem. Okrzyk Hassana pełen był zdumienia i bólu.

– Oddaj mi! – krzyknąłem. Hassan patrzył to na mnie, to na plamę na koszuli.

– Wstawaj! Uderz mnie! – powiedziałem. Hassan podniósł się, ale stał tylko otumaniony.

Rzuciłem w niego drugim granatem, tym razem w ramię. Sok opryskał mu twarz.

– Oddaj mi! – Aż zaplułem się z wściekłości. – Oddaj, ty...!

Tak bardzo pragnąłem, by mnie uderzył, by wymierzył mi zasłużoną karę, może wreszcie będę mógł spać w nocy. Może potem wszystko ułoży się między nami. Ale Hassan stał nieruchomo, gdy rzucałem w niego kolejne owoce.

– Tchórz! – powiedziałem. – Cholerny tchórz!

Nie wiem, ile razy w niego rzuciłem. Wiem tylko, że gdy byłem zbyt zmęczony, by rzucać dalej, Hassan wyglądał, jakby został rozstrzelany. Zawiedziony, bez tchu upadłem na kolana.

Wtedy Hassan podniósł z ziemi granat. Podszedł do mnie. Rozerwał owoc na pół i rozgniótł go o swoje czoło.

– No – wychrypiał. Czerwony sok spływał mu po twarzy jak krew. – Zadowolony? Lepiej ci?

Odwrócił się i zaczął schodzić ze wzgórza.

Dałem upust łzom, wciąż klęcząc, kiwałem się w przód i w tył.

– Co ja mam z tobą zrobić, Hassan? Co ja mam z tobą zrobić?

Ale gdy łzy obeschły i ja też ruszyłem w dół, już znałem odpowiedź na to pytanie.

Latem roku 1976 obchodziłem trzynaste urodziny. Dla Afganistanu miało to być przedostatnie lato pokoju, przedostatnie lato, w którym mało kto na świecie umiałby wskazać Afganistan na mapie. Między mną a Babą znów zapanował chłód. Wydaje mi się, że zaczęło się to od dnia, w którym sadziliśmy tulipany i rzuciłem tę głupią uwagę, tę o zmianie służby. Żałowałem, że to powiedziałem, naprawdę, ale myślę też, że nawet gdybym nic wtedy nie powiedział, to całe zbliżenie między nami i tak by się skończyło. Pod koniec lata zamilkły wesołe rozmowy przy stole, znów słychać było tylko brzęk sztućców o talerze; po kolacji Baba znów zaczął zaszywać się w gabinecie. Za zamkniętymi drzwiami. Ja znów przerzucałem stronice w zbiorkach Hafeza i Chajjama, gryzłem paznokcie, pisałem. Zapisane kartki trzymałem na wszelki wypadek pod łóżkiem, choć wątpiłem, by Baba jeszcze kiedykolwiek poprosił mnie o przeczytanie mu któregoś opowiadania.

Baba miał prostą zasadę, gdy wydawał przyjęcia: albo zaprasza się pół miasta, albo nie jest to żadne przyjęcie. Gdy na tydzień przez urodzinami przeglądałem listę gości zorientowałem się, że nie znam co najmniej trzech czwartych wszystkich zaproszonych kaka i chala, którzy mieli przynieść mi prezenty i pogratulować, że udało mi się dożyć trzynastki. Potem uświadomiłem sobie, że oni nie przyjdą do mnie. Będą to, co prawda, moje urodziny, ale dobrze wiedziałem, kto będzie gwiazdą wieczoru.

Od wielu dni w domu było aż gęsto od najętej służby. Rzeźnik Salahudyn przyprowadził na sznurku cielę i dwa barany, ale nie pozwolił sobie za nie zapłacić. Sam zarżnął zwierzęta pod topolą w ogrodzie. Pamiętam, że powiedział: „Krew dobrze robi drzewom", stojąc nad czerwoną kałużą pod topolą. Nieznani mi ludzie wdrapywali się na nasze dęby ze sznurami lampek elektrycznych i całymi metrami kabla. Inni ustawiali w ogrodzie dziesiątki stołów, każdy przykrywali obrusem. W przeddzień przyjęcia pojawił się z całymi torbami przypraw przyjaciel Baby Del Muhammad, właściciel kebabiarni w Szar-e-Nau. Podobnie jak rzeźnik, Del Muhammad – zwany przez Babę „Dello" – nie przyjął zapłaty za swe usługi. Powiedział, że Baba i tak dość już zrobił dla jego rodziny. Gdy Dello zabrał się do marynowania mięsa, Rahim Chan szepnął mi na ucho, że to właśnie Baba pożyczył Dello pieniądze na otwarcie restauracji. Baba potem długo nie chciał przyjąć zwrotu pożyczki i ustąpił dopiero wtedy, gdy Dello zajechał swym nowym mercedesem pod nasz dom i oznajmił, że nie odjedzie, póki Baba nie odbierze długu.

Pod tym względem, pod którym zwykle ocenia się przyjęcia, moje urodziny na pewno były bardzo udane. Nigdy jeszcze nie było u nas takiego tłumu. Goście ze szklankami w dłoniach rozmawiali w korytarzach, palili na schodach, opierali się o framugi drzwi. Siedzieli, gdzie się dało: na ladzie w kuchni, w sieni, nawet pod schodami. W ogrodzie bawili się w niebiesko--czerwono-żółtym świetle lampek mrugających na drzewach; na ich twarze padało też światło rozstawionych wszędzie ogni bengalskich. Na balkonie od strony ogrodu Baba kazał urządzić estradę; wszędzie porozmieszczano głośniki. Na estradzie, nad kłębowiskiem tańczących, grał na akordeonie i śpiewał sam Ahmad Zahir.

Każdego z gości musiałem powitać osobiście – już Baba tego dopilnował, nie chciał, by nazajutrz mówiono w mieście, że nie umiał wychować syna. Wycałowałem więc setki policzków, ściskałem się z kompletnie nieznajomymi ludźmi, dziękowałem im za prezenty. Twarz aż ścierpła mi od wymuszonego uśmiechu.

Stałem właśnie z Babą przy barze w ogrodzie, gdy ktoś powiedział: „Wszystkiego najlepszego, Amir". Był to Assef z rodzicami. Jego ojciec Mahmud był niski, chudy jak szczapa, ciemnoskóry, o wąskiej twarzy. Jego matka Tania była drobną, nerwową kobietą; co chwila uśmiechała się i mrugała oczami. Assef stał teraz między rodzicami, górując nad nimi, opierając dłonie na ich ramionach. Kierował ich w naszą stronę tak, jakby to on tu ich przyprowadził, zupełnie jakby on był rodzicem, a oni dziećmi. Zakręciło mi się w głowie. Baba podziękował im za przybycie.

– Sam wybrałem prezent dla ciebie – powiedział Assef. Twarz Tanii zadrgała, jej wzrok przeskoczył z Assefa na mnie. Uśmiechnęła się niepewnie i zamrugała. Zastanawiałem się, czy Baba to zauważył.

– Dalej tyle grasz w piłkę, Assef-dżan? – zapytał Baba. Zawsze chciał, żebym kolegował się z Assefem.

Assef uśmiechnął się. Byłem wstrząśnięty, że potrafi tak słodko się uśmiechać.

– Oczywiście, kaka-dżan.

– O ile pamiętam, na prawym skrzydle?

– Prawdę mówiąc, w tym roku przeszedłem na środek ataku – odpowiedział Assef. – Strzelam więcej bramek. Za tydzień gramy z Mekro-Rajan. Powinien być dobry mecz, bo mają paru niezłych graczy.

Baba skinął głową.

– Wiesz, w młodości też grałem na środku ataku.

– I założę się, kaka-dżan, że jeszcze dziś byłbyś świetny, gdybyś tylko chciał – powiedział Assef i obdarował Babę przyjacielskim mrugnięciem.

Baba odwzajemnił mu się tym samym.

– Widzę, że ojciec nauczył cię układnej mowy, z której słynie. – Dał ojcu Assefa lekkiego kuksańca, od którego mały człowieczek o mało nie upadł. Śmiech Mahmuda był akurat tak przekonujący jak uśmiech Tani. Zacząłem się zastanawiać, czy oni przypadkiem nie boją się syna. Usiłowałem i ja zmusić się do uśmiechu, ale udało mi się tylko unieść w górę kąciki ust. W żołądku wszystko mi się przewracało na widok poufalenia się Baby z Assefem. Assef przeniósł wzrok na mnie.

– Wali i Kamal też tu będą. Na pewno nie przegapią twoich urodzin – powiedział. W jego głosie czaił się śmiech. Bez słowa skinąłem głową.

– Jutro rano będziemy grać w siatkówkę. U mnie – powiedział Assef. – Może chciałbyś zagrać z nami? Przyprowadź Hassana, jeśli chcesz.

– No, proszę. – Baba rozpromienił się cały. – Co ty na to, Amir?

– Tak naprawdę nie bardzo lubię siatkówkę – wymamrotałem. Zobaczyłem, że radość gaśnie w oczach Baby. Nastało niezręczne milczenie.

– To nic – powiedział Assef. – W każdym razie zapraszam cię raz na zawsze, Amir-dżan. Słyszałem, że lubisz czytać, więc przyniosłem ci książkę. To moja ulubiona lektura. – Wyciągnął do mnie tomik zapakowany w kolorowy papier. – Wszystkiego najlepszego.

Był ubrany w bawełnianą koszulę, niebieskie spodnie, czerwony jedwabny krawat i lśniące, czarne mokasyny. Pachniał wodą kolońską, a jego jasne włosy były porządnie zaczesane. Na pierwszy rzut oka był wprost ucieleśnieniem marzeń wszystkich rodziców o dziecku: silny, wysoki, dobrze ubrany i wychowany chłopiec, zdolny, bardzo przystojny, w dodatku umiejący wesoło rozmawiać z dorosłymi. Ale przede mną zdradzały go jego oczy. Gdy w nie patrzyłem, ta piękna fasada rozpadała się w pył, za którym czaił się obłęd.

– Co to, Amir, nie chcesz prezentu? – mówił Baba.

– Co?

– Prezentu – powiedział już z irytacją. – Assef-dżan chce ci wręczyć prezent.

– Aha.

Ocknąłem się. Przyjąłem prezent i spuściłem wzrok. Zapragnąłem znaleźć się sam u siebie w pokoju, z książkami, z dala od tych wszystkich ludzi.

– No? – odezwał się znów Baba.

– Co?

Baba mówił teraz cichym głosem, jak zawsze, gdy musiał się za mnie wstydzić.

– Nie podziękujesz? Assef-dżan pamiętał o tobie.

Czy Baba nie może już przestać z tym „Assef-dżanem"? Jak często mówi do mnie: „Amir-dżan"?

– Dziękuję – powiedziałem. Matka Assefa miała minę, jakby chciała coś powiedzieć, ale zrezygnowała. Uświadomiłem sobie, że aż do tej pory żadne z rodziców Assefa nie wymówiło ani słowa. By już więcej nie zawstydzać siebie i Baby – a przede wszystkim by uciec przed Assefem i jego uśmiechem – odszedłem.

– Dziękuję, że państwo przyszli – powiedziałem jeszcze.

Przecisnąłem się przez tłum gości i wyślizgnąłem na zewnątrz, za żelazną bramę. Dwa domy dalej stała duża, pusta działka. Słyszałem, jak Baba mówił Rahimowi Chanowi, że kupił ją jakiś sędzia i że architekt już pracuje nad projektem, ale na razie była tam tylko sucha ziemia, kamienie i chwasty.

Rozdarłem papier na prezencie od Assefa i przekrzywiłem książkę do księżyca, by odczytać tytuł. Była to biografia Hitlera. Rzuciłem ją między zielsko.

Oparłem się o mur sąsiedniej posiadłości, osunąłem po nim na ziemię. Przez chwilę siedziałem w ciemności z podciągniętymi pod brodę kolanami. Patrzyłem w gwiazdy i czekałem, by wreszcie nadszedł nowy dzień.

– Nie powinieneś bawić gości? – zapytał znajomy głos. Wzdłuż muru szedł ku mnie Rahim Chan.

– Nie trzeba, wystarczy, że jest tam Baba – powiedziałem. Rahim Chan usiadł przy mnie. W trzymanej przez niego szklance zadźwięczał lód. – Nie wiedziałem, że pijesz.

– Jak widzisz – powiedział. Przyjacielsko trącił mnie łokciem. – Ale tylko przy największych okazjach.

Uśmiechnąłem się.

– Dziękuję.

Uniósł ku mnie szklankę, pociągnął łyk. Zapalił papierosa – pakistańskiego, bez filtra, jakie zawsze palili obaj z Babą.

– Mówiłem ci kiedyś, że raz o mało się nie ożeniłem?

– Naprawdę? – Aż się uśmiechnąłem na myśl, że Rahim Chan mógłby być żonaty. Zawsze myślałem o nim jako o spokojniejszym alter ego Baby, o kimś, kto zachęcał mnie do pisania, kto nigdy nie zapomniał przywieźć mi *saugat*, pamiątki, z każdej podróży za granicę. Ale on miałby być mężem? Ojcem?

Pokiwał głową.

– Naprawdę. Miałem osiemnaście lat. Ona nazywał się Homaira. Była Hazarką, córką służących sąsiada. Była piękna jak *pari*, miała jasne włosy, wielkie, piwne oczy... A kiedy się śmiała... Czasem wciąż słyszę jej śmiech.

– Zakręcił szklanką. – Spotykaliśmy się potajemnie w sadzie mojego ojca, zawsze po północy, kiedy wszyscy spali. Przechadzaliśmy się wśród jabłoni, trzymałem ją za rękę... Czy to dla ciebie krępujące, Amir-dżan?

– Trochę – powiedziałem.

– Wytrzymasz – powiedział i znów zaciągnął się dymem. – Marzyliśmy, że będziemy mieli wielkie, piękne wesele, że sprosimy krewnych i znajomych od Kabulu po Kandahar. Że zbuduję nam wielki dom, biały, z wyłożonym płytkami dziedzińcem i wielkimi oknami. Że w ogrodzie zasadzimy drzewa owocowe i mnóstwo najróżniejszych kwiatów i trawnik, żeby nasze dzieci miały się gdzie bawić. W piątki po *namaz* w meczecie wszyscy będą zbierali się na obiad u nas w sadzie, pod wiśniami, będziemy pić zimną wodę ze studni. A potem przy herbacie i słodyczach będziemy patrzeć, jak nasze dzieci bawią się z dziećmi krewniaków...

Pociągnął spory łyk whisky. Odkaszlnął.

– Żałuj, że nie widziałeś miny mojego ojca, gdy mu powiedziałem. Mama zemdlała, siostry musiały cucić ją wodą, wachlowały ją i patrzyły na mnie, jakbym poderżnął jej gardło. Mój brat Dżalal nawet poszedł po strzelbę, dopiero ojciec go powstrzymał. – Rahim Chan zaśmiał się krótko, gorzko. – Z jednej strony Homaira i ja, z drugiej cały świat. Coś ci powiem, Amir-dżan: w końcu świat zawsze postawi na swoim. Tak już jest.

– I co się stało?

– Jeszcze tego samego dnia mój ojciec wsadził Homairę i całą jej rodzinę na ciężarówkę, i wysłał ich do Hazaradżatu. I już nigdy jej nie widziałem.

– Tak mi przykro – powiedziałem.

– Tak pewnie było najlepiej – powiedział, wzruszając ramionami Rahim Chan. – Bardzo by cierpiała. Moja rodzina nigdy by jej nie zaakceptowała. Trudno dawać dziewczynie buty do czyszczenia, a następnego dnia mówić do niej: „siostro". – Spojrzał na mnie. – Wiesz, Amir-dżan, mnie możesz mówić wszystko. Wszystko i zawsze.

– Wiem – powiedziałem niepewnie. Długo mi się przyglądał, jakby na coś czekał. Jego czarne, bezdenne oczy chciały mi powiedzieć, że mamy jakąś wspólną tajemnicę. Omal mu nie powiedziałem. Tylko że co on by sobie o mnie pomyślał? Znienawidziłby mnie. I słusznie.

– Masz. – Wręczył mi coś. – Byłbym zapomniał. Wszystkiego najlepszego. – Był to oprawny w brązową skórę notes. Przesunąłem palcami po zewnętrznym złoceniu, powąchałem skórę. – To na twoje opowiadania – powiedział. Już miałem mu podziękować, gdy na niebie coś wybuchło i rozświetliły je ogniste gwiazdy.

– Sztuczne ognie! Pobiegliśmy do domu. W ogrodzie goście stali i patrzyli w niebo. Przy każdym wybuchu, przy każdym syku wzlatującej w górę rakiety dzieci wrzeszczały i pohukiwały, dorośli klaskali w dłonie i wiwatowali. Co parę sekund ogród zapalał się nagłymi rozbłyskami czerwieni, żółci, zieleni. W jednym z tych krótkich rozbłysków zobaczyłem coś, czego nigdy nie zapomnę: Hassan podaje Assefowi i Walemu napoje na srebrnej tacy, blask gaśnie, słychać syk, trzask, jeszcze jeden pomarańczowy błysk, Assef z uśmiechem ugniata pięścią brzuch Hassana.

Potem, na szczęście, ciemność.

9

Następnego dnia rano siedziałem na środku swojego pokoju i po kolei rozpakowywałem prezenty. Nie wiedziałem, po co to robię, bo na każdy patrzyłem obojętnie i odrzucałem na stertę w kąt. A sterta rosła: aparat polaroid, radio tranzystorowe, duża kolejka elektryczna – i kilka zaklejonych kopert z banknotami. Wiedziałem, że nigdy nie wydam tych pieniędzy, że nie będę słuchał tego radia, że kolejka elektryczna nie będzie stukać po torach w moim pokoju. Nie chciałem tego wszystkiego, bo na tych pieniądzach, na tych prezentach była krew: Baba nigdy nie wydałby takiego przyjęcia, gdybym nie wygrał turnieju.

Od ojca dostałem dwa prezenty. Jeden miał na pewno zostać przedmiotem zazdrości rówieśników z całej dzielnicy – był to nowiutki schwinn stingray, najlepszy rower świata. Nowe stingraye posiadała w Kabulu tylko garstka dzieci, teraz ja dołączyłem do tych wybrańców losu. Rower miał wysoką kierownicę z czarnymi, gumowymi uchwytami i sławne, wydłużone siodełko. Szprychy były złote, stalowy korpus czerwony jak kandyzowane jabłko. Albo jak krew. Każdy inny chłopak natychmiast wskoczyłby na rower i jeździł nim po całej okolicy. Sam bym tak zrobił parę miesięcy temu.

– Podoba ci się? – zapytał Baba, wsparty o framugę drzwi. Uśmiechnąłem się nijako i rzuciłem „dziękuję". Żałowałem, że nie stać mnie na więcej.

– Może się przejedziemy? – powiedział Baba. Zabrzmiało to jednak dość nieprzekonująco.

– Może potem. Jestem trochę zmęczony – odpowiedziałem.

– Oczywiście.

– Baba?

– Tak?

– Dziękuję za sztuczne ognie – powiedziałem. Jednak i to podziękowanie zabrzmiało niezbyt szczerze.

– Odpocznij sobie – powiedział Baba, odchodząc do siebie.

Drugim prezentem od Baby – już nie czekał, abym otworzył przy nim – był zegarek. Miał niebieską tarczę ze złotymi wskazówkami w kształcie błyskawic. Nawet go nie przymierzyłem, rzuciłem go na stertę w kącie. Jedynym prezentem, który tam się nie znalazł, był skórzany notes od Rahima Chana. Na nim jakoś nie widziałem śladów krwi.

Usiadłem na skraju łóżka, obracałem notes w dłoniach i myślałem o tym, co Rahim Chan opowiedział mi o Homairze – że jego ojciec dobrze zrobił, odsyłając ją z rodziną gdzie indziej. „Bardzo by cierpiała". W głowie pojawiał mi się raz po raz ten obraz, zupełnie jak wtedy, gdy projektor kaki Homajuna zacinał się na którymś przeźroczu: Hassan, ze spuszczoną głową serwujący napoje Assefowi i Walemu. Może rzeczywiście tak byłoby najlepiej. Żeby tak nie cierpiał. Ani on, ani ja. Tak czy inaczej sprawa była jasna: jeden z nas musiał odejść.

Tego samego dnia po południu odbyłem na nowym rowerze pierwszą i ostatnią przejażdżkę. Kilkakrotnie objechałem najbliższy kwadrat ulic. Wracając, mijałem ogród, w którym Ali i Hassan sprzątali ciągle po wczorajszym przyjęciu. Panował tam straszny bałagan: plastikowe kubki, zgniecione serwetki papierowe, puste butelki. Ali składał właśnie fotele ogrodowe i ustawiał je pod ścianą. Zobaczył mnie, pomachał ręką.

– *Salam*, Ali – odpowiedziałem, też machając.

Podniósł palec na znak, bym zaczekał. Poszedł do swej chatki. Po chwili wynurzył się z niej, trzymając coś za plecami.

– Wczoraj nie mieliśmy z Hassanem okazji wręczyć ci tego podarku – powiedział, wręczając mi prezent. – Jest skromny i niegodny ciebie, Amirze ago, ale mamy nadzieję, że ci się spodoba. Wszystkiego najlepszego.

Coś chwyciło mnie za gardło.

– Dziękuję, Ali – powiedziałem. Stokroć wolałbym, by nic mi nie kupili. Odwinąłem papier i zobaczyłem nowiutki egzemplarz *Szahname*, w twardej oprawie, z lśniącymi, kolorowymi ilustracjami na każdej stronie: Ferangis i jej nowo narodzony syn Kai Chorau, Afrasiab na koniu, z dobytą szablą prowadzący wojsko, i oczywiście Rostam zadający śmiertelną ranę swemu synowi, walecznemu Sohrabowi.

– To piękne – powiedziałem.

– Hassan mówił, że twój egzemplarz jest stary, zniszczony i że brakuje mu kilku kartek – powiedział Ali. – A te rysunki są ręcznie robione w tuszu – dodał z dumą, patrząc na książkę, której ani on, ani jego syn nie umieli przeczytać.

– Jest śliczny – powiedziałem. I był. Domyślałem się też, że musiał też być bardzo drogi. Chciałem powiedzieć, że to nie książka jest niegodna mnie, tylko ja jej. Wskoczyłem z powrotem na rower. – Podziękuj ode mnie Hassanowi.

W końcu i tę książkę rzuciłem na stertę w rogu pokoju. Ale że mój wzrok wciąż ku niej powracał, skryłem ją pod innymi rzeczami. Tego wieczoru, nim poszedłem spać, spytałem Babę, czy nie widział gdzieś mojego nowego zegarka.

Następnego dnia rano odczekałem u siebie, aż Ali zbierze w kuchni ze stołu po śniadaniu. Aż umyje naczynia, zetrze ladę. Patrzyłem przez okno, dopóki Ali z Hassanem nie poszli na bazar, tocząc za sobą wózki na zakupy.

Potem wyjąłem banknoty z kilku otrzymanych kopert, wziąłem zegarek i na palcach wysunąłem się z pokoju. Zatrzymałem się przed gabinetem Baby i nasłuchiwałem przed chwilę. Siedział tam od rana i telefonował. Teraz rozmawiał z kimś o nowej dostawie dywanów, która miała nadejść w przyszłym tygodniu. Zszedłem na dół po schodach, przeszedłem podwórko i wślizgnąłem się do stojącej pod nieśplikiem chatki Alego. Uniosłem materac Hassana i wsadziłem tam nowy zegarek i garść afgańskich banknotów.

Odczekałem następne pół godziny, a potem zapukałem do drzwi Baby i po wielekroć skłamałem – miałem nadzieję, że kłamię już po raz ostatni.

Przez okno w sypialni patrzyłem, jak Ali i Hassan wtaczają podjazdem wózki pełne mięsa, *nan*, owoców i warzyw. Zobaczyłem, że Baba wychodzi z domu i staje przed Alim. Usta ich poruszyły się, choć nie słyszałem, co mówią. Baba wskazał palcem na dom, Ali skinął głową. Rozdzielili się. Baba wrócił do domu; Ali ruszył za Hassanem do ich chatki.

Po chwili Baba zastukał do drzwi mego pokoju.

– Chodź do gabinetu – powiedział. – Siądziemy i załatwimy sprawę od razu.

Poszedłem do gabinetu, usiadłem na jednej ze skórzanych kanap. Minęło pół godziny, może trochę więcej, nim pojawili się Hassan i Ali.

Obaj byli zapłakani – widać to było po ich zapuchniętych oczach. Stanęli przed Babą, trzymając się za ręce. Zastanawiałem się, jak to możliwe, że potrafię zadać komuś taki ból.

Baba od razu przeszedł do rzeczy.

– Ukradłeś te pieniądze? Hassan, ukradłeś zegarek Amira?

Hassan odpowiedział jednym tylko słowem, wypowiedzianym słabym, chrapliwym głosem.

– Tak.

Skuliłem się w sobie, jakby mnie uderzył. Serce podeszło mi do gardła i omal nie powiedziałem, jak było naprawdę. A potem nagle zrozumiałem: Hassan poświęcał się dla mnie do końca. Gdyby zaprzeczył, Baba na pewno by mu uwierzył, bo wiedzieliśmy wszyscy, że Hassan nigdy nie kłamie. A gdyby Baba mu uwierzył, podejrzenie od razu padłoby na mnie, musiałbym się tłumaczyć i zostałbym zdemaskowany. I Baba nigdy by mi nie wybaczył. Stąd płynął kolejny wniosek: Hassan wie o wszystkim. Wiedział, że widziałem, co stało się w zaułku, że stałem tam i nie ruszyłem palcem w jego obronie. Wiedział, że go zdradziłem, a mimo to znów chciał mnie uratować, może ostatni raz. Kochałem go w tej chwili, kochałem go bardziej niż kogokolwiek, chciałem mu powiedzieć, że to ja jestem wężem w trawie, potworem w jeziorze. Że nie jestem godny takiego poświęcenia, że jestem kłamcą, oszustem, złodziejem. I naprawdę bym to wszystko powiedział, gdyby nie to, że równocześnie się cieszyłem. Cieszyłem się, że to wszystko się skończy, i to szybko. Baba ich zwolni, trochę to zaboli, ale życie wreszcie potoczy się dalej. Tego pragnąłem najbardziej: zapomnieć, zacząć od nowa. Chciałem wreszcie odetchnąć.

Tym bardziej więc wstrząsnęły mną słowa Baby:

– Przebaczam ci.

Przebaczył? Przecież kradzież była dla niego jedynym niewybaczalnym grzechem, wspólnym mianownikiem wszystkim innym grzechów. „Kto zabija, kradnie czyjeś życie. Kradnie żonie męża, dzieciom ojca. Kto kłamie, kradnie komuś innemu prawo do prawdy. Kto oszukuje, okrada kogoś z prawa do uczciwego prowadzenia interesów. Nie ma gorszego czynu niż kradzież". Przecież to on, Baba, sam tak mi kiedyś powiedział, posadziwszy mnie sobie na kolanach. Jak on może teraz tak po prostu przebaczyć Hassanowi? A jeżeli Baba może wybaczyć mu coś takiego, to dlaczego nie może mi wybaczyć, że nie jestem takim synem, jakiego sobie wymarzył? Dlaczego...

– Odejdziemy, sahibie ago – odezwał się Ali.
– Co takiego? – Baba zbladł jak ściana.
– Nie możemy tu zostać – powiedział Ali.
– Ale przecież ja mu przebaczam. Nie słyszałeś?
– Nie możemy tu dłużej żyć, sahibie ago. Odejdziemy. – Ali przyciągnął Hassana do siebie, wsunął dłoń pod ramię syna. Był to gest opiekuńczy. Od razu wiedziałem, przed kim chce go bronić. Ali spojrzał w moją stronę. W tym zimnym, zawziętym spojrzeniu wyczytałem prawdę: Hassan wszystko mu opowiedział. O tym, co zrobił mu Assef, o latawcu, o mnie. I choć to dziwne, cieszyłem się, że ktoś wie, jaki jestem. Miałem dość udawania.

– Nic mnie nie obchodzą te pieniądze i ten zegarek – powiedział Baba, rozkładając ręce dłońmi do góry. – Nie rozumiem, czemu to robicie... Co to znaczy, że nie możecie...

– Bardzo mi przykro, sahibie ago, ale jesteśmy już spakowani. To już postanowione.

Baba wstał ze ściśniętą z żalu twarzą.

– Ali, czy źle ci było u mnie? Czy nie byłem dobry dla ciebie i dla Hassana? Ali, jesteś bratem, którego nigdy nie miałem, dobrze o tym wiesz. Proszę, nie odchodź.

– Sahibie ago, nie utrudniaj mi czegoś, co i tak jest trudne – powiedział Ali. Jego wargi zadrgały i na chwilę wykrzywiły się w grymas. Wtedy dopiero zrozumiałem, jakiego cierpienia stałem się przyczyną, jak czarną żałobą okryłem nas wszystkich – nawet sparaliżowane usta Alego nie potrafiły ukryć jego smutku. Zmusiłem się, by spojrzeć na Hassana, ale on stał ze spuszczoną głową, z obwisłymi ramionami, i bezwiednie okręcał wokół palca nić wysnutą z koszuli.

Teraz Baba już błagał.

– To chociaż powiedz dlaczego. Muszę wiedzieć!

Ali nie powiedział, podobnie jak nie zaprzeczył przyznaniu się Hassana. Do końca życia nie zrozumiem, dlaczego, ale wyobrażam sobie, jak siedzą w swej małej chatce i płaczą, a Hassan błaga Alego, by mnie nie wydał. Jednak nie potrafię wyobrazić sobie siły woli, jaką Ali musiał w sobie znaleźć, by dotrzymać tej obietnicy.

– Czy odwieziesz nas do autobusu?
– Zabraniam wam! – ryknął Baba. – Słyszysz? Zabraniam!
– Z całym szacunkiem, sahibie ago, nie możesz nam już niczego zabronić – powiedział Ali. – Już nie u ciebie pracujemy.
– Dokąd pojedziecie? – zapytał Baba łamiącym się głosem.

- Do Hazaradżatu.
- Do rodziny?
- Tak. Czy odwieziesz nas do autobusu, sahibie ago?

Wtedy pierwszy raz w życiu zobaczyłem, że Baba płacze. Widok płaczącego dorosłego mężczyzny trochę mnie przestraszył. Przecież ojcowie nie płaczą.

- Proszę – mówił Baba, ale Ali już ruszył ku drzwiom. Hassan poszedł za nim. Nigdy nie zapomnę zawartego w tym błaganiu cierpienia i strachu.

W Kabulu rzadko pada latem. Niebieskie niebo rozciąga się daleko i wysoko, słońce pali kark jak rozpalone żelazo. Strumienie, w których na wiosnę puszczaliśmy z Hassanem kaczki, wysychają, przejeżdżające riksze wzbijają tumany kurzu. Ludzie idą do meczetu na odmawiane w południe dziesięć *raka*, a potem kryją się w cień, by spać i doczekać wieczoru. Lato to wlekące się w nieskończoność dni w zatłoczonych, dusznych salach szkolnych, spędzane na recytowaniu *ajatów* Koranu, tych trudnych, egzotycznych, arabskich słów. Lato to łapanie much w dłonie do wtóru monotonnego głosu mułły i gorący powiew, przynoszący odór z latryny po drugiej stronie szkolnego podwórka i kręcący kurzem wokół jedynej, wykrzywionej obręczy do koszykówki.

Ale gdy Baba wiózł Alego i Hassana do autobusu, padał deszcz, po niebie sunęły burzowe chmury, niebo było szare jak żelazo. Po chwili deszcz zmienił się w ulewę; w moich uszach narastał syk lecącej z nieba wody.

Baba zaproponował, że odwiezie ich aż do samego Bamian, ale Ali się nie zgodził. Patrzyłem przez zamazaną deszczem szybę mojego okna, jak Ali taszczy ich jedyną, wielką walizkę, napełnioną całym ich dobytkiem, do samochodu, czekającego za bramą, już z włączonym silnikiem. Hassan niósł na plecach swój materac, ciasno zwinięty i przewiązany sznurkiem. W pustej chatce zostawił wszystkie zabawki – następnego dnia odkryłem je tam, porzucone, podobnie jak wszystkie moje prezenty, na stercie w kącie.

Oślizgłe paciorki deszczu ciekły po szybie. Zobaczyłem, że Baba zatrzaskuje bagażnik. Był przemoczony, gdy wracał za kierownicę. Pochylił się do środka i mówił coś do siedzącego z tyłu Alego – może po raz ostatni prosił go, by zmienił zamiar? Przez chwilę rozmawiali w ten sposób, pochylony do okna samochodu Baba mókł coraz bardziej, jedną ręką trzymał się dachu auta. Ale gdy wreszcie się wyprostował, odgadłem z jego zwieszonych bezsilnie rąk, że życie takie, jakim znałem je od chwili, gdy się urodziłem, właśnie się skończyło. Baba wsunął się za kierownicę. Włączone światła wycięły równoległe dziury w ścianie deszczu. Gdyby to wszystko działo się w którymś z indyjskich filmów, na które chodziłem razem z Hassanem, teraz wybiegłbym na zewnątrz, bosymi stopami rozchlapując kałuże, popędziłbym za samochodem, krzycząc, by się zatrzymali. Potem wyciągnąłbym Hassana z tylnego siedzenia i powiedziałbym mu, jak mi jest przykro. Łzy mieszałyby się ze strugami deszczu.

Ale to nie był indyjski film. Było mi źle, ale nie płakałem, nie pobiegłem za samochodem. Patrzyłem, jak Baba rusza od krawężnika, zabierając kogoś, kogo pierwszym wymówionym w życiu słowem było moje imię. Ostatni raz zobaczyłem niewyraźny zarys skulonej na tylnym siedzeniu postaci Hassana, i Baba skręcił w lewo, za róg, w miejscu, gdzie tyle razy graliśmy z Hassanem w kulki.

Cofnąłem się od okna. Teraz widziałem już tylko deszcz. Deszcz jak płynne srebro.

10

Marzec 1981

Naprzeciw nas siedziała młoda kobieta. Była ubrana w oliwkową suknię i czarną chustę, owiniętą ciasno wokół szyi z powodu nocnego chłodu. Za każdym szarpnięciem ciężarówki, na każdej dziurze w drodze zaczynała się gwałtownie modlić; im mocniej szarpało ciężarówką, tym głośniej brzmiały jej „Bismillach!" Jej mąż, krępy człowiek w workowatych spodniach i błękitnym turbanie, jedną ręką podtrzymywał niemowlę, w palcach drugiej obracając paciorki różańca. Jego usta poruszały się w bezgłośnym pacierzu. Oprócz mnie i Baby pod brezentową budą starej rosyjskiej ciężarówki było łącznie dziesięć osób, siedzących z walizkami między nogami, ściśniętych między zupełnie obcymi sobie ludźmi.

W żołądku wywracało mi się od samego Kabulu, z którego wyjechaliśmy zaraz po drugiej w nocy. Baba nigdy mi tego nie powiedział, ale wiedziałem, że dla niego moja choroba lokomocyjna była kolejnym dowodem słabości – czytałem to w jego zażenowanej twarzy za każdym razem, gdy w żołądku ściskało mnie tak mocno, że jęczałem. Gdy krępy mężczyzna z różańcem – mąż modlącej się kobiety – zapytał mnie, czy będę wymiotował, powiedziałem, że chyba tak. Baba odwrócił wzrok. Mężczyzna uniósł kraj brezentu po swojej stronie i załomotał w szybę ciężarówki, by kierowca się zatrzymał. Jednak kierowca, Karim, chudy, smagły, o ptasich rysach i cienkim wąsie, tylko pokręcił głową.

– Za blisko Kabulu! – zawołał w odpowiedzi. – Powiedz mu, że musi wytrzymać.

Baba mruknął coś pod nosem. Chciałem go przeprosić, ale w tej samej chwili poczułem napływ śliny do ust i posmak żółci w gardle. Obróciłem się, odchyliłem plandekę i zwymiotowałem za burtę. Za moimi plecami Baba już przepraszał towarzyszy podróży. Zupełnie jakbym popełnił jakieś przestępstwo. Albo jakby osiemnastolatkowi nie wypadało wymiotować. Wymiotowałem jeszcze dwa razy, nim Karim wreszcie zgodził się zatrzymać – przede wszystkim po to, bym mu nie zasmrodził i nie zabrudził auta, jego narzędzia pracy. Karim żył z przemytu ludzi, a był to wtedy całkiem dobry zawód: wywożenie ludzi z okupowanego przez *Szorawi* Kabulu do względnie bezpieczniejszego Pakistanu. Wiózł nas do Dżalalabadu, jakieś 170 kilometrów na południowy wschód od Kabulu; tam czekał już na nas z drugą grupą uciekinierów jego brat Toor, który jeszcze większą ciężarówką miał przewieźć nas przez przełęcz Chajber do Peszawaru.

Gdy Karim zjechał na pobocze, byliśmy kilka kilometrów na zachód od wodospadów Mahipar. Mahipar – czyli „Latająca Ryba" – to wysoki, urwisty szczyt nad elektrownią wodną zbudowaną w Afganistanie przez Niemców jeszcze w roku 1967. Jeździliśmy tędy z Babą nieskończoną ilość razy w drodze do Dżalalabadu, miasta cyprysów i trzciny cukrowej, ulubionego zimowiska Afgańczyków.

Zeskoczyłem z ciężarówki i rzuciłem się na piaszczyste pobocze. Usta miałem pełne śliny, wiedziałem więc, że jeszcze trochę potrwa, nim zwymiotuję. Dowlokłem się na skraj przepaści nad głęboką, pogrążoną w ciemności doliną. Pochyliłem się do przodu, oparłem dłonie na kolanach i czekałem na napływ żółci. Gdzieś trzasnęła sucha gałąź, zahukała sowa. Lekki, chłodny wiatr stukał gałęziami i poruszał krzewy rosnące kępami na zboczu. Z dołu dochodził daleki odgłos wody, przelewającej się dnem doliny.

Stojąc na poboczu, pomyślałem o tym, że dom, w którym upłynęło całe moje dotychczasowe życie, opuściliśmy tak, jakbyśmy tylko szli gdzieś coś przekąsić: w kuchennym zlewozmywaku zostały talerze po *kofta*, brudna bielizna w trzcinowym koszu w sieni, niepościelone łóżka, garnitury Baby w garderobie. Na ścianach salonu wciąż wiszą kilimy, regał w gabinecie wciąż ugina się pod ciężarem książek mamy. Ślady naszej ucieczki były bardziej subtelne: zniknęło ślubne zdjęcie rodziców i nieostra fotografia dziadka stojącego z królem Nadirem Szachem nad zastrzelonym jeleniem. W szafach brakuje tylko części ubrań, zniknął też oprawny w skórę notes, który pięć lat temu dostałem od Rahima Chana.

Rano Dżalaludin – nasz siódmy służący w ciągu tych pięciu lat – pomyśli, że jesteśmy na spacerze albo na przejażdżce. Nic mu nie powiedzieliśmy. Teraz w Kabulu nie można już było ufać nikomu. Ludzie donosili za pieniądze lub ze strachu – sąsiad na sąsiada, dzieci na rodziców, brat na brata, sługa na pana, przyjaciel na przyjaciela. Pomyślałem o pieśniarzu Ahmadzie Zafirze, tym samym, który grał na akordeonie na moich trzynastych urodzinach. Pojechał na przejażdżkę ze znajomymi; potem znaleziono go przy drodze z kulą w głowie. *Rafikowie* – „towarzysze” – byli wszędzie, i to oni podzielili kabulczyków na dwie grupy: tych, którzy podsłuchiwali, i tych, którzy nie. Chodziło o to, że nikt nie wiedział, kto jest w której z nich. Zdawkowa uwaga rzucona u krawca podczas miary mogła zaprowadzić do lochów Pole-czarchi; narzekanie na godzinę policyjną u rzeźnika mogło skończyć się za kratami albo z lufą kałasznikowa przed oczyma.

Na słowa trzeba było też uważać w domu, przy stole, bo *rafików* nie brakowało i w szkole; nauczyli dzieci szpiegować rodziców, na co nadstawiać ucha, komu powiedzieć, o czym się mówi w domu.

Co ja robię tu, na tej drodze, w środku nocy? Powinienem być w łóżku, pod kołdrą, z zaczytaną książką przy boku. To chyba sen. To na pewno sen. Jutro rano obudzę się, wyjrzę przez okno i nie będzie za nim ani posępnych żołnierzy rosyjskich na chodnikach, ani czołgów przetaczających się we wszystkie strony, z kręcącymi się wieżyczkami, z których jak oskarżycielski palec sterczy groźnie długa lufa. Nie będzie godziny policyjnej, przepychających się przez tłum na bazarze transporterów opancerzonych. Ale zaraz dobiegła mnie z tyłu rozmowa Baby i Karima, którzy dzieląc się papierosem, uzgadniali szczegóły przesiadki w Dżalalabadzie. Karim zapewniał Babę, że jego brat ma ciężarówkę „doskonałej, pierwszorzędnej jakości" i że jazda do Peszawaru to czysta formalność.

– Zawiezie was tam z zamkniętymi oczami – mówił Karim. I mówił jeszcze, że obaj z bratem znają doskonale żołnierzy rosyjskich i afgańskich na wszystkich posterunkach, z którymi łączą ich „korzystne dla obu stron" interesy.

A więc to jednak nie sen. Jak na zawołanie nad naszymi głowami znienacka pojawił się nisko lecący sowiecki mig. Karim odrzucił papieros i wyciągnął pistolet zza paska spodni. Kierując go w niebo i udając, że strzela, spluwał i przeklinał pilota.

Pomyślałem sobie, gdzie teraz jest Hassan. I wreszcie zwymiotowałem na kępę chwastów. Ogłuszający ryk samolotu zagłuszył na szczęście odgłosy torsji.

Dwadzieścia minut później zatrzymaliśmy się przed posterunkiem w Mahipar. Nasz kierowca zostawił włączony silnik i wyskoczył z szoferki na spotkanie zbliżającym się głosom. Żwir zachrzęścił pod stopami, krótka, stłumiona wymiana słów, trzask zapalniczki. Czyjeś *spasiba*. Kolejny trzask zapalniczki. Ktoś się zaśmiał, ale tak, że aż podskoczyłem. Dłoń Baby zacisnęła się na mym udzie. Ten ktoś, kto się zaśmiał, zaczął teraz śpiewać fałszywie i niewyraźnie starą afgańską pieśń weselną. Słychać było silny rosyjski akcent:

Ahesta boro, Mah-e-man, ahesta boro.
Powoli płyń po niebie, piękny księżycu, powoli płyń.

Podkute buty zastukały o asfalt. Ktoś odrzucił brezentową plandekę ciężarówki, do środka zajrzały trzy twarze: Karima i dwóch żołnierzy. Pierwszy z nich był Afgańczykiem, drugi Rosjaninem o uśmiechniętej szeroko twarzy buldoga. Z wargi sterczał mu wypalony do połowy papieros. Za nimi wisiał na niebie księżyc koloru kości. Karim i afgański żołnierz zamienili kilka słów po pasztuńsku. Zrozumiałem tylko, że mówili o Toorze i o jego pechu. Rosyjski żołnierz wetknął głowę głębiej. Nadal podśpiewywał pod nosem weselną pieśń i wystukiwał rytm na tylnej klapie ciężarówki. Gdy kolejno przyglądał się każdemu z pasażerów, nawet w mdłym świetle księżyca dostrzegłem jego zamglony wzrok i czoło, na którym mimo chłodu perliły się krople potu. Jego oczy spoczęły na młodej kobiecie w czarnej chuście. Nie spuszczając z niej wzroku, przemówił do Karima po rosyjsku. Karim odpowiedział coś ostro, również po rosyjsku, na co żołnierz zareagował jeszcze ostrzejszym tonem. Afgański żołnierz wtrącił się do rozmowy cichym, uspokajającym głosem, ale wtedy Rosjanin krzyknął tak, że ci dwaj aż cofnęli się ze strachu. Poczułem, że siedzący obok mnie Baba tężeje. Karim odchrząknął i spuścił głowę. Oznajmił nam, że żołnierz domaga się półgodzinnego sam na sam z kobietą.

Ta natychmiast zakryła chustą twarz. I wybuchnęła płaczem. Rozpłakało się też niemowlę na ręku jej męża. On sam zbladł jak ten wiszący nad nami wszystkimi księżyc. Powiedział Karimowi, by poprosił „sahiba żołnierza" o zmiłowanie, bo może i on ma siostrę, matkę albo żonę. Rosjanin wysłuchał Karima i znów wyrzucił z siebie kilka słów.

– To ma być cena za to, że nas przepuści – powiedział Karim. Nie potrafił spojrzeć w twarz mężowi kobiety.

– Ale my już przecież zapłaciliśmy. Przecież on też coś z tego dostaje – przekonywał mąż.

Znów wymiana zdań między Karimem a żołnierzem.

– Mówi... mówi, że do każdej ceny dolicza się podatek.

Wtedy właśnie Baba wstał. Teraz to ja zacisnąłem dłoń na jego udzie, ale Baba chwycił mnie za przegub i uwolnił się. Gdy stanął, zasłonił swą wielką postacią księżyc.

– Zapytaj go... – zaczął. Mówił do Karima, ale patrzył wprost w Rosjanina. – Zapytaj go, czy nie ma wstydu.

Karim przetłumaczył.

– Mówi, że jest wojna. Na wojnie nie ma wstydu.

– Powiedz mu, że się myli. Wojna nie zwalnia od przyzwoitości. A nawet wymaga jej bardziej niż pokój.

Pomyślałem: „Czy ty zawsze musisz grać takiego bohatera?" Serce kołatało mi w piersi. „Nie mógłbyś raz sobie odpuścić?" Ale doskonale wiedziałem, że nie mógł. Tylko że przez ten jego charakterek nas teraz zabiją.

Twarz Rosjanina wykrzywiła się w uśmiechu, gdy znów powiedział coś do Karima.

– Sahibie ago – zwrócił się Karim do Baby – ci *Russi* są inni niż my. Oni nie wiedzą, co to godność i honor.

– Co on powiedział?

– Że prawie tak chętnie wsadzi ci kulę w głowę, jak... – Karim urwał, ale głową skinął w stronę młodej kobiety, która tak spodobała się żołnierzowi. Rosjanin odrzucił niedopałek i wyjął pistolet z kabury. Pomyślałem: „I teraz Baba zginie. Czyli tak to się odbędzie". Zmówiłem w myśli modlitwę, którą nauczono mnie w szkole.

– Powiedz mu, że trzeba tysiąca kul, bym zgodził się na tę nikczemność – powiedział Baba. Moje myśli pobiegły sześć lat wstecz, gdy patrząc za róg w zaułek, widziałem Kamala i Walego, trzymających Hassana, napinające się pośladki Assefa i gwałtowne ruchy jego ud. Ładny ze mnie bohater, który myślał tylko o swoim latawcu. Czasami sam zastanawiałem się, czy rzeczywiście jestem synem Baby.

Rosjanin o twarzy buldoga uniósł broń.

– Baba, usiądź. Proszę cię – powiedziałem, szarpiąc go za rękaw. – On chyba naprawdę cię zastrzeli.

Baba uderzył mnie po ręce.

– Czy tak cię uczyłem? – rzucił. Znów zwrócił się do uśmiechniętego żołnierza. – Powiedz mu, żeby zabił mnie pierwszym strzałem, bo inaczej rozerwę go na strzępy, psiego syna!

Uśmiech Rosjanina nie znikł, gdy usłyszał tłumaczenie. Odbezpieczył pistolet i wycelował go w pierś Baby. Z bijącym sercem skryłem twarz w dłoniach.

Huknął strzał.

Stało się. Mam osiemnaście lat, zostałem sam na świecie. Baba nie żyje, teraz muszę go pochować. Gdzie mam go pochować? I gdzie się podzieję? Ale ten wir myśli pędzących po mej głowie nagle się zatrzymał, bo lekko otworzyłem oczy i zobaczyłem, że Baba ciągle stoi, jak stał. Przy ciężarówce pojawił się jeszcze jeden Rosjanin, tym razem oficer. Z lufy jego pistoletu snuła się smużka dymu. Żołnierz, który mierzył do Baby, już miał broń w kaburze i przestępował z nogi na nogę. Nigdy nie chciało mi się bardziej płakać i śmiać zarazem.

Drugi oficer rosyjski, siwy, zwalisty, przemówił do nas łamanym językiem perskim. Przeprosił za zachowanie towarzysza.

– Rosja wysyła ich tu na wojnę – powiedział. – Ale to młodzi chłopcy. Przyjeżdżają tu i zasmakowują w narkotykach. – Zmierzył młodszego żołnierza smutnym spojrzeniem, jak ojciec zawstydzony postępowaniem syna. – Ten też nie może już bez nich żyć. Robię, co mogę...

Urwał i kazał jechać.

Gdy ruszaliśmy, usłyszałem czyjś śmiech i głos pierwszego z żołnierzy, znów śpiewający fałszywie i niewyraźnie starą weselną pieśń.

Przez następnych piętnaście minut jechaliśmy w milczeniu. Nagle mąż młodej kobiety wstał i zrobił coś, co widziałem już tyle razy w życiu: ucałował dłoń Baby.

W Mahipar podsłuchałem tych kilka słów o pechu Toora.

Wjechaliśmy do Dżalalabadu przed świtem. Karim poprowadził nas pośpiesznie do parterowego domku na skrzyżowaniu dwóch bitych traktów, wzdłuż którego wznosiły się takie same płaskie domki, akacje i zamknięte na cztery spusty sklepy. Było chłodno, – więc postawiłem kołnierz, gdy wraz z dobytkiem przebiegaliśmy z ciężarówki do budynku. Pamiętam, że pachniało rzepą.

Gdy już znaleźliśmy się w słabo oświetlonym, prawie pozbawionym sprzętów pokoiku, Karim zamknął drzwi i zaciągnął na okna służące za zasłony podarte prześcieradła. Potem wziął głęboki wdech i podzielił się z nami złą wiadomością: jego brat Toor nie zawiezie nas do Peszawaru, bo tydzień temu popsuła mu się ciężarówka i ciągle czekają na części.

– Tydzień temu? – krzyknął ktoś. – Wiedziałeś o tym, ale i tak nas tu przywiozłeś?

Kątem oka zobaczyłem nagły ruch. Coś rzuciło się naprzód przez pokój i zobaczyłem, że Karim wisi przyciśnięty do ściany, a jego stopy w sandałach miotają się pół metra nad ziemią – to Baba chwycił go oburącz za szyję.

– Zaraz wam to wytłumaczę – rzucił Baba. – Dlatego nas tu przywiózł, że wziął pieniądze, bo tylko to go obchodzi.

Karim najwyraźniej zaczynał się dusić. Ślina spływała mu po brodzie.

– Postaw go na ziemię, ago, zabijesz go – powiedział któryś z pasażerów.

– Owszem, zabiję – powiedział Baba. Tylko że on wcale nie żartował.

Karim był już cały czerwony na twarzy i konwulsyjnie wierzgał nogami. Baba trzymał go dopóty, dopóki młoda matka, ta sama, która spodobała się Rosjaninowi, nie poprosiła go, by przestał.

Karim osunął się bezwładnie na podłogę i z trudem łapał powietrze. W pokoju zaległa cisza. Niecałe dwie godziny temu Baba gotów był dać się zastrzelić w obronie honoru kobiety, której nawet nie znał; teraz o mało nie zadusił człowieka na śmierć i zrobiłby to bez zmrużenia oka, gdyby nie prośby tej samej kobiety.

Ktoś załomotał do drzwi. Nie do drzwi, gdzieś poniżej.

– Co to? – zapytał ktoś.

– To tamci – odezwał się z trudem Karim. – Są w piwnicy.

– Długo tam czekają? – zapytał Baba, znów stając nad Karimem.

– Dwa tygodnie.

– Mówiłeś, że ciężarówka zepsuła się tydzień temu.

Karim masował się po szyi.

– No, może dwa tygodnie temu – wychrypiał.

– Jak długo trzeba czekać?

– Na co?

– Na części! – ryknął Baba. Karim zbladł, ale nic nie odpowiedział. Dobrze, że było ciemno, bo nie chciałem widzieć morderczej miny Baby.

Wilgotny zaduch, jakby pleśni, uderzył mnie w nozdrza w chwili, gdy Karim otworzył drzwi do skrzypiących schodów prowadzących w dół. Schodziliśmy gęsiego, schody zajęczały pod ciężarem Baby. Stanąłem w zimnej piwnicy i poczułem na sobie wzrok mrugających w ciemności oczu. Wokół pomieszczenia tkwiły skulone postacie, a dwie ledwo tlące się lampy naftowe rzucały na ściany ich niewyraźne cienie. W piwnicy cały czas rozbrzmiewał cichy pomruk, mieszający się z dźwiękiem kapiącej gdzieś wody i jeszcze innym dźwiękiem, jakby skrobaniem.

Stojący za mną Baba westchnął i rzucił walizki na ziemię.

Karim powiedział, że naprawa ciężarówki zajmie już tylko parę dni, a potem wszyscy ruszymy do Peszawaru. A tam będziemy wolni. Wolni i bezpieczni.

Przez następny tydzień piwnica była naszym domem. Trzeciej nocy uświadomiłem sobie, co to za skrobanie: szczury.

Gdy moje oczy przyzwyczaiły się do mroku, naliczyłem w piwnicy około trzydziestu uciekinierów. Siedzieliśmy pod ścianą ramię w ramię, żywiliśmy się herbatnikami, chlebem daktylowym, jabłkami. Pierwszej nocy wszyscy mężczyźni klęknęli do wspólnej modlitwy. Jeden z nich zapytał Babę, czemu się do nich nie przyłączy.

– Przecież Bóg może nas zbawić. Czemu się do niego nie modlisz?

Baba wciągnął nosem trochę tabaki i rozprostował nogi.

– Wiesz, co nas zbawi? Osiem cylindrów i porządny gaźnik.

Od tej pory nikt już nie próbował rozmawiać z nim o Bogu.

Tej samej, pierwszej nocy okazało się, że wraz z nami ukrywają się Kamal ze swym ojcem. Już samo to było dla mnie wstrząsem, że kilka kroków od siebie zobaczyłem Kamala. Jednak gdy obaj z ojcem podeszli do nas i zobaczyłem, ale tak z bliska, twarz Kamala...

Kamal wyglądał jak trup – inaczej nie potrafię tego nazwać. Popatrzył na mnie zapadłymi oczyma, jakby mnie nie poznawał. Był zgarbiony, policzki miał oklapnięte tak, jakby nie miały już siły trzymać się kości. Jego ojciec, niegdyś właściciel kina w Kabulu, opowiadał Babie, że trzy miesiące temu jego żona zginęła od zbłąkanej kuli, która trafiła ją w skroń. A potem opowiedział jeszcze, co przydarzyło się Kamalowi. Słyszałem tylko urywki: „Nie powinienem był go puścić samego... zawsze był taki przystojny... było ich czterech... bronił się... O Boże... wzięli go... krwawił tam... na spodnie... nic nie mówi... tylko patrzy przed siebie..."

Po tygodniu, który spędziliśmy w zaszczurzonej piwnicy, Karim oznajmił, że ciężarówki nie będzie, bo nie da się jej naprawić.

– Ale mamy inne wyjście – dodał Karim, przekrzykując jęki zawodu. Jego krewny ma cysternę, w której nieraz już przewoził ludzi przez granicę. Jest w Dżalalabadzie, pewnie wszyscy się zmieścimy.

Zgodzili się wszyscy poza pewnym starym małżeństwem. Wyjechaliśmy jeszcze tej samej nocy. Ja z Babą, Kamal z ojcem, inni. Karim i jego krewny, łysiejący, o kwadratowej twarzy mężczyzna imieniem Aziz, pomogli nam dostać się do wnętrza cysterny. Po kolei wdrapywaliśmy się na tył grzejącego już silnik auta, potem po drabince na górę, skąd zsuwaliśmy się do środka. Pamiętam jeszcze, że Baba już miał wspiąć się na drabinkę, ale nagle zeskoczył na ziemię, wyciągnął z kieszeni tabakierkę, wysypał tabakę i wziął ze środka drogi garść brudnego piasku. Ucałował go i wsypał do tabakierki, którą zaraz schował do kieszeni na piersi – na sercu.

Strach. Paniczny strach.

Otwieram usta. Tak szeroko, że aż trzeszczą stawy. Rozkazuję płucom, że mają napełnić się powietrzem. Powietrza, natychmiast powietrza! Ale gardło nie słucha, zapada się, sztywnieje i nagle okazuje się, że oddycham jak przez słomkę. Usta zamykają się, wargi wydymają, z gardła dobywa się tylko zduszony charkot. Dłonie trzęsą się, drżą. Puszczają tamy, zalewa mnie zimny pot, jestem mokry. Chcę krzyczeć. Krzyczałbym, gdybym mógł. Ale żeby krzyczeć, trzeba oddychać.

Strach.

W piwnicy było ciemno, w cysternie – aż czarno. Popatrzyłem w prawo, w lewo, w górę, w dół, pomachałem dłonią przed oczyma, ale nie widziałem nawet odrobiny ruchu. Kilkakrotnie zamknąłem i otworzyłem oczy. Nie pomogło. I powietrze było jakieś takie dziwne, za ciężkie, jakby zestalone. Powietrze nie powinno być takie. Chciałem wyciągnąć ręce przed siebie, pokruszyć powietrze na drobne kawałki, wepchnąć je sobie do gardła. Smród benzyny. Jej opary piekły mnie w oczy, zupełnie jakby ktoś odchylił mi powiekę do góry i wcierał w nie cytrynę. W nosie paliło mnie przy każdym wdechu. Pomyślałem, że tu można umrzeć. Gdzieś w gardle powstawał krzyk, rósł, narastał...

Nagle stał się cud. Niewielki, ale zawsze cud. Baba szarpnął mnie za rękaw i w ciemności coś zaświeciło na zielono. Światło! To zegarek Baby. Przywarłem wzrokiem do fluorescencyjnych wskazówek. Tak się bałem, że stracę je z oczu, że nawet przestałem mrugać.

Powoli zaczęły docierać do mnie inne wrażenia. Usłyszałem jęki, usłyszałem odmawiane pod nosem modlitwy. Jakieś niemowlę rozpłakało się, jego matka zaczęła je uciszać. Ktoś wymiotował, ktoś inny przeklinał *Szorawi*. Ciężarówka trzęsła się to na boki, to w górę i w dół. Głowy uderzały o metalową cysternę.

– Myśl o czymś dobrym – powiedział mi Baba wprost do ucha. – O jakiejś szczęśliwej chwili.

Dobro. Szczęście. Pozwoliłem, by myśli rozbiegły mi się na wszystkie strony. I znalazły coś takiego: Piątkowe popołudnie w Pagmanie. Trawiasta łąka, kwitną morwy. Stoimy z Hassanem po kostki w tej wybujałej trawie. Ja ciągnę za linkę, w zabliźnionych dłoniach Hassana kręci się szpula, nasze oczy zwrócone są w górę, na latawiec na niebie. Nie mówimy do siebie ani słowa, nie dlatego, że nie mamy nic do powiedzenia, ale dlatego, że nie musimy nic mówić – bo tak właśnie bywa między dwojgiem ludzi, którzy są dla siebie nawzajem pierwszym wspomnieniem, których wykarmiła ta sama pierś. Wiatr porusza źdźbłami traw, szpula się kręci. Latawiec wiruje, opada, prostuje lot. Nasze bliźniacze cienie tańczą po marszczącej się jak powierzchnia wody trawie. Gdzieś zza niskiego ceglanego muru na drugim krańcu łąki dobiega śmiech i szmer fontanny. I muzyka, coś starego, dobrze znanego, to chyba *Ya Moula*, grana na strunach *rubab*. Ktoś woła na nas zza muru. Czas na herbatę i słodycze.

Nie pamiętałem, z kiedy to wspomnienie. Wiedziałem tylko, że żyje ono we mnie jak wypreparowany kawałek dawnych, dobrych czasów, wielobarwna plamka na szarym, pustym płótnie naszego obecnego życia.

Pozostała część drogi to ulotne, zapamiętane fragmenty, głównie dźwięki i zapachy: migi przelatujące z wyciem tuż nad nami, staccato wystrzałów, ryczenie osła gdzieś w pobliżu, dzwonki i meczenie owiec, miażdżony kołami cysterny żwir, zawodzący płacz niemowlęcia, smród benzyny, wymiotów i gówna.

A potem nagle oślepiające światło poranku, gdy wynurzyłem się z wnętrza cysterny. Pamiętam, że wystawiłem twarz do słońca, mrużyłem oczy i oddychałem tak, jakby na świecie zaraz miało się skończyć powietrze. Leżałem nad kamienistym rowem na poboczu drogi i patrzyłem w szare, poranne niebo, ciesząc się światłem i życiem.

– Amir, jesteśmy w Pakistanie – powiedział Baba. Stał nade mną. – Karim mówi, że załatwi autobus, który odwiezie nas do Peszawaru.

Obróciłem się na brzuch i wciąż leżąc w chłodnym kurzu, zobaczyłem po obu stronach nóg Baby nasze walizki. Przez zwężający się ku górze trójkąt jego ud widziałem cysternę, stojącą przy drodze z włączonym silnikiem i innych uciekinierów, jeszcze schodzących po tylnej drabince cysterny. Dalej droga wiła się wśród pól wyglądających w tym szarym świetle jak ołowiane płyty i znikała wśród kopulastych wzgórz. Przedtem jeszcze mijała małą wioskę na spękanym od słońca zboczu.

Mój wzrok powrócił do walizek. Zrobiło mi się żal Baby. Tyle planów, tyle walki, budowania, nerwów, marzeń – i z całego życia został mu tylko jeden niegodny syn i dwie walizki.

Ktoś krzyczał. Nie, nie krzyczał. Zawodził. Zobaczyłem, że pasażerowie zbijają się w ciasną grupkę, nerwowo rozmawiają między sobą. Z czyichś ust padło słowo „opary". Ktoś inny je powtórzył. Zawodzenie przeszło w rwące się w gardle wycie.

Podbiegliśmy z Babą do gromadki gapiów i przepchnęliśmy się przez nich. Wewnątrz kręgu siedział na ziemi ojciec Kamala, kołysząc się w przód i w tył, całując raz po raz spopielałą twarz syna.

– Nie oddycha! Mój syn nie oddycha! – krzyczał. Bezwładne ciało Kamala leżało mu na kolanach. Jego prawa dłoń, rozwarta, obwisła, podskakiwała w rytm szlochu ojca. – Mój syn! Nie oddycha! Niech Allach da, by oddychał!

Baba klęknął przy nim i objął go ramieniem, ale ojciec Kamala odepchnął go i rzucił się na stojącego opodal Karima. To, co zdarzyło się potem, trwało zbyt krótko i zbyt szybko, by można to nazwać bójką. Karim wydał okrzyk zdumienia, cofnął się w tył. Zamach ramienia, kopnięcie, i zaraz po tym ojciec Kamala miał w dłoni pistolet Karima.

– Nie zabijaj mnie! – wrzasnął Karim.

Ale zanim ktokolwiek zdążył się poruszyć czy odezwać, ojciec Kamala wepchnął lufę do własnych ust. Nigdy nie zapomnę echa tego wystrzału. Ani błysku, ani czerwonej posoki.

Skuliłem się i znów próbowałem wymiotować na pobocze.

11

B abie bardzo spodobał się pomysł wyjazdu do Ameryki.
Ale samo życie w Ameryce nabawiło go wrzodów żołądka.

Pamiętam, że raz spacerowaliśmy po parku nad jeziorem Elizabeth we Fremont, parę przecznic od naszego mieszkania, przyglądając się chłopcom trenującym baseball i rozchichotanym dziewczynkom na huśtawkach. Jak zawsze podczas tych spacerów, Baba wykładał mi swoje poglądy polityczne.

– Na świecie jest tylko trzech prawdziwych mężczyzn – mówił. I zaraz wyliczał ich na palcach: nasz dzielny wybawca – Ameryka, po za tym Anglia i Izrael. – A cała reszta... – machał ręką i prychał – to stare plotkary, nic więcej.

To, że tak wychwalał Izrael, okropnie gniewało fremonckich Afgańczyków, którzy oskarżali ojca o filosemityzm, więc i o antyislamskość. Baba spotykał się z nimi w parku, pił z nimi herbatę, zajadał słodycze, i doprowadzał ich do szału swoimi uwagami.

– Oni nie rozumieją – tłumaczył mi później – że religia nie ma tu nic do rzeczy. – Według Baby Izrael był wyspą „prawdziwych mężczyzn" w morzu Arabów tak zaprzątniętych bogaceniem się na ropie, że niepomnych na biedę własnych pobratymców. – A oni potrafią tylko jęczeć: „Izrael to, Izrael tamto!" – szydził Baba płaczliwym, niby-arabskim akcentem. – No, to coś zróbcie! Działajcie! Jesteście Arabami, to choć pomagajcie Palestyńczykom!

Nie znosił Jimmy'ego Cartera, którego nazywał „zębatym kretynem". W roku 1980, gdy jeszcze byliśmy w Kabulu, Stany Zjednoczone ogłosiły bojkot olimpiady w Moskwie.

– Ła, ła! – wołał z niesmakiem Baba. – Breżniew morduje Afgańczyków, a ten dalej żre to swoje masło orzechowe i umie tylko powiedzieć, że nie przyjdzie się z nim bawić!

Baba był zdania, że Carter bardziej przysłużył się komunizmowi niż sam Leonid Breżniew.

– Przecież on nie umie rządzić państwem! To tak, jak posadzić chłopca, który nie umie nawet jeździć na rowerze, za kierownicą nowiutkiego cadillaca.

Ameryce i światu trzeba twardziela. Kogoś, z kim trzeba by się liczyć, kto by działał, a nie tylko oburzał się i załamywał ręce. I ten ktoś objawił się pod postacią Ronalda Reagana. Gdy Reagan wystąpił w telewizji i nazwał *Szorawi* „imperium zła", Baba natychmiast kupił zdjęcie uśmiechniętego, trzymającego kciuki do góry prezydenta. Oprawił fotografię i powiesił ją u nas w przedpokoju, tuż obok czarno-białego zdjęcia Baby w krawacie, ściskającego dłoń króla Zafira Szacha. Większość naszych sąsiadów we Fremont stanowili kierowcy autobusów, policjanci, pracownicy stacji benzynowych i samotne matki na zasiłku – dokładnie tacy ludzie, jacy wkrótce mieli zostać przyduszeni przyciśniętą im do twarzy poduszką reaganomiki. Baba był w naszym bloku jedynym republikaninem.

Ale równocześnie piekł go w oczy kalifornijski smog, od ruchu ulicznego dostawał bólów głowy, pyłki w powietrzu przyprawiały go o kaszel. Owoce nigdy nie były dość słodkie, woda nie dość czysta, no i co oni tu zrobili z drzewami, z polami? Przez dwa lata usiłowałem zapisać Babę na kursy angielskiego, żeby nie musiał posługiwać się swą łamaną angielszczyzną. On jednak szydził z tego pomysłu.

– Czyli co? Jak uda mi się przeliterować „*cat*", to nauczyciel da mi gwiazdkę z folii, żebym miał ci się czym pochwalić? – warczał.

Pewnej niedzieli na wiosnę roku 1983 wszedłem do małego antykwariatu, gdzie zwykle kupowałem używane książki w miękkiej oprawie, przy hinduskim kinie, niedaleko miejsca, w którym linie kolejowe przecinają Fremont Boulevard. Powiedziałem Babie, że wrócę za pięć minut. Wzruszył ramionami. Wtedy pracował już na stacji benzynowej we Fremont, ale tego dnia miał wolne. Zobaczyłem, że przechodzi przez ulicę – oczywiście nie po pasach – i wchodzi do Fast & Easy, małego sklepu spożywczego prowadzonego przez starsze, wietnamskie małżeństwo, państwo Nguyen. Oboje byli siwi i mili; ona miała parkinsona, on protezę stawu biodrowego.

– Teraz jest jak *Człowiek za sześć milionów dolarów* – mawiała zawsze ona, ukazując w uśmiechu bezzębne dziąsła. – Oglądasz *Człowieka za milion dolarów*, Amir?

Wtedy jej mąż robił minę jak Lee Majors i udawał, że biegnie w zwolnionym tempie, tak jak bohater serialu w czołówce każdego odcinka.

Właśnie przeglądałem stary egzemplarz kryminału Mike'a Hammera, gdy usłyszałem krzyk i dźwięk tłuczonego szkła. Rzuciłem książkę i popędziłem na drugą stronę ulicy. Państwo Nguyen stali za ladą, bladzi, oparci o ścianę. Pan Nguyen otaczał żonę ramionami. Na podłodze leżały u stóp Baby pomarańcze, przewrócony stojak na gazety, resztki słoja na suszoną wołowinę i odłamki szkła.

Okazało się, że Babie zabrakło gotówki na pomarańcze. Wypisał więc panu Nguyen czek, a ten poprosił o dowód tożsamości.

– Na co mu moje prawo jazdy?! – darł się po persku Baba. – Dwa lata kupuję u niego te jego zasrane owoce, zostawiam u niego kupę forsy, a ten psi syn każe sobie pokazywać prawo jazdy?!

– Baba, przecież pan Nguyen wcale nie chciał cię obrazić – powiedziałem, uśmiechając się do wietnamskiej pary. – Mają obowiązek zażądać prawa jazdy.

– Ty już tu nie przychodź – powiedział pan Nguyen, zbliżając się o krok. Końcem laski wskazywał na Babę. Zwrócił się do mnie. – Ty jesteś porządny, ale twój ojciec to wariat. Niech tu już nie przychodzi.

– Co on sobie myśli? Że jestem złodziej? – mówił Baba jeszcze głośniej. Na zewnątrz już zbierali się gapie. – Co to za kraj, że nikt nikomu nie ufa? – Bo zadzwonię po policję – powiedziała pani Nguyen, wysuwając twarz zza pleców męża. – Niech idzie, bo zawołam policję. – Bardzo panią proszę, proszę nie wzywać policji. Wezmę ojca do domu. Tylko bardzo proszę nie wołać policji, dobrze? Bardzo panią proszę. – Tak, zabierz go do domu. Dobry pomysł – powiedział pan Nguyen. Jego oczy w bifokalnych okularach w drucianej oprawie przez cały czas utkwione były w Babie. Wyprowadziłem ojca za drzwi. Po drodze zdążył jeszcze kopnąć leżące na ziemi czasopismo. Gdy udało mi się wymusić na nim obietnicę, że nie wróci do sklepu, sam tam poszedłem i przeprosiłem państwa Nguyen jeszcze raz. Powiedziałem, że ojciec ma teraz trudny okres. Podałem też pani Nguyen nasz adres i numer telefonu, prosząc, by wyceniła szkody.

– Gdy tylko się pani dowie, bardzo proszę do nas zatelefonować. Za wszystko zapłacę, proszę pani. Jeszcze raz przepraszam.

Wzięła ode mnie kartkę i skinęła głową. Zobaczyłem, że jej dłonie drżą bardziej niż zwykle i dopiero teraz na serio rozzłościłem się na Babę o to, do czego doprowadził staruszkę.

– Ojciec ciągle nie może się przyzwyczaić do życia w Ameryce – powiedziałem, chcąc go usprawiedliwić.

Chciałem im powiedzieć, że w Kabulu ułamywało się gałąź z drzewa i to ona służyła za kartę kredytową. Braliśmy z Hassanem patyk do piekarni. Piekarz robił na nim nacięcie nożem, po jednym za każdy *nan*, który wyciągał z huczącego ognia w piecu *tandur*. Pod koniec miesiąca ojciec płacił mu za każde nacięcie, i już, nikt o nic nie pytał, nie prosił o dokumenty.

Ale im tego nie powiedziałem. Podziękowałem panu Nguyen, że nie wezwał policji i zabrałem Babę do domu. Obrażony siedział na balkonie i palił, ja przyrządziłem ryż z potrawką z kurzych szyjek. Z boeinga z Peszawaru wysiedliśmy półtora roku temu; Baba ciągle się nie przyzwyczaił.

Tego wieczoru jedliśmy w milczeniu. Baba przełknął dwa kęsy i odsunął talerz.

Spojrzałem na niego przez szerokość stołu, na jego połamane i czarne od oleju silnikowego paznokcie, otarte kłykcie palców i ubranie, przesycone wonią stacji benzynowej – brudu, potu, benzyny. Baba był jak wdowiec, który ożenił się po raz drugi, ale nie potrafi zapomnieć pierwszej żony. Tęsknił za polami trzciny cukrowej w Dżalalabadzie i ogrodami Pagmanu. Za ludźmi przewijającymi się przez jego dom, za przechadzkami po zatłoczonych alejkach bazaru Szor, gdzie witał się z ludźmi, którzy znali i jego, i jego ojca, ludzi, z którymi miał wspólnych przodków, których przeszłość splatała się z jego przeszłością.

Dla mnie Ameryka była miejscem, w którym mogłem pozbyć się wspomnień.

Baba tu opłakiwał swoje wspomnienia.

– Może powinniśmy wrócić do Peszawaru? – powiedziałem, wpatrując się w lód, unoszący się na powierzchni wody w mojej szklance. W Peszawarze czekaliśmy pół roku na wizę amerykańską. Nasze obskurne, jednopokojowe mieszkanie śmierdziało brudnymi skarpetami i kotem, ale tam byliśmy wśród znajomych – a przynajmniej znajomych Baby. Zapraszał wszystkich sąsiadów z piętra – większość z nich i tak stanowili Afgańczycy, podobnie jak my oczekujący na decyzję amerykańskiego biura imigracyjnego. W końcu zawsze ktoś szedł po bębenki, ktoś inny po akordeon, parzono herbatę, każdy zaś, kto umiał jako tako śpiewać, śpiewał aż do rana, aż komary przestały bzykać, a dłonie puchły od klaskania.

– Tam było ci lepiej, Baba. Tam było bardziej jak u nas – powiedziałem.

– Peszawar był dobry dla mnie. Ale nie dla ciebie.

– Tutaj musisz tak ciężko pracować...

– Teraz nie jest już tak źle – powiedział. Chodziło mu o to, że został kierownikiem dziennej zmiany na stacji. Mimo to widziałem, że w deszczowe dni krzywi się z bólu i masuje nadgarstki. I że po każdym posiłku musi zaraz wziąć coś na nadkwasotę. – W dodatku przecież nie dla siebie nas tu przywiozłem, prawda?

Sięgnąłem przez stół i położyłem dłoń na jego dłoni. Moją studencką, czystą, miękką dłoń na jego twardej, zrogowaciałej dłoni robotnika. Pomyślałem o tych wszystkich ciężarówkach, kolejkach i rowerach, które kupował mi w Kabulu. A teraz – Ameryka. Ostatni prezent dla Amira.

Nim minął miesiąc po naszym przyjeździe do Stanów, Baba już znalazł pracę na stacji benzynowej należącej do znajomego z Afganistanu – zaczął jej szukać jeszcze w tym samym tygodniu, w którym wylądowaliśmy w Kalifornii. Baba pracował po dwanaście godzin dziennie, sześć dni w tygodniu. Nalewał benzynę, obsługiwał kasę, wymieniał olej, mył przednie szyby. Czasem gdy przynosiłem mu obiad, zastawałem go, gdy szukał na półkach paczki papierosów dla klienta stojącego po drugiej stronie zabrudzonej olejem lady – w blasku świetlówek twarz Baby była zmęczona i blada. Gdy otwierałem drzwi, włączał się elektroniczny dzwonek, Baba patrzył przez ramię, machał do mnie ręką i uśmiechał się, choć oczy zachodziły mu łzami ze zmęczenia.

Tego samego dnia, gdy Baba znalazł pracę, poszliśmy do naszej pani z opieki społecznej w San Jose. Pani Dobbins była otyłą Murzynką o wesołych oczach; gdy uśmiechała się, na jej policzkach pojawiały się dwa dołeczki. Kiedyś pochwaliła się, że śpiewa w chórze kościelnym. Od razu jej uwierzyłem, bo dźwięk jej głosu przywodził mi na myśl ciepłe mleko z miodem. Baba położył jej na biurko bloczki żywnościowe.

– Dziękuję, już niepotrzebne – powiedział swą wątpliwą angielszczyzną.

– Ja zawsze pracuję. W Afganistanie pracuję, w Ameryce pracuję. Bardzo dziękuję, pani Dobbins, ale nie lubię pieniędzy za nic.

Pani Dobbins zamrugała oczyma. Wzięła do ręki bloczki i spoglądała to na mnie, to na Babę, jakbyśmy z niej żartowali albo „robili jej kawał", jak mawiał Hassan.

– Od piętnastu lat tu pracuję, i nikt jeszcze czegoś takiego nie zrobił – powiedziała. W ten sposób Baba szybko zakończył to uwłaczające płacenie bloczkami w sklepach i pozbył się swej największej obawy: że jakiś Afgańczyk zobaczy go kupującego żywność za pieniądze z dobroczynności. Baba opuścił biuro opieki społecznej krokiem człowieka wyleczonego z nowotworu.

Latem tego samego roku 1983 zdałem maturę – w wieku dwudziestu lat, byłem więc najstarszym maturzystą, który wraz innymi – zgodnie pięknym amerykańskim zwyczajem – rzucał szkolny biret na szkolne boisko. Pamiętam, że Baba zgubił mi się gdzieś w tłumie rodzin, błyskających fleszów i granatowych tog. Po chwili spostrzegłem go w pobliżu bramki – zawsze narzekał, że Amerykanie wolą swój *football* od prawdziwego futbolu. Trzymał ręce w kieszeniach, z szyi zwieszał mu się aparat fotograficzny. Pojawiał się i znikał za innymi: rozwrzeszczanymi dziewczynami w togach, które to rzucały się sobie w objęcia, to płakały, chłopcami przybijającymi piątkę swym ojcom i sobie nawzajem. Broda mu posiwiała, włosy przerzedziły się na skroniach, w Kabulu wydawał się jakby... wyższy. Miał na sobie brązowy garnitur – jedyny, jaki teraz miał, ten sam, który wkładał na wszystkie afgańskie śluby i pogrzeby – i czerwony krawat, który dostał ode mnie w tym roku na pięćdziesiąte urodziny. Wreszcie on też mnie dostrzegł, pomachał ręką, uśmiechnął się. Kazał mi z powrotem nałożyć biret i zrobił mi zdjęcie ze szkolną wieżą zegarową w tle. Uśmiechnąłem się do zdjęcia i do niego, bo w pewien sposób był to jeszcze bardziej jego niż mój wielki dzień. Podszedł do mnie, objął za szyję i pocałował w czoło.

– Jestem *moftachir*, Amir – powiedział. Dumny. Gdy to mówił, oczy mu błyszczały. Było mi dobrze, że to na mnie tak patrzy.

Wieczorem zabrał mnie do afgańskiej kebabiarni w Hayward i zamówił o wiele za dużo jedzenia. Powiedział właścicielowi, że jesienią syn idzie na studia. Tuż przed rozdaniem świadectw maturalnych usiłowałem spierać się z nim na ten temat. Powiedziałem, że chcę iść do pracy. Zawsze coś zarobię, jemu będzie lżej, zaoszczędzę trochę pieniędzy, na studia mogę iść na przykład za rok. Ale on natychmiast rzucił mi to jego sławne, piorunujące spojrzenie, pod którym słowa, jak zwykle, uwięzły mi w gardle.

Po kolacji Baba wziął mnie do baru po drugiej stronie ulicy. Było tam ciemno, wszędzie unosiła się kwaśna woń piwa, której nie znosiłem. Mężczyźni w czapkach baseballowych i koszulkach bez rękawów grali w bilard, nad zielonymi stołami unosiły się kłęby dymu papierosowego, wijące się w świetle jarzeniówek. Ściągaliśmy na siebie spojrzenia – Baba w swym brązowym garniturze, ja w beżowych spodniach i sportowej kurtce. Usiedliśmy przy barze obok starego człowieka, którego ogorzała twarz wyglądała jeszcze bardziej odpychająco w blasku niebieskiego neonu reklamującego piwo Michelob. Baba zapalił papierosa i zamówił pierwszy kufel.

– Dziś jestem za szczęśliwy – oznajmił nie wiedzieć komu. – Dziś piję z synem. I jeszcze jedno dla pana, przyjacielu – powiedział, klepiąc starego po plecach. Ten uchylił czapki i uśmiechnął się. W ogóle nie miał górnych zębów.

Baba wypił swoje piwo trzema łykami, zamówił następne. Wypił trzy, nim udało mi się wmusić w siebie ćwierć mojego. Tymczasem Baba zdążył już postawić staremu whisky, a czterem bilardzistom przy najbliższym stole – dzban budweisera. Ściskano mu dłonie, klepano po plecach, przepijano. Ktoś podał mu ogień. Baba poluźnił krawat i wręczył staremu kilka ćwierćdolarówek. Wskazał na szafę grającą.

– Powiedz mu, żeby puścił to, co lubi – powiedział do mnie. Stary skinął głową i zasalutował. Wkrótce z szafy popłynęła muzyka country; Babie niewiele było trzeba, by rozpocząć przyjęcie.

W pewnym momencie Baba wstał, uniósł piwo, rozlewając je na wysypaną trocinami podłogę, i wrzasnął:

– Pieprzyć Ruskich!

Bar zatrząsł się od śmiechu, potem od echa tego śmiechu. Baba postawił następną kolejkę, ale tym razem już wszystkim zgromadzonym. Gdy wychodził, wszyscy posmutnieli. Kabul, Peszawar, Hayward... Nic się nie zmieniło, pomyślałem z uśmiechem.

Odwiozłem nas do domu starym, ciemnożółtym buickiem century Baby. Baba zdrzemnął się po drodze i chrapał jak lokomotywa. Szła od niego pomieszana, słodka, silna woń tytoniu i alkoholu. Ale gdy dojechaliśmy pod dom, usiadł wyprostowany i powiedział chrapliwym głosem:

– Jedź dalej. Za róg.

– Po co?

– Jedź, jedź.

Kazał mi zaparkować na południowym końcu ulicy. Sięgnął do kieszeni marynarki i podał mi jakieś nieznane mi kluczyki.

– Patrz – powiedział, wskazując na samochód zaparkowany tuż przed nami. Był to stary model forda, długi i szeroki, w ciemnym kolorze, którego nie rozpoznałem w mdłym świetle księżyca. – Trzeba go będzie odmalować. Poza tym muszę poprosić chłopaków na stacji, żeby wstawili nowe amortyzatory. Ale w ogóle jeździ.

Wstrząśnięty wziąłem kluczyki do ręki. Patrzyłem to na Babę, to na samochód.

– Przyda ci się, jak pójdziesz na studia – powiedział. Chwyciłem go za rękę. I uścisnąłem. Oczy zachodziły mi łzami; cieszyłem się, że nasze twarze były w mroku.

– Dziękuję, Baba.

Przesiedliśmy się z buicka do forda. Był to ford grand torino, granatowy, jak twierdził Baba. Przejechaliśmy się po okolicy, sprawdzałem hamulce, radio, kierunkowskazy. Zaparkowałem przed naszym blokiem i wyłączyłem silnik.

– *Taszakor*, Baba-dżan – powiedziałem. Chciałem powiedzieć znacznie więcej: jak bardzo jestem wzruszony, jak bardzo doceniam wszystko, co dla mnie zrobił i co dalej robi. Ale wiedziałem, że byłoby mu niezręcznie. Więc tylko powtórzyłem: – *Taszakor*.

Uśmiechnął się i oparł się o zagłówek. Czołem prawie dotykał sufitu. I już nie mówiliśmy nic, siedzieliśmy w ciemności, nasłuchując lekkiego stuku stygnącego silnika. W oddali zawyła syrena policyjna. Wreszcie Baba przechylił głowę ku mnie.

– Szkoda, że nie ma dziś z nami Hassana.

Na dźwięk tego imienia para stalowych dłoni zacisnęła mi się na gardle. Opuściłem okno i czekałem, aż stalowe ręce poluźnią chwyt.

W dzień po rozdaniu matur powiedziałem Babie, że od jesieni zaczynam studia. Pił zimną, czarną herbatę i żuł nasiona kardamonu, co było jego prywatną kuracją na kaca.

– Pójdę na anglistykę – powiedziałem i aż skuliłem się wewnętrznie, czekając na jego odpowiedź.

– Na anglistykę?

– Chcę zostać pisarzem.

Myślał przez chwilę. Upił łyk herbaty.

– A, te twoje opowiadania. Będziesz pisał jakieś zmyślone historie, tak?

Wbiłem wzrok w ziemię.

– Płacą za to?

– Jak się jest dobrym – powiedziałem. – No i jeżeli człowieka odkryją.

– A jakie jest prawdopodobieństwo, że odkryją?

– Czasem się zdarza – odpowiedziałem.

Pokiwał głową.

– A co będziesz robił, zanim będziesz dobry? Zanim cię odkryją? Jak będziesz zarabiał? A jeśli się ożenisz, to za co utrzymasz swoją *chanum*? Bałem się podnieść na niego wzrok.

– Znajdę... znajdę jakąś pracę.

– Aha – powiedział. – *Ła, ła*! Czyli, jeżeli dobrze zrozumiałem, będziesz studiował kilka lat, żeby dostać dyplom po to tylko, żeby znaleźć pracę mniej więcej tak *czatti* jak moja, czyli taką, jaką mógłbyś znaleźć już dziś. A wszystko dlatego, że jest jakaś tam szansa, że dyplom ułatwi, że cię odkryją. – Wziął głęboki wdech i znów upił łyk herbaty. Zaczął mruczeć coś o medycynie, studiach prawniczych, „prawdziwej pracy".

Policzki mi płonęły, dręczyło poczucie winy – winy, że dogadzam sobie kosztem jego wrzodów i obolałych nadgarstków. Ale postanowiłem się nie poddawać. Nie chciałem więcej poświęcać się dla Baby. Zrobiłem to ostatnim razem i przeklinam tę chwilę do dziś.

Baba westchnął i tym razem wrzucił do ust całą garść kardamonu.

Czasem wsiadałem za kierownicę forda, opuszczałem okna i jeździłem całymi godzinami od Wschodniej do Południowej Zatoki, na koniec Półwyspu i z powrotem. Jeździłem przecinającymi się pod kątem prostym, wysadzanymi topolami ulicami naszej dzielnicy we Fremont. W nędznych parterowych domkach o zakratowanych oknach mieszkali tu ludzie, którym nigdy nie podał ręki żaden król; stare gruchoty, takie jak mój, kapały olejem na asfaltowe jezdnie. Na zaniedbanych trawnikach przed domami walały się zabawki, stare opony i butelki po piwie z odklejającymi się nalepkami. Mijałem pachnące korą, cieniste parki, centra handlowe, tak wielkie, że można by w nich urządzić równocześnie z pięć turniejów *Buzkasz*. Kierowałem moje torino w góry Los Altos, mijałem posiadłości o wielkich oknach, gdzie żelaznych bram pilnowały srebrne lwy, domy z fontannami z aniołkiem i wypielęgnowanymi alejkami, na których podjazdach nie stały fordy gran torino. Takie domy, przy których willa Baby w Uazir Akbar Chan wyglądała jak chatka służących.

Co którąś sobotę wstawałem jeszcze przed świtem i jechałem na południe drogą numer 17. Gnałem forda krętą szosą przez góry do Santa Cruz. Parkowałem przy starej latarni morskiej i czekałem na wschód słońca; siedziałem w samochodzie i patrzyłem, jak mgła wtacza się na ląd od morza. W Afganistanie ocean znałem tylko z kina. Siedząc z Hassanem w ciemności, zawsze zastanawiałem się, czy to prawda, co wyczytałem – że morskie powietrze pachnie solą. Mówiłem Hassanowi, że kiedyś będziemy spacerować po usłanej wodorostami plaży, zanurzając stopy w piach, patrząc, jak woda ucieka nam spod nóg. O mało się nie rozpłakałem, gdy pierwszy raz ujrzałem Pacyfik. Był równie wielki i błękitny jak oceany z kinowych ekranów mojego dzieciństwa.

Czasem wczesnym wieczorem parkowałem samochód i stawałem przy poręczy wiaduktu nad autostradą. Przyciskałem twarz do siatki i próbowałem liczyć uciekające, migające, czerwone światła, które ciągnęły się aż po horyzont. Światła bmw, saabów, porsche, samochodów, których w Kabulu się nie widywało, bo tam wszyscy jeździli rosyjskimi wołgami, starymi oplami lub irańskimi paikanami.

Minęły już prawie dwa lata od naszego przybycia do Ameryki, a ja wciąż nie mogłem się przyzwyczaić do jej bezmiaru, jej bezkresu. Za każdą autostradą zaczynała się następna, za jednym miastem – drugie, za wzgórzami – góry, za górami – wzgórza, a za nimi znowu miasta, znowu ludzie.

Na długo przed tym, gdy armia *Russich* wkroczyła do Afganistanu, na długo przed tym, gdy zaczęto palić wsie, niszczyć szkoły, gdy niczym ziarno śmierci zasiano wszędzie miny, a zabite dzieci chowano w mogiłach pod stertami kamieni – już wtedy Kabul stał się dla mnie miastem duchów. Duchów z zajęczą wargą.

W Ameryce było inaczej. Ameryka jest jak rzeka, która pędzi przed siebie, nie myśląc o przeszłości. Mogłem wejść w tę rzekę, by moje grzechy osiadły na dnie, niech rzeka uniesie mnie gdzieś daleko. Gdzieś, gdzie nie ma duchów, wspomnień, grzechu.

Już choćby za to pokochałem Amerykę.

Następnego lata – był to rok 1984, skończyłem wtedy dwadzieścia jeden lat – Baba sprzedał buicka i za pięćset pięćdziesiąt dolarów kupił od znajomego Afgańczyka, nauczyciela przyrody w liceum, stary, zdezelowany volkswagen minibus. Sąsiedzi obracali się za nami na ulicy, gdy pewnego popołudnia nasz mikrobus przejechał z okropnym warkotem całą ulicę i prychając dymem z rury wydechowej, wjechał pod blok. Baba wyłączył silnik, volkswagen bezgłośnie, samym rozpędem, dotoczył się na nasze miejsce parkingowe. Śmialiśmy się tak, że o mało nie pospadaliśmy z foteli, dopóki łzy nie popłynęły nam z oczu, i co jeszcze ważniejsze, dopóki sąsiedzi nie przestali się gapić. Mikrobus był w strasznym stanie: rdza, wybite okna zalepione czarnymi workami na śmieci, łyse opony, wytarta do sprężyn tapicerka. Ale stary nauczyciel zapewnił Babę, że silnik i skrzynia biegów są w porządku – jak się okazało, nie kłamał.

Baba teraz budził mnie o świcie co sobota. Podczas gdy on ubierał się, ja przeglądałem ogłoszenia w miejscowych gazetach i zaznaczałem wyprzedaże garażowe. Ustalaliśmy trasę: najpierw Fremont, Union City, Newark i Hayward, potem, jeśli starczy czasu, San Jose, Milpitas, Sunnyvale i Campbell. Baba prowadził volkswagena, popijając gorącą herbatę z termosu, ja pilotowałem. Zatrzymywaliśmy się na każdej wyprzedaży i skupywaliśmy niechciane graty. Targowaliśmy się o stare maszyny do szycia, jednookie lalki Barbie, drewniane rakiety tenisowe, gitary bez strun i stare elektroluksy. Do popołudnia nasz mikrobus pełny był używanych rzeczy. Następnego dnia rano jechaliśmy na pchli targ w San Jose, wynajmowaliśmy stoisko i sprzedawaliśmy te rupiecie z jakim takim zyskiem: stara płyta Chicago kupiona poprzedniego dnia za ćwierćdolarówkę szła za dolara albo w komplecie z czterema innymi za cztery dolary; za niezbyt sprawną maszynę do szycia kupioną za dziesięć dolarów – ale co singer to singer! – można było wytargować i dwadzieścia pięć.

Tego lata rodziny afgańskie przejęły cały sektor pchlego targu w San Jose. W przejściach między stoiskami z rzeczami używanymi grała afgańska muzyka. Między handlującymi tu Afgańczykami obowiązywał niepisany savoir-vivre: należało pozdrowić handlującego na stoisku naprzeciw, zaprosić go na kęs ziemniaczanych *bolani* albo odrobinę *kabuli*, pogawędzić. Składano *tassali*, kondolencje z powodu śmierci rodziców, gratulowano narodzin dzieci i żałośnie kręcono głowami, gdy rozmowa schodziła na Afganistan i na *Russich* – a schodziła zawsze. Unikano tylko rozmów o sobocie, bo sąsiad z targowiska mógł okazać się tym nieszczęśnikiem, któremu bezczelnie zajechało się drogę przy zjeździe z autostrady, by uprzedzić go na obiecującej sobotniej wyprzedaży.

Wśród tych stoisk tylko jedno płynęło szybciej niż herbata – afgańskie plotki. To właśnie na pchlim targu, pijąc zieloną herbatę, zagryzaną migdałowymi *kolcza*, wszyscy dowiadywali się, czyja córka zerwała zaręczyny i uciekła z amerykańskim chłopakiem, kto był w Kabulu *Parczami*, czyli komunistą, a kto kupił dom za schowane w skarpecie pieniądze, choć cały czas był na zasiłku. Trzema nieodzownymi elementami afgańskiej niedzieli na pchlim targu były Herbata, Polityka i Skandale.

Baba czasem zostawiał mnie na stoisku i spacerował wśród straganów z dłońmi przyciśniętymi na znak szacunku do piersi, pozdrawiając starych znajomych z Kabulu: mechaników i krawców handlujących używanymi, wełnianymi płaszczami i odrapanymi kaskami rowerowymi ramię w ramię z byłymi ambasadorami, bezrobotnymi chirurgami i wykładowcami akademickimi.

Wczesnego ranka w którąś niedzielę lipca 1984 Baba rozkładał nasz towar, a ja poszedłem po dwa kubki kawy do targowego bufetu. Gdy wróciłem, Baba rozmawiał ze starszym, bardzo dystyngowanym panem. Ustawiłem kubki z kawą na tylnym zderzaku mikrobusu, tuż obok naklejki z napisem Reagan/Bush'84.

– Amir – skinął na mnie Baba. – Chodź, chcę cię przedstawić. To sahib generał Ikbal Taneri. W Kabulu dostał wiele orderów. Pracował w ministerstwie obrony.

Taheri? Skąd ja znałem to nazwisko?

Generał zaśmiał się jak ktoś przyzwyczajony do tego, że na uroczystych przyjęciach musi się śmiać z drobnych żarcików innych ważnych ludzi. Rzadkie, siwe włosy nosił zaczesane do tyłu, od gładkiego, opalonego czoła; siwe były też jego gęste brwi. Pachniał wodą kolońską, miał zaś na sobie trzyczęściowy, stalowoszary garnitur, nieco lśniący od zbyt wielu prasowań; z kieszeni kamizelki zwieszał się złoty łańcuszek zegarka.

– Jak pięknie mnie przedstawiłeś – powiedział niskim, kulturalnym głosem. – *Salam, baczem.* – Witaj, moje dziecko.

– *Salam*, sahibie generale – odpowiedziałem, ściskając podaną mi dłoń. Jej cienkie palce miały mocarny uścisk, jakby pod świetnie nawilżoną skórą skrywała się stal.

– Amir będzie wielkim pisarzem – powiedział Baba. Nie wierzyłem własnym uszom. – Jest już po pierwszym roku studiów, ma same piątki.

– Ale to dopiero pierwszy rok – dodałem skromnie.

– *Maszallach* – powiedział generał Taheri. – Będziesz pisał o naszym kraju? O jego historii? A może o gospodarce?

– Ja piszę prozę – powiedziałem, mając na myśli te kilkanaście opowiadań, zapisanych w oprawnym w skórę notesie od Rahima Chana i sam się sobie dziwiąc, że ten pan tak mnie onieśmiela.

– A, literat? Piszesz opowiadania, tak? – zapytał generał. – No, w takich czasach ludziom tego potrzeba. Muszą się czymś pocieszyć. – Położył dłoń na ramieniu Baby i jeszcze raz zwrócił się do mnie. – A skoro o opowiadaniach mowa, to któregoś lata w Dżalalabadzie wybrałem się z twoim ojcem na bażanty – powiedział. – To było świetne. O ile pamiętam, twój ojciec miał równie dobre oko do polowania co nos do interesów.

Baba trącił końcem buta drewnianą rakietę na brezencie przed naszym stoiskiem.

– Też mi interesy...

Generał Taheri uśmiechnął się smutno i uprzejmie zarazem, westchnął i lekko poklepał Babę po ramieniu.

– *Zendagi migzara* – powiedział. Życie toczy się dalej. Znów popatrzył na mnie. – My, Afgańczycy, lubimy przesadzać, *baczem*, i o wielu ludziach mówiono mi już, że są wielcy. Ale twój ojciec wyróżnia się spośród nich tym, że on naprawdę zasługuje na to miano.

To krótkie przemówienie skojarzyło mi się z garniturem generała – było równie często używane i przesadnie połyskliwe.

– Teraz to ty przesadzasz – powiedział Baba.

– Wcale nie – odparł generał, przechylając głowę na bok i przyciskając dłoń do piersi na znak pokory. – Dziecko powinno wiedzieć, ile jest wart jego ojciec. – Popatrzył na mnie. – A ty wiesz, ile jest wart twój ojciec, *baczem*? Ile jest tak naprawdę wart?

– *Balaj*, sahibie generale. Wiem. – Żeby jeszcze nie nazywał mnie „dzieckiem"...

– To gratuluję, bo przez to częściowo już jesteś dorosły – powiedział bez cienia ironii czy humoru. Był to komplement kogoś, kto jest pewny siebie i przechodzi nad tym do porządku dziennego.

– Padar-dżan, zapomniałeś herbaty. – Głos młodej kobiety. Stała za nami: piękność o aksamitnych kruczoczarnych włosach i szczupłych udach. Miała w ręku termos i plastikowy kubek. Zamknąłem oczy, otworzyłem je i serce zabiło mi mocniej. Jej grube, czarne brwi łączyły się jak skrzydła lecącego ptaka nad wdzięcznie zakrzywionym nosem, który przywodził na myśl księżniczki dawnej Persji, choćby Taminę, żonę Rostama i matkę Sohraba z *Szahname*. Jej oczy, orzechowe, ocienione długimi rzęsami, napotkały mój wzrok, zatrzymały się na chwilę. I uciekły.

– Jak to miło z twojej strony, kochanie – powiedział generał. Przyjął od niej kubek. Nim się odwróciła i odeszła, zauważyłem na gładkiej skórze lewego policzka brązowe, sierpowate znamię. Podeszła do stojącej dwie alejki dalej matowoszarej furgonetki i odłożyła do niej termos. Jej włosy opadły na bok, gdy klękała wśród pudeł ze starymi płytami i książkami w papierowej okładce.

– Moja córka, Soraja – powiedział generał Taheri. Wziął wdech jak ktoś, kto chce zmienić temat i zerknął na swój złoty zegarek. – No, czas zabrać się do roboty. – Ucałowali się z Babą w policzki, mnie oburącz uścisnął dłoń. – Powodzenia w pisaniu – powiedział, patrząc mi prosto w twarz. Jego bladoniebieskie oczy nie zdradzały żadnej myśli.

Przez resztę dnia walczyłem z pokusą ciągłego zerkania w stronę szarej furgonetki.

Przypomniałem sobie w drodze do domu. Taheri – wiedziałem, że już kiedyś słyszałem to nazwisko.

– Czy nie było jakiejś historii z córką Taheriego? – zapytałem Babę, starając się, by zabrzmiało to całkiem obojętnie.

– Wiesz, jak ze mną jest – odparł Baba, włączając się w sznur pojazdów opuszczających pchli targ. – Jak ludzie zaczynają plotkować, to ja przestaję słuchać.

– Ale coś było, prawda? – nalegałem.

– A czemu pytasz? – zapytał z niewinną miną.

Wzruszyłem ramionami i z trudem opanowałem uśmiech.

– Z ciekawości.

– Naprawdę? Z czystej ciekawości? – pytał, przypatrując mi się rozbawionym wzrokiem. – Tak ci się spodobała?

Wywróciłem oczyma.

– Baba, daj spokój.

Uśmiechnął się. Wreszcie udało mu się wyjechać z targu. Ruszyliśmy ku autostradzie numer 680. Przez chwilę jechaliśmy w milczeniu.

– Wiem tylko, że był jakiś mężczyzna, ale że nic z tego... nic z tego nie wyszło.

Powiedział to z taką powagą, jakby właśnie mi wyjawiał, że miała raka piersi.

– Aha.

– Słyszałem też, że to porządna dziewczyna, dobra, pracowita. Ale od tej historii żaden *chastegar*, zalotnik, nie zapukał do drzwi generała. – Baba westchnął. – To może niesprawiedliwe, Amir, ale coś, co zdarzy się w kilka dni czy choćby w jeden dzień, potrafi czasem zmienić czyjeś całe życie.

W nocy nie mogłem spać. Myślałem o sierpowatym znamieniu Sorai Taheri, jej lekko zakrzywionym nosie i o spojrzeniu jej oczu, które na chwilę zatrzymało się na moich. I na myśl o niej moje serce jakby zaczynało się jąkać. Soraja Taheri, moja księżniczka z pchlego targu.

12

W Afganistanie *jelda* to pierwsza noc miesiąca *Dżadi*, pierwsza noc zimy, najdłuższa noc w roku. Zgodnie z tradycją wraz z Hassanem długo nie kładliśmy się spać. Siedzieliśmy z nogami pod *kursi*, a Ali rzucał w ogień skórkę z jabłek i umilał nam czas pradawnymi opowieściami o sułtanach i rozbójnikach. To od Alego znam wszystkie legendy związane z *jelda*: że diabeł sprawia, iż otumanione ćmy rzucają się w płomień świecy, że w tę noc wilki wyłażą na góry w poszukiwaniu słońca. Albo że kto je arbuza w noc *jelda*, ten przez całe następne lato nie zazna pragnienia.

Gdy byłem starszy, czytałem wiersze o tym, *że jelda* to bezgwiezdna noc, w którą czuwają stęsknieni kochankowie, że w niekończącej się ciemności wyczekują wschodu słońca, który połączy ich z ukochaną osobą. Odkąd po raz pierwszy zobaczyłem Soraję Taheri, każda noc była dla mnie jak *jelda*. A gdy nadchodziła niedziela, wstawałem z łóżka, mając przed oczyma już tylko jej twarz i brązowe oczy. W mikrobusie liczyłem kilometry, które dzieliły mnie od chwili, gdy znów ją zobaczę, siedzącą boso wśród kartonowych pudeł z pożółkłymi encyklopediami – białe pięty na ciemnym asfalcie, pobrzękiwanie srebrnych bransoletek na szczupłych rękach. Myślałem o cieniu, jaki jej włosy rzucają na ziemię, gdy ześlizgują się z jej pleców i opadają w dół aksamitną zasłoną. Soraja. Moja księżniczka z pchlego targu. Poranne słońce po mojej *jelda*.

Wymyślałem coraz to nowe wymówki – kwitowane przez Babę rozbawionym uśmiechem – byle przechodzić koło stoiska Taherich. Machałem ręką generałowi, który nigdy nie ubierał się inaczej niż w ten za często prasowany szary garnitur, on uprzejmie machał do mnie. Czasem nawet wstawał z krzesła do złudzenia przypominającego fotel reżysera na planie filmowym i gawędziliśmy niezobowiązująco o moim pisarstwie, o wojnie, o tym, co się udało dziś sprzedać. Z całych sił musiałem się powstrzymywać, by mój wzrok nie błądził w stronę pochylonej nad książką Sorai. Potem żegnałem się z generałem i odchodząc, starałem się nie garbić.

Czasem siedziała sama, bo generał poszedł gdzieś prowadzić życie towarzyskie, mijałem ją więc, jakbym jej nie znał, ale równocześnie z całych sił pragnąc ją poznać. Czasem była z nią zażywna kobieta w średnim wieku o bladej cerze i farbowanych na rudo włosach. Obiecywałem sobie, że odezwę się do niej przed końcem lata, ale zaczął się nowy rok akademicki, liście poczerwieniały na drzewach, pożółkły i opadły, nastały jesienne deszcze, sprowadzając na Babę bóle stawów, potem drzewa znów wypuściły pąki, a ja nadal nie nabrałem ducha, *dil*, żeby choćby znów spojrzeć jej w oczy.

Semestr wiosenny skończył się pod koniec maja 1985 roku. Wszystkie przedmioty znów zaliczyłem celująco. Sam nie wiem, jak to się stało, bo na wykładach myślałem tylko o zakrzywionym nosku Sorai.

I znowu w pewną upalną niedzielę znaleźliśmy się z Babą na pchlim targu. Siedzieliśmy na stoisku, wachlując twarze gazetami. Choć słońce grzało jak piec, targ był tego dnia pełny, handel szedł świetnie, bo do wpół do pierwszej zarobiliśmy już sto sześćdziesiąt dolarów. Wstałem, przeciągnąłem się i zapytałem Babę, czy ma ochotę na coca-colę. Powiedział, że z rozkoszą.

– Tylko uważaj, Amir – dodał, gdy odchodziłem.

– Na co, Baba?

– Nie jestem *ahmak*, więc nie udawaj głupka.

– Nie mam pojęcia, o co ci chodzi.

– Pamiętaj – powiedział, wymierzając we mnie wskazujący palec. – On jest Pasztunem z krwi i kości. Ma *nang* i *namos*. – *Nang* i *namos*, honor i duma. Dwie podstawowe cechy Pasztuna. Szczególnie w odniesieniu do cnoty żon. Albo córek.

– Przecież ja tylko idę po colę.

– O jedno cię proszę, nie narób mi wstydu.

– Nie narobię. Baba, na miłość boską...

Baba zapalił papierosa i znów począł się wachlować.

Najpierw rzeczywiście skierowałem się w stronę bufetu, ale potem skręciłem w lewo w stronę stoiska z T-shirtami, gdzie za pięć dolarów można było dostać wprasowaną w biały podkoszulek twarz Jezusa, Elvisa czy Jima Morrisona – albo wszystkie trzy naraz. Grała muzyka mariachi, wokół roznosiła się woń marynat i mięsa z grilla.

Szarą furgonetkę Taherich dostrzegłem o dwie alejki za naszym stoiskiem, obok kiosku, w którym sprzedawano mango na patyku. Soraja była sama. Czytała. Tego dnia miała na sobie letnią sukienkę po kostki i sandały bez palców. Zaczesane do tyłu włosy, splecione w kok. Z początku chciałem jak zwykle minąć ją i pójść dalej, i nawet wydawało mi się, że tak właśnie zrobiłem, tylko że nagle ocknąłem się na skraju białego obrusa, na którym Taheri rozkładali swój towar, gdzie stałem, gapiąc się na Soraję ponad rurkami do papilotów i starymi krawatami. Uniosła na mnie wzrok.

– *Salam* – powiedziałem. – Przepraszam, że jestem *mozahem*, nie chciałem przeszkadzać.

– *Salam.*

– Czy jest dziś sahib generał? – zapytałem. Czułem, że czerwienieją mi uszy, i nie mogłem się zmusić, by popatrzyć jej w oczy.

– Poszedł w tamtą stronę – powiedziała i wskazała na prawo. Bransoletka obsunęła się jej aż po łokieć – srebro na oliwkowej skórze.

– Czy powiesz mu, że byłem złożyć mu uszanowanie?

– Powiem.

– Dziękuję – powiedziałem. – Aha, na imię mi Amir. To tak, na wszelki wypadek. Żebyś mogła powiedzieć panu generałowi. Że tu byłem. Złożyć... złożyć mu uszanowanie.

– Tak.

Przestąpiłem z nogi na nogę, odchrząknąłem.

– To ja już pójdę. Przepraszam za kłopot.

– Żaden kłopot – odpowiedziała.

– Aha. To dobrze – skłoniłem głowę i uśmiechnąłem się lekko. – To ja już pójdę.

Czy już tego nie mówiłem?

– *Choda hafez.*

– *Choda hafez.*

Zacząłem iść. Zatrzymałem się. Odwróciłem. Odezwałem się, nim zdążyłem stchórzyć.

– Czy mogę zapytać, co czytasz?

Kilkakrotnie zamrugała oczyma.

Wstrzymałem oddech. Poczułem nagle, jakby zwróciły się ku nam oczy wszystkich obecnych na targu Afgańczyków. Wydało mi się też, że wokół zapadła cisza, że wszystkie wargi zamarły w pół zdania, że obracają się wszystkie głowy, mrużą się zaciekawione oczy.

A cóż to się dzieje?

Do pewnego momentu nasze spotkanie mogło być interpretowane jako pełne szacunku zapytanie jednego mężczyzny, gdzie może znaleźć drugiego. Ale teraz zadałem jej pytanie – jeżeli mi odpowie, to... to będzie to już

rozmowa. Między mną, *modżaradem*, czyli kawalerem, a nią, młodą, nieza-
mężną kobietą, w dodatku z przeszłością. To już mogło stać się pożywką dla
plotek, i to tych najchętniej słuchanych. Zaraz rozhulają się złośliwe języki,
a cała złośliwość skrupi się na niej, nie na mnie. Dobrze wiedziałem, że my,
Afgańczycy, mamy osobną miarę dla mężczyzn i osobną dla kobiet. Nie
mówimy: „Widzieliście, jak ją zaczepił?" tylko „Ho, ho, widzieliście, jak
nie dała mu odejść? Ale *loczak*!"

Według zwyczajów afgańskich moje pytanie było bardzo śmiałe. Zadając
je, nie pozostawiłem cienia wątpliwości, że się nią interesuję. Tylko że ja
byłem mężczyzną, który ryzykował najwyżej to, że uszczerbku dozna jego
duma. Takie rany szybko się goją. Gorzej z dobrym imieniem kobiety. Czy
ona się odważy mi odpowiedzieć?

Odwróciła książkę okładką w moją stronę. Były to *Wichrowe wzgórza*.

– Czytałeś to? – zapytała.

Skinąłem głową. W gałkach oczu czułem bicie własnego serca.

– To smutna historia.

– Ze smutnych historii powstają dobre książki.

– To prawda.

– Słyszałam, że ty też piszesz.

Skąd ona to wie? Czy mówił jej generał, czy sama go zapytała? Natychmiast odrzuciłem jedną i drugą możliwość jako kompletny nonsens. Ojcowie mogą swobodnie rozmawiać o kobietach z synami, ale żadna Afganka –
a przynajmniej porządna, *mohtaram*, afgańska dziewczyna – nie wypyty-
wałaby ojca o młodego człowieka. I żaden ojciec – a na pewno nie Pasztun,
ceniący sobie *nang* i *namos* – nie rozmawiałby o żadnym *moharadzie* ze
swą córką, jeżeli nie byłby nim *chastegar*, zalotnik, która zdążył już usza-
nować jej ojca, wysyłając do niego własnego rodzica.

Nie wierzyłem własnym uszom, gdy usłyszałem własny głos:

– Chciałabyś przeczytać coś, co napisałem?

– Chętnie – odpowiedziała. Teraz wyczułem jej narastające zażenowanie, poznałem to po tym, że jej oczy zaczęły zerkać w obie strony. Może
wypatrywała, czy nie nadchodzi generał? Zastanawiałem się, co by powiedział, gdyby zastał mnie na tej nieprzyzwoicie długiej rozmowie z jego
córką.

– To może kiedyś ci podrzucę – powiedziałem. Chciałem jeszcze coś
powiedzieć, gdy w przejściu między stoiskami pojawiła się kobieta, którą
czasem widywałem w towarzystwie Sorai. Niosła torbę pełną owoców. Gdy
nas zobaczyła, jej oczy szybko omiotły i mnie, i Soraję. Uśmiechnęła się.

– Amir-dżan! Jak to miło, że cię widzę! – powiedziała, kładąc owoce na obrus. Na jej czole lśniła warstwa potu. Lśniły też w słońcu jej rude włosy – jak hełm – a w rzadszych miejscach widać było skórę czaszki. Miała małe zielone oczy na okrągłej jak piłka głowie, złote koronki na zębach i palce jak kiełbaski. Z szyi zwieszał się mały złoty Allach, łańcuszek ginął w fałdach karku. – Jestem Dżamila. Matka Sorai.

– *Salam*, chala-dżan – powiedziałem zmieszany, bo jak często wśród Afgańczyków znów wiedział o mnie wszystko ktoś, o kim ja nie wiedziałem nic.

– Jak się ma twój ojciec? – zapytała.

– Dziękuję, dobrze.

– A wiesz, że twój dziadek, sędzia Gazi sahib, miał wuja, który był krewnym mojego dziadka? – powiedziała. – A więc my też jesteśmy spokrewnieni. – Uśmiechnęła się do mnie wszystkimi koronkami naraz. Zauważyłem, że prawa strona jej ust lekko opada. Jej wzrok znów wędrował ode mnie do Sorai.

Raz pytałem Babę, czemu córka generała Taheriego jeszcze nie wyszła za mąż. Baba odpowiedział, że nikt się nie znalazł. Zaraz poprawił się, że nikt odpowiedni. Ale więcej mówić nie chciał – Baba wiedział doskonale, że takie niepotrzebne gadki mogą okazać się zabójcze dla szans zamążpójścia młodej kobiety. Afgańscy panowie, szczególnie ci z tak zwanych szanowanych rodzin, to istoty ostrożne. Wystarczy jeden szept, jedna aluzja, i już uciekają jak spłoszone ptaki. Były więc wesela, ale Sorai nikt nie śpiewał „*ahesta boro*", nikt nie malował jej dłoni henną, nikt nie trzymał Koranu nad jej czepcem. A na każdym z tych wesel tańczył z nią tylko generał Taheri.

A teraz jeszcze ta kobieta, jej matka, z tym jej żałośnie przymilnym, krzywym uśmiechem i niemal nieskrywaną nadzieją w oczach... Aż skuliłem się na myśl o tym, jaką władzę dała mi wygrana na loterii genetycznej – moja płeć.

Nigdy nie udało mi się dotąd odczytać myśli generała, ale o jego żonie wiedziałem jedno: jeżeli ktoś będzie chciał mi przeszkadzać – przeszkadzać? w czym? – to na pewno nie ona.

– Siadaj, Amir-dżan – powiedziała. – Soraja, przynieś mu krzesło, *baczem*. I umyj mu brzoskwinię. Są słodkie, świeże.

– Nie, nie, dziękuję – powiedziałem. – Już muszę iść. Ojciec czeka.

– A! – powiedziała chanum Taneri. Wyraźnie zrobiło na niej wrażenie, że zachowałem się, jak należy, to znaczy odmówiłem. – To chociaż weź to. –

Włożyła do papierowej torby parę kiwi i brzoskwiń i zmusiła mnie, bym je przyjął. – Przekaż ojcu nasze *salam*. I odwiedź nas jeszcze.

– Odwiedzę na pewno. Dziękuję, chala-dżan – powiedziałem. I zobaczyłem kątem oka, że Soraja odwraca twarz.

– Myślałem, że poszedłeś po colę – powiedział Baba, przyjmując ode mnie torbę owoców. Patrzył na mnie z powagą i zarazem z rozbawieniem. Próbowałem zmyślić coś na poczekaniu, ale on ugryzł brzoskwinię i machnął ręką. – Nie trudź się, Amir. Tylko pamiętaj, co ci mówiłem.

Tej nocy w łóżku długo wspominałem lekkie wgłębienia tuż nad jej obojczykami i to, jak pstrokate słońce tańczyło w oczach Sorai. W głowie powtarzałem w kółko naszą rozmowę. Czy powiedziała: „Słyszałam, że ty też piszesz", czy „Słyszałam, że ty też jesteś pisarzem". Jak? Tak czy tak? Przewracałem się z boku na bok, gapiłem w sufit, przerażony perspektywą sześciu strasznych, niekończących się nocy *jeldy*, które dzielą mnie od chwili, gdy znów ją zobaczę.

Tak było przez kilka następnych tygodni. Czekałem, aż generał pójdzie na spacer, i kierowałem się w stronę stoiska Taherich. Gdy była chanum Taheri, częstowała mnie herbatą i *kolcza*, rozmawialiśmy o dawnym Kabulu, o znajomych, o jej artretyzmie. Oczywiście musiała zauważyć, że moje pojawienie się zawsze zbiega się z absencją męża, ale oficjalnie o niczym nie wiedziała.

– Ojej, a kaka właśnie gdzieś poszedł – mówiła za każdym razem.

Prawdę mówiąc, cieszyłem się z obecności chanum Taneri, i to nie tylko dlatego, że była dla mnie tak miła; również i Soraja stawała się przy niej mniej spięta, weselsza. Zupełnie jakby obecność jej matki legitymizowała to coś, co działo się między nami – oczywiście w znacznie mniejszym stopniu, niż gdyby był przy tym sam generał. Obecność przy nas chanum Taneri w roli przyzwoitki może nie zapobiegała plotkom, ale na pewno czyniła je mniej smakowitymi. Tylko prawie nieskrywane nadskakiwanie mi przez matkę trochę Soraję krępowało.

Którejś niedzieli byliśmy na ich stoisku sami. Rozmawialiśmy. Soraja opowiadała mi o studiach. Powiedziała, że studiuje w kolegium we Fremont.

– A co studiujesz?

– Chcę zostać nauczycielką – odpowiedziała.

– Tak? Dlaczego?

– Zawsze chciałam uczyć. Jeszcze kiedy mieszkaliśmy w Wirginii, zrobiłam certyfikat ESL, teraz raz w tygodniu uczę w bibliotece miejskiej. Moja mama też była nauczycielką. Uczyła perskiego w żeńskim liceum w Kabulu.

Jakiś grubas w czapce à la Sherlock Holmes zaproponował trzy dolary za paczkę świeczek wartą pięć. Soraja się nie targowała. Wrzuciła pieniądze do leżącego u jej stóp pudełka po cukierkach. Spojrzała na mnie nieśmiało.

– Chciałabym ci coś opowiedzieć – powiedziała – ale trochę się wstydzę.

– Opowiedz.

– Ale to głupie.

– Proszę, opowiedz.

Zaśmiała się.

– No dobrze. Kiedy byłam w czwartej klasie w Kabulu, ojciec zatrudnił służącą imieniem Ziba. Ziba miała siostrę w Iranie, w Maszadzie, a ponieważ sama była niepiśmienna, co jakiś czas prosiła mnie, bym pisała za nią listy do siostry. A potem, gdy przychodziła odpowiedź, musiałam jej to czytać. Któregoś dnia zapytałam ją, czy chciałaby się nauczyć czytać i pisać. Uśmiechnęła się tak szeroko, że aż zmrużyła oczy, i powiedziała, że bardzo by chciała. Odtąd po odrobieniu lekcji siadałam z nią przy stole w kuchni i uczyłam ją *alfa-beh*. Pamiętam, że gdy czasem podnosiłam głowę znad własnego zeszytu, widziałam, że Ziba raz miesza mięso w garnku, a raz bierze ołówek i odrabia to, co zadałam jej poprzedniego dnia.

Po roku Ziba czytała już książki dla dzieci. Siadywałyśmy w ogródku, czytała mi o Darze i Sarze, powoli, ale poprawnie. Zaczęła mówić o mnie *Moalem* Soraja, nauczycielka Soraja. – Znów się zaśmiała. – Wiem, że to dziecinne, ale gdy Zibie udało się napisać pierwszą literę, wiedziałam, że to właśnie chcę robić całe życie. Byłam z niej dumna. I z siebie też, że zrobiłam coś naprawdę pożytecznego. Rozumiesz?

– Tak – skłamałem. I pomyślałem, jak to używałem własnej umiejętności czytania i pisania, by dokuczać Hassanowi. I jak wyśmiewałem się z niego, gdy nie znał jakiegoś słowa.

– Ojciec chce, abym poszła na prawo, mama ciągle mówi coś o medycynie, ale ja zostanę nauczycielką. Mniej się zarabia, ale mimo wszystko tego właśnie chcę.

– Moja matka też uczyła – powiedziałem.

– Wiem – powiedziała. – Mama mi mówiła. – I zaczerwieniła się na własne słowa, bo dawały do zrozumienia, że pod moją nieobecność zdarzają im się „rozmowy o Amirze". Nadludzkim wysiłkiem powstrzymałem się od uśmiechu od ucha do ucha.

– Coś ci przyniosłem. – Z tylnej kieszeni wyciągnąłem zwój spiętych spinaczem kartek. – Tak jak obiecałem. – Wręczyłem jej jedno z moich opowiadań.

– O, pamiętałeś – rozpromieniła się. – Dziękuję ci, Amir!

Nie zdążyłem się uradować, że po raz pierwszy wymówiła moje imię, bo nagle zbladła, a jej wzrok powędrował za moje plecy. Odwróciłem się i stanąłem twarzą w twarz z generałem Taherim.

– Amir-dżan. Ten, co lubi opowiadać. Jak to miło – powiedział. Uśmiechał się jakoś tak blado.

– *Salam*, sahibie generale – odpowiedziałem ociężałymi nagle wargami. Minął mnie i stanął przy stoisku.

– Piękny dzień, prawda? – powiedział. Kciuk jednej ręki zaczepił za kieszeń kamizelki, drugą dłoń wyciągnął do Sorai. Natychmiast oddała mu zwój.

– A mówią, że w tym tygodniu ma padać. Nie do wiary.

I wrzucił zwinięte kartki do kosza na śmieci. Odwrócił się ku mnie i delikatnie położył mi dłoń na ramieniu. Zrobiliśmy razem kilka kroków.

– Wiesz, polubiłem cię, *baczem*. Jesteś porządny chłopak. Naprawdę w to wierzę, ale... – westchnął i machnął ręką. – Ale nawet porządnym chłopcom trzeba czasem przypominać o różnych rzeczach. No i moim obowiązkiem jest przypomnieć ci, że pewne zasady stosują się do każdego. Do ciebie też.
– Urwał. Wpił w moje oczy pozbawiony wyrazu wzrok. – Bo widzisz, na tym targu wszyscy lubią opowiadać, nie tylko ty. – Uśmiechnął się, ukazując niezwykle równy rząd zębów. – Koniecznie przekaż moje uszanowanie swojemu ojcu, Amir-dżan.

Zdjął dłoń z mego ramienia. I jeszcze raz się uśmiechnął.

– Co ci się stało? – zapytał Baba. Właśnie odbierał od jakiejś starszej pani należność za konia na biegunach.

– Nic – powiedziałem. Usiadłem ciężko na starym telewizorze. Po czym i tak wszystko mu opowiedziałem.

– Ech, Amir – westchnął.

Okazało się, że nawet za bardzo nie zadręczałem się tym, co zaszło.

Bo w następnym tygodniu Baba się zaziębił.

Zaczęło się od suchego kaszlu i kataru. Katar przeszedł, ale kaszel – nie. Baba kaszlał i kaszlał w chustkę, chował ją do kieszeni. Powtarzałem mu, że powinien się przebadać, ale on tylko machał ręką, żebym się odczepił.

Nie cierpiał szpitali i lekarzy. Z tego, co wiem, Baba był u lekarza tylko raz w życiu, gdy podczas pobytu w Indiach nabawił się malarii.

Dwa tygodnie później zauważyłem, że pluje krwią do muszli w łazience.

– Od dawna tak ci się dzieje? – zapytałem.

– Co na obiad?

– Idziemy do lekarza.

Chociaż Baba był już wtedy kierownikiem stacji, właściciel nadal nie płacił mu ubezpieczenia zdrowotnego, a Baba oczywiście się nie dopominał. Zabrałem go więc do rejonowego szpitala w San Jose. Przyjął nas lekarz o ziemistej twarzy i zapuchniętych oczach. Powiedział, że to jego drugi rok stażu.

– Przecież on jest chyba młodszy od ciebie, a bardziej chory ode mnie – mruknął Baba. Stażysta wysłał go na rentgen płuc. Gdy pielęgniarka znów poprosiła nas do gabinetu, lekarz siedział za biurkiem i wypełniał jakiś formularz.

– Proszę pójść z tym do rejestracji – powiedział, szybko skrobiąc po papierze.

– A co to? – zapytałem.

– Skierowanie. – I dalej skrobał w najlepsze.

– Na co?

– Do pulmonologa.

– A po co?

Obrzucił mnie szybkim spojrzeniem. Poprawił okulary i powrócił do skrobaniny.

– Pana ojciec ma jakiś cień w prawym płucu. Trzeba to sprawdzić.

– Jaki cień?

– Rak? – zapytał niedbale Baba.

– Trzeba sprawdzić. Wygląda podejrzanie – powiedział lekarz pod nosem.

– Nie może pan powiedzieć więcej?

– Szczerze mówiąc, nie. Trzeba będzie zrobić tomografię i z wynikiem pójść do specjalisty. – Wręczył mi skierowanie. – Ojciec pali, prawda?

– Tak.

Skinął głową. Popatrzył na mnie, na Babę, znów na mnie.

– W ciągu dwóch tygodni ktoś się z panami skontaktuje.

Chciałem go zapytać, jak mam żyć ze słowem „podejrzanie" przez całe dwa tygodnie. Jak mam jeść, pracować, uczyć się? Jak on może odsyłać mnie do domu z takim słowem?

Wziąłem skierowanie, zaniosłem do rejestracji. Wieczorem, gdy Baba zasnął, rozłożyłem na podłodze koc. I użyłem go jako dywanika do modlitwy. Bijąc czołem o ziemię, recytowałem na wpół zapomniane wersety Koranu – te, których uczył mnie w Kabulu mułła – i prosiłem o zmiłowanie Boga, co do którego istnienia nie byłem do końca przekonany. Teraz zazdrościłem mulle jego wiary i pewności.

Minęły dwa tygodnie, nikt się nie skontaktował. Gdy sam zatelefonowałem do szpitala, powiedzieli, że skierowanie gdzieś się zapodziało. Czy na pewno je oddałem? Powiedzieli, że odezwą się za trzy tygodnie. Zrobiłem piekielną awanturę, w której efekcie dostałem termin za tydzień. I wizytę u lekarza za dwa tygodnie.

Wizyta u pulmonologa, doktora Schneidera, szła dobrze, dopóki Baba nie zapytał go, skąd jest. Doktor powiedział, że z Rosji. Zobaczyłem, że Baba za chwilę dostanie szału.

– Przepraszam na chwilę, panie doktorze – powiedziałem i odciągnąłem Babę na bok. Doktor uśmiechnął się i cofnął, nie wypuszczając z ręki słuchawek.

– Baba, w poczekalni czytałem jego życiorys. Urodził się w Michigan. W Michigan! To Amerykanin. Jest bardziej Amerykaninem niż ty czy ja!

– Nic mnie to nie obchodzi, gdzie się urodził, to *Russi* – powiedział Baba, krzywiąc się, jakby wymówił brzydkie słowo. – Jego rodzice to *Russi*, jego dziadkowie też. Przysięgam na twarz twojej matki, że złamię mu rękę, jeśli spróbuje mnie tknąć.

– Przecież rodzice pana doktora właśnie uciekli od *Szorawi*! Oni stamtąd uciekli!

Ale Baba nie słuchał. Czasem wydaje mi się, że równie mocno jak zmarłą żonę kochał jeszcze tylko Afganistan, ojczyznę, która też była dla niego jak bliski zmarły. Chciało mi się krzyczeć ze złości. Ale zamiast krzyczeć, westchnąłem i zwróciłem się do doktora Schneidera:

– Bardzo mi przykro, panie doktorze. Nic z tego nie będzie.

Następny pulmonolog, doktor Amani, był Irańczykiem. Baba nie miał nic przeciw Irańczykom. Doktor Amani, mówiący cichym głosem pan o sumiastym wąsie i siwej czuprynie, oznajmił nam, że obejrzał wyniki tomografii i że musi wykonać bronchoskopię, to znaczy pobrać do badania kawałek masy płucnej. Umówił się z nami na kolejny tydzień. Wyprowadzając Babę z gabinetu, podziękowałem wylewnie lekarzowi, ale wiedziałem, że teraz będę musiał żyć przez tydzień z określeniem „masa płucna", które brzmiało dla mnie jeszcze bardziej złowrogo niż słowo „podejrzanie". Z całych sił pragnąłem, aby była ze mną Soraja.

Okazało się, że rak, podobnie jak Szatan, ma wiele imion. Baba miał raka „owsianokomórkowego". W stanie zaawansowanym, nieoperacyjnym. Baba zapytał doktora o rokowanie. Doktor Armani przygryzł wargę i powiedział, że rokowanie jest „poważne".

– Oczywiście możemy rozważyć chemioterapię – powiedział. – Ale jej znaczenie będzie wyłącznie paliatywne.

– Co to znaczy? – zapytał Baba.

Doktor Armani westchnął.

– To znaczy, że trochę odwlecze to, co nieuniknione.

– A więc przynajmniej wiem, na czym stoję. Dziękuję, doktorze – powiedział Baba. – Za chemię dziękuję. – Miał ten sam zdecydowany wyraz twarzy, jak wtedy, gdy rzucił na biurko pani Dobbins bloczki żywnościowe.

– Ależ Baba...

– Nie sprzeciwiaj mi się przy innych, Amir. Za kogo ty się uważasz?

Deszcz, który na targu zapowiadał generał Taheri, opóźnił się o dobrych kilka tygodni, ale gdy wychodziliśmy od doktora Amaniego, samochody właśnie chlapały brudną wodą na chodniki. Baba zapalił papierosa i nie wyjmował go z ust ani przez całą drogę do samochodu, ani podczas jazdy do domu.

Gdy wsadzał klucz do zamka w bramie domu, powiedziałem:

– Bardzo bym chciał, żebyś spróbował chemii.

Baba wsadził klucze do kieszeni i wciągnął mnie z deszczu pod daszek nad bramą. Przycisnął mi do piersi uzbrojoną w papieros pięść.

– *Bas*! Podjąłem już decyzję.

– A co będzie ze mną? Baba, co ja mam robić? – zapytałem ze łzami w oczach.

Przez jego mokrą od deszczu twarz przeleciał grymas obrzydzenia. Ten sam, który widziałem, gdy zapłakany przybiegałem do niego w dzieciństwie z rozbitym kolanem. Był to grymas i wtedy, i teraz wywołany przez mój płacz.

– Amir, masz dwadzieścia dwa lata! Jesteś dorosły! Jesteś... – otworzył usta, zamknął je, jeszcze raz chciał coś powiedzieć, rozmyślił się. Deszcz bębnił w blaszany daszek. – Pytasz, co z tobą będzie? A ja tyle lat uczyłem cię właśnie, żebyś nigdy nie zadawał tego pytania!

Otworzył drzwi. Odwrócił się do mnie.

– I jeszcze jedno. Nikomu nie mówimy. Zrozumiano? Nikomu. Nie chcę, żeby się ktoś nade mną litował.

I zniknął w mrocznym korytarzu. Przez resztę dnia siedział przed telewizorem i palił papierosa za papierosem. Nie wiedziałem, komu czy czemu rzuca wyzwanie. Mnie? Doktorowi Amaniemu? A może Bogu, w którego nigdy nie wierzył?

Przez jakiś czas nawet rak nie mógł sprawić, by Baba darował sobie niedzielne zajęcia na pchlim targu. Jak gdyby nigdy nic co sobotę wędrowaliśmy po wyprzedażach garażowych. Baba kierował, ja go pilotowałem; potem w niedzielę ustawialiśmy na targu towar: mosiężne lampy, rakiety do baseballa, kurtki narciarskie z zepsutymi zamkami błyskawicznymi. Baba pozdrawiał znajomych ze starego kraju, ja targowałem się z kupującymi o każdego dolara. Jak gdyby nigdy nic. Jakby za każdym zebraniem niesprzedanego towaru ze stoiska nie zbliżał się dzień, w którym miałem zostać sierotą.

Czasem pojawiał się przy nas generał Taheri z żoną. Generał, wytrawny dyplomata, witał mnie zawsze uśmiechem i oburęcznym uściskiem dłoni. Chanum Taheri była teraz znacznie mniej wylewna – tylko że za każdym razem, gdy uwaga generała skupiała się na kim innym, rzucała mi ukradkowe uśmiechy i jakby przepraszające spojrzenia.

Pamiętam, że wiele rzeczy zaczęło wtedy zdarzać się pierwszy raz: pierwszy raz usłyszałem, że Baba jęczy w łazience, pierwszy raz znalazłem krew na jego poduszce. Przez trzy lata kierowania stacją benzynową Baba nie wziął ani jednego dnia chorobowego – teraz i to wydarzyło się pierwszy raz.

Gdy nadeszło Halloween, Baba bywał już tak zmęczony w sobotnie popołudnia, że czekał za kierownicą, a ja targowałem się na wyprzedażach. Gdy nadeszło Święto Dziękczynienia, męczył się już przed południem. Gdy na trawnikach przed domami pojawiły się sanie, a na daglezjach – sztuczny śnieg, Baba zostawał w domu, a ja sam jeździłem tam i z powrotem po półwyspie.

Czasem afgańscy znajomi na pchlim targu zagadywali nas o chudnięcie Baby. Z początku wszyscy go chwalili i wręcz pytali, cóż to za nieznana a tak skuteczna dieta. Potem pytania i komplementy skończyły się, ale utrata wagi – nie. Baba tracił kilogram po kilogramie. Chudł na twarzy, na skroniach. Oczy zapadały się w oczodoły.

W pewną chłodną niedzielę już po nowym roku Baba sprzedawał abażur krępemu Filipińczykowi. Ja szukałem w volkswagenie koca, którym chciałem okryć ojcu nogi.

– Ej, panie, jemu trzeba pomóc – powiedział nagle przestraszony Filipińczyk. Obróciłem się i zobaczyłem, że Baba leży na ziemi. Jego ręce i nogi drgały konwulsyjnie.

– *Komak!* – krzyknąłem. – Pomocy!

Podbiegłem do Baby. Na ustach miał pianę, która powoli ściekała mu na brodę. W otwartych oczach widać było same białka.

Ludzie zbiegli się ze wszystkich stron. Ktoś powiedział, że to atak. Ktoś inny wołał: „Dzwońcie po pogotowie!" Ktoś biegł. Krąg postaci wokół rzucał na nas cień.

Piana na ustach Baby stała się czerwona – przygryzł sobie język. Klęczałem przy nim, trzymałem go za ramiona i powtarzałem, że jestem przy nim. Baba, jestem przy tobie. Wszystko będzie dobrze, jestem przy tobie. Jakbym potrafił uspokoić drgawki, przekonać je, by zostawiły mojego Babę w spokoju. Poczułem na kolanach coś mokrego – to puścił Babie pęcherz. Ciii, Baba-dżan, jestem tu. Twój syn jest tuż przy tobie.

Lekarz, białobrody i całkowicie łysy, wyciągnął mnie z pokoju,

– Chciałbym porozmawiać z panem o wynikach tomografii pańskiego ojca. – powiedział. Umieścił zdjęcia na negatoskopie w korytarzu i gumką na końcu ołówka pokazywał mi na nich nowotwór Baby – zupełnie jak policjant, który pokazuje zdjęcie mordercy rodzinie ofiary. Na tych zdjęciach mózg Baby wyglądał jak przekrój wielkiego orzecha włoskiego, upstrzony szarymi plamami w kształcie piłek tenisowych.

– Jak pan widzi, są przerzuty – powiedział. – Będzie musiał brać sterydy, aby zmniejszyć obrzęk mózgu, i środki przeciwdrgawkowe. Poza tym zalecałbym naświetlania paliatywne. Wie pan, co to jest?

Odpowiedziałem, że wiem. Zaczynałem całkiem dobrze się orientować w sprawach nowotworowych.

– No to dobrze – powiedział. Zerknął na pager. – Muszę iść, ale jeżeli będzie pan miał jakieś pytania, proszę mnie wywołać.

– Dziękuję.

Tę noc spędziłem na krześle przy łóżku Baby.

Następnego ranka poczekalnia na końcu korytarza pękała w szwach od Afgańczyków. Przyszedł rzeźnik z Newark, inżynier, który pracował u Baby przy budowie sierocińca... Wszyscy wchodzili do Baby po kolei, cicho składali mu uszanowanie i życzyli rychłego powrotu do zdrowia. Baba już się ocknął. Był otumaniony i zmęczony, ale przytomny.

Około dziesiątej pojawił się generał Taheri z żoną. Za nimi szła Soraja. Popatrzyliśmy na siebie i równocześnie odwróciliśmy wzrok.

– Jak się czujesz, przyjacielu? – zapytał generał, ściskając dłoń Baby.

Ten wskazał na kroplówkę wczepioną w jego rękę i uśmiechnął się słabo. Generał odwzajemnił jego uśmiech.

– Nie trzeba było... Taki kłopot – wychrypiał Baba.

– Żaden kłopot – powiedziała chanum Taheri.

– Naprawdę żaden kłopot. A najważniejsze, czy czegoś ci nie trzeba? – zapytał generał. – Czegokolwiek? Proś, jakbyś prosił brata.

Przypomniało mi się, co Baba mówił mi kiedyś o Pasztunach. „Może jesteśmy uparci, a już na pewno zbyt dumni, ale wierz mi: w potrzebie trudno o kogoś lepszego niż Pasztun".

Baba pokręcił głową na poduszce.

– Już samo wasze przyjście rozjaśnia mi wzrok.

Generał uśmiechnął się i jeszcze raz uścisnął dłoń Baby.

– A ty, Amir-dżan? Nie potrzeba ci czegoś?

Jak on na mnie patrzył, z taką dobrocią...

– Nie, dziękuję, sahibie generale. Ja... – słowa stanęły mi w gardle. Wybiegłem z pokoju.

Płakałem w korytarzu przy negatoskopie, przy którym poprzedniego wieczoru ujrzałem twarz mordercy.

Otworzyły się drzwi pokoju Baby. Wyszła z nich Soraja. Stanęła przy mnie. Miała szarą bluzę i dżinsy. I rozpuszczone włosy. Z całych sił pragnąłem przytulić się do niej, znaleźć ukojenie w jej ramionach.

– Tak mi przykro, Amir – powiedziała. – Wiedzieliśmy wszyscy, że coś mu dolega, ale nie przypuszczaliśmy, że...

Wytarłem oczy rękawem.

– Nie chciał, by inni wiedzieli.

– Nie potrzebujesz czegoś?

– Nie. – Spróbowałem się uśmiechnąć. Położyła swoją dłoń na mojej. Pierwszy nasz dotyk. Ująłem jej dłoń, uniosłem ku twarzy. Ku oczom. Puściłem. – Lepiej tam wracaj, bo twój ojciec złoi mi skórę.

Uśmiechnęła się i skinęła głową.

– Rzeczywiście.

Odwróciła się.

– Sorajo...

– Tak?

– Cieszę się, że przyszłaś. To dla mnie... To dla mnie bardzo ważne.

Wypuścili Babę dwa dni później. Sprowadzili specjalistę od radioterapii, aby namówić Babę na naświetlania. Baba nie chciał o tym słyszeć. Usiłowali namówić mnie, żebym przekonał ojca. Ale ja widziałem minę Baby. Podziękowałem im, podpisałem wszystkie konieczne formularze i odwiozłem Babę do domu moim fordem torino.

Wieczorem Baba leżał na tapczanie okryty wełnianym pledem. Przyniosłem mu gorącej herbaty i prażonych migdałów. Objąłem go i przyciągnąłem do siebie – przyszło mi to o wiele za łatwo. Pod palcami czułem jego łopatkę, kruchą jak ptasie skrzydło. Z powrotem okryłem kocem jego pierś, której żebra napinały cienką, ziemistej barwy skórę.

– Potrzeba ci jeszcze czegoś?

– Nie, *baczem*, dziękuję.

Usiadłem przy nim.

– W takim razie to ja mam do ciebie prośbę. Oczywiście jeżeli nie jesteś zbyt wymęczony.

– Jaką prośbę?

– Żebyś poszedł ode mnie w *chastegari*. Chcę, żebyś poprosił generała Taheriego o rękę jego córki.

Zaschnięte wargi Baby wyciągnęły się w szeroki uśmiech. Jak ostatnia zielona plamka na zwiędłym liściu.

– Jesteś pewny?

– Bardziej niż czegokolwiek innego.

– Przemyślałeś to?

– *Balaj*, Baba.

– To dawaj telefon. I mój notes.

Nie wierzyłem własnym uszom.

– Jak to, teraz?

– A kiedy?

Uśmiechnąłem się.

– No dobrze.

Podałem mu telefon i mały czarny notes, w którym Baba trzymał numery telefonów swoich afgańskich przyjaciół. Odnalazł Taherich, wystukał numer, podniósł słuchawkę do ucha. Serce wykręcało mi w piersi piruety.

– Dżamila-dżan? *Salam alejkum* – zaczął. Przedstawił się, urwał na chwilę. – Znacznie lepiej, dziękuję. To bardzo miłe z waszej strony, że przyszliście. – Słuchał przez chwilę, kiwał głową. – Będę o tym pamiętał, bardzo dziękuję. Czy sahib generał w domu? – Słuchał. – Dziękuję.

Jego wzrok na chwilę spoczął na mnie. Nie wiem, dlaczego zachciało mi się śmiać. Albo krzyczeć na całe gardło. Podniosłem pięść do ust i zagryzłem ją z całych sił. Baba zaśmiał się cicho, przez nos.

– Salam alejkum, sahibie generale... Tak, znacznie, znacznie lepiej... Balaj... Dziękuję, sahibie generale. Chciałem zapytać, czy jutro przed południem mógłbym złożyć państwu wizytę. To ważna sprawa honorowa... Tak... Świetnie, o jedenastej. Do zobaczenia. Choda hafez.

Odłożył słuchawkę. Spojrzeliśmy na siebie. Zacząłem chichotać. Baba też.

Baba zwilżył włosy, zaczesał je do tyłu. Pomogłem mu nałożyć czystą białą koszulę i zawiązałem mu krawat. Nie mogłem nie zauważyć, że między guzikiem a szyją były teraz dwa centymetry luzu. Pomyślałem, ile jeszcze pustych miejsc zostanie po Babie, i zaraz zmusiłem się, aby myśleć o czym innym. Jeszcze jest. Jeszcze nie odszedł. Na szczęście dziś było o czym myśleć. Marynarka od brązowego garnituru, tego samego, w którym był na rozdaniu świadectw maturalnych, wisiała na nim teraz całkiem luźno, tyle Baby ubyło od tamtego czasu. Musiałem podwinąć mu rękawy. Klęknąłem i zawiązałem mu sznurówki.

Taheri mieszkali w płaskim, parterowym domku w dzielnicy Fremont zamieszkanej przez wielu Afgańczyków. Dom miał okna w wykuszach, spadzisty dach i przeszkloną werandę, na której dostrzegłem geranium w doniczkach. Na podjeździe stała szara furgonetka generała.

Pomogłem Babie wysiąść z forda i szybko wsunąłem się z powrotem za kierownicę. Nachylił się do okna od strony pasażera.

– Jedź do domu. Zadzwonię po ciebie za godzinę.

– Dobrze, Baba – powiedziałem. – Powodzenia.

Uśmiechnął się.

Odjechałem. Zobaczyłem w lusterku wstecznym, jak Baba powoli szedł podjazdem Taherich, by spełnić swój ostatni ojcowski obowiązek.

Czekając na telefon od Baby, przemierzałem salon naszego mieszkania – piętnaście kroków długości, dziesięć i pół kroków szerokości. A jeżeli generał odmówi? Jeżeli mnie znienawidził? Co chwila chodziłem do kuchni sprawdzić czas na zegarze piekarnika.

Telefon zadzwonił tuż przed samym południem. Baba.

– No?

– Generał się zgodził.

Odetchnąłem. Usiadłem. Ręce mi się trzęsły.

– Zgodził się?

– Tak, ale Soraja-dżan czeka przy telefonie w swoim pokoju. Chce najpierw z tobą porozmawiać.

– Dobrze.

Baba powiedział coś do kogoś innego. Usłyszałem dźwięk odkładanej słuchawki.

– Amir? – Głos Sorai.

– *Salam*.

– Mój ojciec się zgadza.

– Wiem – powiedziałem. Przełożyłem słuchawkę do drugiej ręki. Uśmiechałem się. – Jestem taki szczęśliwy, że nie wiem, co powiedzieć.

– Ja też jestem szczęśliwa, Amir. Nie... nie mogę uwierzyć, że to prawda.

Zaśmiałem się.

– Wiem. Ja...

– Słuchaj – przerwała mi. – Muszę ci coś powiedzieć. Jest coś, co musisz wiedzieć, zanim...

– Nic nie muszę wiedzieć.

– Musisz. Nie chcę, żebyśmy zaczynali od tego, że mamy przed sobą tajemnice. Poza tym chcę, żebyś dowiedział się ode mnie.

– Jeżeli tak wolisz, proszę bardzo, ale to nic nie zmieni.

Po drugiej stronie zapadła dłuższa cisza.

– Kiedy mieszkaliśmy w Wirginii, uciekłam z jednym Afgańczykiem. Miałam wtedy osiemnaście lat... Byłam zbuntowana, głupia... On... handlował narkotykami... Byłam z nim prawie miesiąc. Wszyscy Afgańczycy z Wirginii gadali tylko o tym. W końcu Padar nas odnalazł. Przyjechał i zmusił mnie, bym wróciła do domu. Dostałam histerii, krzyczałam, wrzeszczałam, powiedziałam, że go nienawidzę... W końcu wróciłam do domu...

Płakała. Usłyszałem, że na chwilę odkłada słuchawkę i wyciera nos.

– Przepraszam – powiedziała nieco zachrypniętym głosem. – Kiedy wróciłam do domu, okazało się, że mama miała wylew, sparaliżowało jej prawą stronę twarzy... Miałam takie straszne wyrzuty sumienia... Nie zasłużyła sobie na coś takiego. Wkrótce Padar zabrał nas do Kalifornii.

Umilkła.

– A jak teraz jest między tobą a ojcem? – zapytałem.

– Dawniej nie zawsze się dogadywaliśmy, teraz też, ale jestem mu wdzięczna, że wtedy po mnie pojechał. Jestem pewna, że mnie uratował. – Znów urwała. – No, to właśnie chciałam ci powiedzieć. Przeszkadza ci to?

– Tylko trochę – odparłem. Musiałem powiedzieć jej prawdę. Byłem jej to winny. Nie mogłem skłamać, powiedzieć, że moja duma, *iftihar*, zupełnie nie cierpi na tym, iż ona była już z mężczyzną, a ja z kobietą – nie. Trochę mi to przeszkadzało, ale wiele na ten temat myślałem, nim poprosiłem Babę, by poszedł *chastegari*. W końcu i tak zadawałem sobie pytanie, jakie ja – właśnie ja – mam prawo, by sądzić czyjąś przeszłość.

– Na tyle, żebyś zmienił zdanie?

– Nie, Sorajo. O tym nie ma mowy – powiedziałem. – To, co powiedziałaś, niczego nie zmienia. Chcę, abyśmy się pobrali.

Znowu się rozpłakała.

Zazdrościłem jej. Ona już wyznała swoją tajemnicę. Miała to za sobą. Otworzyłem usta, by opowiedzieć jej o tym, jak zdradziłem Hassana, jak skłamałem, jak doprowadziłem do jego wyjazdu, jak zaprzepaściłem czterdzieści lat wspólnego życia Baby i Alego. Ale nie opowiedziałem. Miałem wrażenie, że Soraja Taheri jest ode mnie lepsza pod wieloma względami. Na przykład ma więcej odwagi.

13

Gdy następnego dnia zjawiliśmy się wieczorem u Taherich – na *lafz*, czyli „danie słowa" – musiałem zaparkować forda po przeciwnej stronie ulicy, bo podjazd pod dom generała był już pełen samochodów. Miałem na sobie granatowy garnitur, kupiony poprzedniego dnia, gdy przywiozłem Babę z *chastegari*. Sprawdziłem we wstecznym lusterku, czy krawat mi się nie przekrzywił.

– Wyglądasz *hosztip* – powiedział Baba. – Przystojnie.

– Dzięki, Baba. Dobrze się czujesz? Wytrzymasz?

– No co ty? Amir, to najszczęśliwszy dzień w moim życiu – powiedział, uśmiechając się ze zmęczeniem.

Z drugiej strony drzwi dobiegał odgłos rozmów, śmiech i cicha afgańska muzyka, chyba klasyczny *gazel* Ustada Sarahanga. Zadzwoniłem do drzwi. Przez firankę w oknie sieni wyjrzała czyjaś twarz i zaraz zniknęła.

– Już są! – powiedział kobiecy głos. Rozmowy umilkły, ktoś wyłączył muzykę.

Drzwi otworzyła nam chanum Taneri.

- *Salam alejkum* – powiedziała rozpromieniona. Zauważyłem, że zrobiła sobie trwałą. Miała na sobie elegancką czarną suknię po kostki. Gdy wchodziłem do środka, oczy jej zaszły łzami.

- Dopiero co wszedłeś, Amir-dżan, a ja już płaczę – powiedziała. Ucałowałem ją w rękę, bo tak poprzedniego wieczoru pouczył mnie Baba.

Poprowadziła nas rzęsiście oświetlonym holem do salonu. Na wyłożonych boazerią ścianach dostrzegłem zdjęcia tych, którzy mieli zostać moją nową rodziną: młoda, o bujnych włosach chanum Taneri wraz z generałem na tle wodospadu Niagara; chanum Taneri w krótkiej sukience, generał z bujną i całkiem czarną czupryną, w marynarce o wąskich klapach; Soraja wsiadająca do drewnianego wagonika kolejki w lunaparku macha ręką, uśmiecha się, słońce odbija się od drutów na zębach. Zdjęcie generała we wspaniałym wojskowym mundurze, gdy ściska rękę jordańskiego króla Husajna. Portret Zahira Szacha.

W salonie było chyba ponad dwadzieścia osób. Wszyscy siedzieli na ustawionych wokół ścian krzesłach. Na widok Baby wszyscy wstali. Obeszliśmy pokój dookoła, ściskając gościom dłonie, witając się z nimi. Baba powoli szedł przodem, ja za nim. Generał – oczywiście w szarym garniturze – i Baba objęli się i uściskali, po cichu i z szacunkiem wymieniając *salamy*.

Generał uściskał i mnie, potem odsunął na odległość ramion i uśmiechnął się wyrozumiale, jakby chciał powiedzieć: „O, teraz w porządku – po afgańsku, *baczem*". Trzykrotnie ucałowaliśmy się w policzki.

Usiedliśmy w tym zatłoczonym pokoju: my z Babą obok siebie, naprzeciw generała i jego żony. Oddech Baby stał się nieco nierówny, co chwila wycierał chustką pot z czoła i wierzchu głowy. Zobaczył, że na niego patrzę, więc zmusił się do uśmiechu.

- W porządku – powiedział bezgłośnie.

Zgodnie z tradycją Sorai nie było.

Jeszcze przez parę minut rozmawiano o wszystkim i o niczym; wreszcie generał odchrząknął. W pokoju zapadła cisza. Wszyscy z uszanowaniem spuścili wzrok. Generał skinął głową w stronę Baby.

Baba też odchrząknął. Gdy zaczął mówić, nie mógł wypowiedzieć jednego zdania, by nie przerwać go choćby raz dla zaczerpnięcia tchu.

- Sahibie generale, chanum Dżamila-dżan... Obaj z synem przychodzimy... dziś do was z pokorną prośbą. Jesteście... ludźmi szlachetnymi... z dobrych, szanowanych rodzin... o pięknej paranteli. Przychodzimy do was z najwyższym *ihtiram*, największym szacunkiem dla was, waszego nazwiska i dla pamięci waszych przodków. – Przerwał, by odetchnąć. Otarł czoło.

– Amir-dżan jest moim jedynym synem... moim jedynym dzieckiem. Zawsze był dla mnie dobrym synem. Mam nadzieję, że okaże się godny waszej dobroci. Proszę, byście uczynili nam ten zaszczyt... i przyjęli mojego syna do waszej rodziny.

Generał uprzejmie skinął głową.

– To dla nas wielki honor przyjąć do rodziny syna człowieka takiego jak ty – powiedział. – Któżby o tobie nie słyszał! Podziwiałem cię jeszcze w Kabulu i podziwiam nadal. Jesteśmy zaszczyceni, że nasze rodziny się połączą.

– Amir-dżan, przyjmujemy cię między siebie jako syna, jako męża mojej córki, *noor* moich oczu. Twój smutek będzie naszym smutkiem, twoja radość naszą. Mam nadzieję, że uznasz w nas, we mnie i w twojej chali Dżamile drugich rodziców. Modlę się o szczęście dla ciebie i naszej ślicznej Sorai-dżan. Oboje macie nasze błogosławieństwo.

Wszyscy wznieśli radosny okrzyk i na ten znak wszystkie głowy odwróciły się w stronę holu. Nadeszła chwila, na którą tak czekałem.

Na końcu korytarza pojawiła się Soraja. Wyglądała przepięknie w tradycyjnej afgańskiej bordowej sukni z długimi rękawami, obszytej złotem. Dłoń Baby zacisnęła się na mojej dłoni. Chanum Taneri na nowo wybuchnęła płaczem. Soraja powoli podeszła do nas, prowadząc pochód młodych krewniaczek.

Ucałowała dłoń mojego ojca. Wreszcie usiadła przy mnie, ze spuszczonymi oczyma.

Okrzyki jeszcze się wzmogły.

Zgodnie z tradycją rodzina Sorai powinna wydać przyjęcie zaręczynowe, *Szirini-chori*, czyli „jedzenie słodyczy". Potem zaczęłoby się nasze narzeczeństwo, które powinno trwać kilka miesięcy. A potem wesele, wydane z kolei przez Babę.

Zgodnie postanowiliśmy nie urządzać *Szirini-chori*. Wszyscy wiedzieli, dlaczego, choć nie mówiło się tego głośno: Babie tyle miesięcy już nie zostało.

Podczas przygotowań do wesela nigdy nie chodziliśmy z Sorają tylko we dwoje – nie wypadało, skoro nie byliśmy małżeństwem, skoro nawet nie odbyliśmy *Szirini-chori*. Musiały mi więc wystarczyć proszone obiady u Taherich, na które szliśmy obaj z Babą. I że sadzano mnie wtedy naprzeciw Sorai. I myśli o tym, jak to będzie, gdy poczuję jej głowę na mojej piersi, gdy poczuję woń jej włosów. Gdy ją pocałuję. Gdy będę się z nią kochał.

126

Na *aurussi*, czyli ceremonię weselną, Baba wydał trzydzieści pięć tysięcy dolarów – prawie całe swoje oszczędności. Wynajął we Fremont wielką salę bankietową – oczywiście od znajomego z Kabulu, który dał mu znaczną zniżkę. Baba opłacił *czilas*, czyli orkiestry weselne, zapłacił za nasze obrączki i za wybrany przeze mnie pierścionek zaręczynowy z diamentem. Kupił mi też i smoking, i tradycyjny, zielony strój na *nika*, na samą uroczystość zaślubin.

Z całego szaleństwa przygotowań do tego jednego, jedynego wieczoru – prawie cały ciężar organizacji spadł na szczęście na chanum Taneri i jej przyjaciółki – pamiętam tylko nieliczne momenty.

Pamiętam nasze *nika*. Siedzieliśmy wokół stołu. Soraja i ja byliśmy ubrani na zielono, na kolor islamu, ale również kolor wiosny, początku. Ja byłem w garniturze, Soraja (jedyna kobieta przy stole) w sukni z długimi rękawami i welonem. Przy stole siedzieli też Baba, generał Taheri (tym razem jednak w smokingu) i kilku wujów Sorai. Oboje z Sorają mieliśmy spuszczony wzrok na znak szacunku i tylko od czasu do czasu spoglądaliśmy na siebie spod oczu. Mułła przepytywał świadków i czytał ustępy Koranu. Oboje złożyliśmy przysięgę i podpisaliśmy akty ślubu. Potem wstał jeden z wujów, Szarif-dżan, brat chanum Taneri. Odchrząknął. Wiedziałem od Sorai, że wuj mieszka w Stanach już od ponad dwudziestu lat, pracuje w Biurze Imigracyjnym i ma żonę Amerykankę. I jest poetą. Drobny mężczyzna o ptasiej twarzy odczytał długi wiersz poświęcony Sorai, spisany ręcznie na hotelowej papeterii.

– *Ła, ła, Szarif-dżan!* – zakrzyknęli wszyscy, gdy skończył.

Pamiętam jeszcze, jak wstępowaliśmy z Sorają na scenę w sali bankietowej. Trzymaliśmy się za ręce, ja tym razem w smokingu, ona jako *pari* w białej sukni z welonem. Przy mnie szedł ciężko Baba, po stronie Sorai generał z żoną. Za nami szła cała procesja wujów, ciotek i kuzynów. Przed nami rozstępował się tłum gości, wiwatujących na naszą cześć i strzelających nam w oczy lampami błyskowymi. Z głośników płynęła weselna pieśń *Ahesta boro* – ta sama, którą w noc, w którą wraz z Babą opuszczaliśmy Kabul, wyśpiewywał na posterunku w Mahipar rosyjski żołnierz:

Uczyń z poranka klucz i wyrzuć go do studni,
Powoli płyń po niebie, piękny księżycu, powoli płyń.
Niechaj poranne słońce zapomni powstać na wschodzie,
Powoli płyń po niebie, piękny księżycu, powoli płyń.

Pamiętam, że na scenie posadzono nas na kanapie jak na tronie. Trzymałem w dłoni dłoń Sorai, a patrzyło na nas jakieś trzysta twarzy. Nastąpiło

Ajena masszaf: dostaliśmy oboje po lusterku i zarzucono nam na głowy welon, byśmy mogli sami spojrzeć w swe odbicia. Gdy zobaczyłem w lustrze uśmiechniętą twarz Sorai, skorzystałem z tego, że pod welonem byliśmy wreszcie sami, i po raz pierwszy powiedziałem jej, że ją kocham. Na jej policzkach wykwitł rumieniec jak malowany henną.

Pamiętam kolorowe półmiski z *czopan kabob*, *szole-goszti* i brązowym ryżem z pomarańczami. Widzę siedzącego między nami na kanapie, uśmiechniętego Babę. Pamiętam spoconych mężczyzn, tańczących w kółku tradycyjny *attan*, podskakujących, wirujących coraz szybciej do gorączkowego rytmu bębenków, dopóki w kole nie zostało ich już tylko kilku. Pamiętam, że żałowałem, iż nie było tu z nami Rahima Chana.

Pamiętam też, że zastanawiałem się, czy Hassan też już się ożenił. A skoro tak, to czyją twarz ujrzał w lusterku pod welonem? Czyje umalowane henną dłonie trzymał w swoich dłoniach?

Około drugiej w nocy przyjęcie przeniosło się z sali bankietowej do mieszkania Baby. Znów lała się herbata, znów grała muzyka – dopóki sąsiedzi wreszcie nie wezwali policji. A później, gdy do wschodu słońca została najwyżej godzina, gdy goście już sobie poszli, po raz pierwszy położyłem się do wspólnego łoża z Sorają. Przez całe życie otaczali mnie mężczyźni; tej nocy zaznałem czułości kobiety.

Soraja sama zaproponowała, że wprowadzi się do Baby i do mnie.
– Nie wolisz, żebyśmy mieli własne mieszkanie? – zapytałem.
– Teraz, kiedy kaka-dżan jest taki chory? – odpowiedziała. Jej oczy powiedziały mi, że nie tak należy rozpoczynać wspólne życie. Ucałowałem ją.
– Dziękuję.

Soraja poświęciła się opiece nad Babą. Rano robiła mu grzanki i herbatę, pomagała mu wstać z łóżka i potem do niego wracać. Podawała mu leki przeciwbólowe, prała ubranie, każdego popołudnia czytała mu w gazecie wiadomości ze świata. Gotowała jego przysmak, ziemniaczaną *szorwa*, choć nie mógł zjeść na raz więcej niż kilka łyżek, i codziennie prowadziła go na krótki spacer. A gdy już nie wstawał z łóżka, co godzinę przewracała go z boku na bok, żeby zapobiec odleżynom.

Któregoś dnia poszedłem do apteki po morfinę dla Baby. Gdy wróciłem i zamykałem drzwi, zobaczyłem, że Soraja ukradkiem wsuwa coś Babie pod kołdrę.
– Widziałem! Co wy tam knujecie?

Ale zrozumiałem, gdy tylko dotknąłem dłonią oprawnego w skórę notesu, gdy wyczułem jego złote okucia. Przypomniały mi się sztuczne ognie, które z sykiem pędziły w niebo, aby tam wybuchać w czerwone, żółte i zielone bukiety, gdy dostałem ten notes.

– Nie wiedziałam, że ty potrafisz tak pisać – powiedziała Soraja.

Baba uniósł głowę z poduszki.

– To ja ją namówiłem. Mam nadzieję, że się nie gniewasz.

Oddałem notes Sorai i wyszedłem z pokoju. Baba nie lubił, gdy płakałem.

W miesiąc po weselu zaprosiliśmy do nas na kolację Taherich, Szarifa, jego żonę Suzy i kilka ciotek Sorai. Soraja zrobiła *sabzi czalou* – biały ryż z baraniną i szpinakiem. Po obiedzie piliśmy zieloną herbatę i graliśmy w karty w czteroosobowych grupkach. My z Sorają graliśmy przeciwko Szarifowi i Suzy na stoliku do kawy przy tapczanie, na którym leżał Baba, przykryty wełnianym kocem. Patrzył, jak żartuję z Szarifem, jak ukradkiem łączę palce z Sorają pod stołem, jak odgarniam z jej czoła kosmyk włosów, i czułem jego wewnętrzny uśmiech, szeroki jak nocne niebo nad Kabulem, gdy szemrzą listki topoli, a ogrody wypełnia dźwięk cykad.

Tuż przed północą Baba poprosił, byśmy pomogli mu przejść do łóżka. Wraz z Sorają umieściliśmy sobie jego ręce na ramionach, a sami objęliśmy go w pasie. Gdy opuściliśmy go na łóżko, kazał nam zgasić lampkę, a potem nachylić się ku niemu. Każde z nas ucałował w czoło.

– Zaraz wrócę z morfiną. I przyniosę szklankę wody, kaka-dżan – powiedziała Soraja.

– Nie, dziś nie trzeba – odparł. – Dziś nie boli.

– To dobrze – powiedziała. Poprawiła mu koc. Zamknęliśmy drzwi.

Baba już się nie obudził.

Cały parking przed meczetem w Hayward był pełny. Samochody, duże i małe, parkowały w ciasnych, naprędce wytyczanych rzędach na wypłowiałej trawie za budynkiem. Inni musieli parkować za trzecią czy czwartą przecznicą, tak było trudno o miejsce.

Męska część meczetu mieściła się w wielkiej, kwadratowej sali, pokrytej ułożonymi równolegle afgańskimi dywanami i cienkimi matami. Mężczyźni wchodzili po kolei do środka, zostawiając buty przy wejściu, i siadali ze skrzyżowanymi nogami na matach. Mułła wygłaszał do mikrofonu wersety Koranu. Ja siedziałem przy drzwiach, gdzie zwykle siada rodzina zmarłego. Obok mnie siedział generał Taheri.

Przez otwarte drzwi widziałem kolejne zajeżdżające przed meczet samochody. Słońce odbijało się w ich szybach. Wysiadali z nich mężczyźni w ciemnych garniturach i kobiety w czarnych sukniach, w tradycyjnych, białych *hidżabach* na głowach.

Gdy w sali rozbrzmiewały wersety Koranu, myślałem o tym, co już dawno temu opowiadano o Babie i jego walce z beludżystańskim niedźwiedziem. Babie przyszło walczyć z niedźwiedziami całe życie: stracił młodą żonę, sam wychowywał syna, musiał uciekać z ukochanej ojczyzny, z *uatan*. Walczyć z biedą, poniżeniem. W końcu trafił na takiego niedźwiedzia, któremu nie dał rady, ale i tak przegrał z nim na własnych warunkach.

Po każdym nabożeństwie grupki żałobników ustawiały się i pozdrawiały mnie, wychodząc z sali. Wszystkim ściskałem dłonie, choć wielu właściwie nie znałem. Uśmiechałem się uprzejmie, dziękowałem i słuchałem, co chcieli mi powiedzieć o Babie.

– ...Pomógł mi zbudować dom w Taimani...
– ...Niech będzie błogosławiony...
– ...Nie miałem już do kogo się zwrócić, a on mi pożyczył...
– ...Znalazł mi pracę... wcale mnie nie znał...
– ...Był dla mnie jak brat...

Słuchając ich, uświadamiałem sobie coraz mocniej, jak wiele z tego, kim i czym byłem, pochodziło od Baby i jego wpływu na życie innych. Przez całe życie byłem „synem Baby". A teraz jego już nie ma. Odtąd Baba nie będzie już wskazywał mi właściwej drogi. Teraz muszę odnaleźć ją sam.

Była to przerażająca myśl.

Przedtem, przy grobie w małej muzułmańskiej części cmentarza patrzyłem, jak opuszczano Babę w dziurę w ziemi. Mułła pokłócił się z kimś o wybór odpowiedniego fragmentu do odczytania nad grobem. Gdyby nie interwencja generała Taheriego, mogłoby dojść do rękoczynów. Mułła w końcu przeczytał to, co chciał, rzucając tamtemu mordercze spojrzenia. Odczekałem, aż wrzucono do grobu pierwszą łopatę ziemi. I odszedłem. Aż na drugi koniec cmentarza. Usiadłem w cieniu czerwonego klonu.

Teraz pożegnali się już ostatni żałobnicy. Meczet opustoszał, tylko mułła wyłączał właśnie mikrofon i zawijał Koran w zielone sukno. Wraz z generałem wyszliśmy na chylące się ku zachodowi słońce. Zeszliśmy po schodach, mijając grupki mężczyzn ćmiących papierosy. Dobiegały mnie urywki ich rozmów: o zbliżającym się meczu piłkarskim w Union City, o nowej afgańskiej restauracji w Santa Clara. Życie już zaczęło się toczyć dalej, już zapominało o Babie.

– Trzymasz się jakoś, *baczem*? – zapytał generał.

Zacisnąłem zęby, aby odgonić łzy, które czaiły mi się w oczach od rana.

– Pójdę po Soraję – powiedziałem.

– Dobrze.

Podszedłem pod babiniec meczetu. Soraja stała na schodkach przed wejściem z matką i kilkoma paniami, które chyba pamiętałem z wesela. Skinąłem na nią. Powiedziała coś matce i podeszła do mnie.

– Przejdziemy się? – zapytałem.

– Pewnie. – Wzięła mnie za rękę.

Szliśmy w milczeniu w dół krętą ścieżką wysadzaną niskim żywopłotem. Usiedliśmy na ławce i patrzyliśmy, jak starsze małżeństwo klęka przy pobliskim grobie i kładzie na nim bukiet stokrotek.

– Sorajo...

– Tak?

– Będzie mi go brakowało.

Położyła mi dłoń na kolanie. Na palcu zalśniła *czila* od Baby. Za jej plecami widziałem, że żałobnicy jeden po drugim odjeżdżają Mission Boulevard. Wkrótce my też odjedziemy i po raz pierwszy Baba zostanie całkiem sam.

Soraja przyciągnęła mnie do siebie. Łzy wreszcie popłynęły.

Ponieważ nie mieliśmy z Sorają dłuższego okresu narzeczeństwa, wielu rzeczy o jej rodzinie dowiedziałem się już po ślubie. Dowiedziałem się na przykład, że raz na miesiąc generał cierpi na straszliwą migrenę, która czasem nie daje mu spokoju przez cały tydzień. Gdy tak się dzieje, generał idzie do swego pokoju, rozbiera się, wyłącza światło, zamyka drzwi na klucz i wychodzi dopiero, gdy ból minie. Nikomu nie wolno wtedy do niego wchodzić, nikomu nie wolno nawet pukać do drzwi. Gdy wreszcie wychodzi z zamknięcia, jest znów ubrany w swój szary garnitur, ma jeszcze na sobie woń snu i pościeli, podkrążone, przekrwione oczy. Dowiedziałem się też, że potrafi być kapryśny: czasem spróbuje postawionej przed nim *kurmy*, westchnie i odsunie talerz. Chanum Taneri zaraz mówi, że zrobi mu coś innego, ale on nie zwraca na nią uwagi i z obrażoną miną zajada się chlebem z cebulą. Soraja złości się wtedy na niego, jej matka płacze. Soraja wyznała mi, że jej ojciec bierze czasem środki antydepresyjne. I że utrzymywał rodzinę za pieniądze opieki społecznej, że w Ameryce nie przepracował ani jednego dnia – od pracy poniżej godności kogoś takiego jak on wolał państwową zapomogę, a zajęcia na pchlim targu traktował jak hobby i jako pretekst do spotkania się z innymi Afgańczykami. Generał wierzył, że prędzej czy później Afganistan będzie wolny, monarchia – przywrócona, on zaś na nowo powołany do służby. Dlatego też codziennie przywdziewał swój szary garnitur, nakręcał zegarek kieszonkowy – i czekał.

Dowiedziałem się, że chanum Taneri – do której zwracałem się teraz „chala Dżamila" – słynęła niegdyś w Kabulu z pięknego głosu. Oczywiście nigdy nie występowała na estradzie, ale miała wielki talent, śpiewała pieśni ludowe, *gazele*, a nawet przypisane wyłącznie mężczyznom *raga*. I choć generał uwielbiał muzykę – miał u siebie piękny zbiór nagrań klasycznych *gazeli* w wykonaniu pieśniarzy afgańskich i hinduskich – uważał, że wykonywanie jej lepiej pozostawić osobom o wątpliwej reputacji. Zakaz publicznych występów był jednym z warunków, pod którymi generał zgodził się wziąć ją za żonę. Soraja powiedziała mi, że jej mama chciała zaśpiewać na naszym weselu choćby jedną piosenkę, ale generał rzucił jej groźne spojrzenie i na tym się skończyło. Chala Dżamila kupowała raz na tydzień los na loterii i co wieczór oglądała talkshow Johnny'ego Carsona. Dni spędzała w ogródku, pielęgnując róże, geranium, psianki i orchidee.

Gdy ożeniłem się z Sorają, kwiaty i Johnny Carson zeszli na drugi plan. Największą radością życia chali Dżamili stałem się ja. W przeciwieństwie do ostrożnego, dyplomatycznego stylu bycia generała – nie poprawiał mnie, gdy wciąż zwracałem się do niego per „sahibie generale" – chala Dżamila nie kryła swojego dla mnie uwielbienia. Po pierwsze zawsze grzecznie wysłuchiwałem narzekań na spektakularną listę wszystkich jej dolegliwości, co generał od dawna już puszczał mimo uszu. Soraja powiedziała mi, że od wylewu każde ukłucie w klatce piersiowej to dla niej atak serca, każdy ból stawów to atak artretyzmu, każdy mroczek w oku to kolejny wylew. Pamiętam, że za pierwszym razem, gdy chala Dżamila zwierzyła mi się, iż ma na szyi jakiś podejrzany guzek, zaproponowałem: „Jutro nie pójdę na zajęcia, pojedziemy do lekarza". Generał tylko uśmiechnął się i powiedział: „W takim razie najlepiej odłóż książki na dobre, *baczem*, bo kartoteka w przychodni twojej chali jest jak dzieła Rumiego – zajmuje kilka tomów".

Ale chodziło o coś więcej niż o znalezienie wdzięcznego słuchacza monologów o chorobach. Jestem przeświadczony, że choćbym wziął karabin i zaczął strzelać do ludzi na ulicy, chala i tak kochałaby mnie bez zastrzeżeń. A to dlatego, że wyleczyłem ją z najstraszniejszej ze wszystkich chorób jej serca, że uwolniłem ją od największej trwogi, jaka może dręczyć afgańską matkę – że po rękę jej córki nie zgłosi się żaden porządny *chastegar*, że jej córka zestarzeje się w samotności, bez męża i dzieci. Każda kobieta potrzebuje męża – nawet jeżeli on nie pozwala jej śpiewać.

Soraja opowiedziała mi też, co naprawdę wydarzyło się w Wirginii. Poszliśmy na ślub. Wuj Sorai, Szarif, ten, który pracował w urzędzie imigracyjnym, wyprawiał wesele swojemu synowi, który żenił się z Afganką z Newark. Wesele odbyło się w tej samej sali, w której sześć miesięcy wcześniej odbyliśmy z Sorają nasze własne *aurussi*. Staliśmy w tłumie gości, patrząc, jak panna młoda przyjmuje pierścienie od rodziny pana młodego, i wtedy usłyszeliśmy rozmowę dwóch kobiet w średnim wieku, które stały odwrócone do nas plecami.

– Jaka piękna panna młoda – mówiła jedna z nich. – Tylko popatrz. *Machbul* jak księżyc.

– To prawda – dodała druga. – A jaka czysta, cnotliwa. Nie miała chłopaków.

– Wiem. Mówię ci, miał nasz pan młody szczęście, że nie ożenił się z tą swoją kuzynką.

Soraja rozpłakała się w samochodzie, gdy już wracaliśmy do domu. Zaparkowałem forda przy krawężniku pod jedną z latarń na Fremont Boulevard.

– No, już dobrze – powiedziałem, odgarniając jej włosy z czoła. – Nie przejmuj się.

– To takie cholernie niesprawiedliwe – wykrztusiła.

– Nie przejmuj się.

– Jak ich synowie chodzą do nocnych klubów na „towar", robią dzieci dziewczynom, to nikt nie powie o nich złamanego słowa. Mężczyzna musi się wyszaleć! A jak ja zrobiłam jeden, jedyny błąd, to od razu wszyscy mówią o *nang* i *namos*, i do końca życia byle kto może mi to wypominać...

Opuszką kciuka otarłem łzę z jej policzka, tuż znad znamienia.

– Nie mówiłam ci – mówiła dalej Soraja, przykładając chusteczkę do oczu – że gdy ojciec wtedy po mnie przyjechał, miał ze sobą pistolet. Powiedział... tamtemu... że ma w komorze dwie kule, jedną dla niego, drugą dla siebie, i że jeżeli nie wrócę z nim do domu... Darłam się, wyzywałam go od najgorszych, mówiłam, że i tak mnie nie utrzyma, że życzę mu śmierci. – Nowe łzy pojawiły się jej pod powiekami. – Naprawdę tak powiedziałam. Że życzę mu, żeby umarł.

Kiedy przywiózł mnie do domu, mama mnie objęła. Ona też płakała. Mówiła coś do mnie, ale nie rozumiałam ani słowa, bo przecież była świeżo po wylewie. Ojciec zabrał mnie do mojego pokoju i posadził przed toaletką. Wsadził mi w rękę nożyczki i z całym spokojem kazał mi ściąć włosy. Pilnował, aż skończę.

Przez wiele tygodni nie wychodziłam z domu. Kiedy wreszcie zaczęłam się pokazywać, wszędzie słyszałam szepty, albo wyobrażałam sobie, że słyszę.

– Mam to gdzieś – powiedziałem.

Wydała z siebie ni to szloch, ni to śmiech.

– Kiedy powiedziałam ci to o tym przed *chastegari*, byłam pewna, że się rozmyślisz.

– Akurat.

Uśmiechnęła się i wzięła mnie za rękę.

– Miałam takie szczęście, że cię znalazłam. Ty jesteś inny od wszystkich Afgańczyków.

– Nie mówmy o tym więcej, dobrze?

– Dobrze.

Pocałowałem ją w policzek i ruszyłem w dalszą drogę. Jadąc, zastanawiałem się, dlaczego jestem inny. Może dlatego, że mnie wychowali mężczyźni; ja nie wychowywałem się w towarzystwie kobiet i nie miałem kiedy nauczyć się tej nierównej miary dla obojga płci. Może dlatego, że Baba był tak niezwykłym afgańskim ojcem, liberałem, który żył według swoich własnych zasad, niezależnym umysłem, który pielęgnował tylko te zwyczaje, które mu odpowiadały.

Wydaje mi się jednak, że w znacznym stopniu nie przejmowałem się przeszłością Sorai dlatego, że sam miałem „przeszłość". I że poznałem, co to żal i skrucha.

Wkrótce po śmierci Baby przeprowadziliśmy się do dwupokojowego mieszkania we Fremont, kilka przecznic od domu generała i chali Dżamili. Na dobry początek rodzice Sorai kupili nam brązową, skórzaną kanapę i mikasowski serwis obiadowy. Generał miał dla mnie dodatkowy prezent: nowiutką, elektroniczną maszynę do pisania IBM. Do pudełka wsunął kartkę zapisaną po persku:

Amir-dżan,

Obyś odkrył w tych klawiszach wiele opowieści.

Generał Ikbal Taneri

Sprzedałem volkswagena Baby i do dziś noga moja nie postała na pchlim targu. Co piątek jeździłem na jego grób; czasem zastawałem tam świeży bukiecik frezji i wiedziałem, że Soraja też tam była.

Wraz z Sorają przyzwyczailiśmy się do codziennego – i cudownie spokojnego – życia w małżeństwie. Myliły nam się szczoteczki do zębów i skarpetki, dzieliliśmy się przy śniadaniu poranną gazetą. Soraja wolała spać po prawej stronie łóżka, ja po lewej. Ona wolała miękkie poduszki, ja – twarde. A płatki śniadaniowe jadła na sucho, jak krakersy, i tylko popijała je mlekiem. Latem przyjęto mnie na anglistykę na uniwersytecie stanowym w San Jose. Zatrudniłem się jako ochroniarz w magazynie meblowym w Sunnyvale. Praca była okropnie nudna, ale miała jedną ważną zaletę: gdy o szóstej wszyscy szli do domu, a wśród rzędów ustawionych jedna na drugiej, pokrytych plastikową folią kanap zaczynały krążyć pierwsze cienie, ja mogłem spokojnie wyciągnąć książki i zeszyty i uczyć się. To właśnie tam, w pachnącym dezodorantem pokojowym biurze magazynu, zacząłem pisać moją pierwszą powieść.

Rok później Soraja też dostała się na uniwersytet San Jose i ku rozpaczy ojca obrała kierunek nauczycielski.

– Nie mam pojęcia, czemu ty chcesz zmarnować takie zdolności – powiedział raz przy kolacji generał. – Zdajesz sobie sprawę, Amir-dżan, że ona miała w szkole same piątki? – Zwrócił się do córki. – Tak inteligentna dziewczyna jak ty powinna zostać prawniczką albo politologiem. A jak, *Inszallach*, Afganistan będzie znów wolny, mogłabyś uczestniczyć w pisaniu nowej konstytucji. Potrzeba nam takich młodych, utalentowanych Afganek. Z twoim nazwiskiem mogłabyś nawet zostać ministrem.

Widziałem, jak Soraja sztywnieje, jak twarz ściąga się jej z gniewu.

– Nie jestem już dziewczynką, Padar. Jestem mężatką. Poza tym nauczyciele też są potrzebni.

– Uczyć może każdy.

– Mogę jeszcze ryżu, Madar? – Soraja zwróciła się do mamy.

Gdy generał pojechał na spotkanie ze znajomymi z Hayward, chala Dżamila usiłowała pocieszyć córkę.

– Chce dobrze – tłumaczyła. – Chce, żebyś odniosła sukces w życiu.

– Tak, żeby mógł się chwalić przed znajomymi córką prawniczką. Kolejny medal dla generała – złościła się Soraja.

– Nie gadaj bzdur!

– Też mi sukces. – Soraja aż syczała. – Siedzi tu sobie, a tam inni walczą z *Szorawi*, czeka, aż wszystko się uspokoi, bo wtedy wróci na tę swoją ciepłą posadkę. Za uczenie może nie płacą dużo, ale ja właśnie chcę uczyć! To kocham. I zresztą to lepsze niż życie z opieki społecznej.

Chala Dżamila przygryzła sobie język.

– Jak kiedyś usłyszy, że mówisz coś takiego, nie odezwie się do ciebie do końca życia.

– Nie bój się – odparła Soraja. – Nie zranię jego delikatnej miłości własnej.

W lecie roku 1988, jakieś sześć miesięcy przed wycofaniem się Rosjan z Afganistanu, skończyłem pierwszą powieść – dziejącą się w Kabulu historię o ojcu i synu, napisaną głównie na maszynie od generała. Rozesłałem listy do kilkunastu agencji i ku własnemu zdumieniu w pewien sierpniowy dzień wyjąłem ze skrzynki pocztowej prośbę o gotowy rękopis od pewnej agencji z Nowego Jorku. Wysłałem go następnego dnia. Soraja ucałowała starannie zalepioną kopertę, chala Dżamila zmusiła nas, byśmy przyłożyli Koran do maszynopisu. Powiedziała mi, że ofiaruje na moją intencję *nazr* – że jeżeli książka zostanie przyjęta, każe zabić barana, a mięso rozdać biednym.

– Chala-dżan, tylko nie *nazr* – powiedziałem, całując ją w policzek – wystarczy *zaka*, wystarczy, że dasz biedakom po parę groszy, dobrze? Nie mordujmy barana.

Sześć tygodni później zatelefonował do mnie nowojorczyk Martin Greenwalt. Zaproponował, że może zostać moim agentem. O tej rozmowie powiedziałem tylko Sorai.

– To, że mam agenta, wcale jeszcze nie znaczy, że mnie wydadzą. Będziemy świętować, kiedy Martin sprzeda rękopis jakiemuś wydawnictwu.

Miesiąc później Martin odezwał się znowu. Oświadczył, że zostanę wydany. Gdy powiedziałem to Sorai, ta aż krzyknęła.

Jeszcze tego samego wieczoru zaprosiliśmy rodziców Sorai. Chala Dżamila zrobiła *koftę* – klopsiki z białym ryżem – i białe *ferni*. Generał wyznał mi ze łzami w oczach, że jest ze mnie dumny. Gdy generalstwo odeszli, celebrowaliśmy dalej we dwoje z Sorają – jadąc do domu, wstąpiłem po butelkę drogiego merlota. Generał nie lubił, gdy kobiety piły alkohol, więc Soraja nigdy nie piła w jego obecności.

– Jestem z ciebie taka dumna – powiedziała, wznosząc swój kieliszek ku mojemu. – Kaka też byłby dumny.

– Wiem – powiedziałem, myśląc o Babie, żałując, że nie może teraz być ze mną.

Później, gdy Soraja już zasnęła – wino zawsze szybko ją usypiało – stałem na balkonie, wdychając chłodne, letnie powietrze. Myślałem o Rahimie Chanie i o tym, co napisał do mnie po przeczytaniu mojego pierwszego opowiadania. I o Hassanie. „Kiedyś będziesz wielkim pisarzem, *Inszallach*", powiedział mi kiedyś. „A twoje opowiadania będą czytane na całym świecie". Tyle dobra zaznałem w życiu, tyle szczęścia. Czy zasłużyłem na to wszystko?

Powieść ukazała się następnego lata. Był rok 1989. Wydawca posłał mnie na spotkania autorskie w pięciu miastach. Stałem się znaną osobistością wśród kalifornijskich Afgańczyków. Był to rok, w którym *Szorawi* zakończyli wycofywanie się z Afganistanu. Ale w Afganistanie nie świętowano zwycięstwa, tylko walczono dalej – tym razem mudżahedini bili się z marionetkowym rządem Nadżibullaha. Był to rok, w którym zakończyła się zimna wojna, upadł mur berliński. I rok placu Tienanmen. O Afganistanie zapomniano; generał Taheri, którego nadzieje odżyły po wyjściu Sowietów, dalej nakręcał zegarek kieszonkowy.

Był to również rok, w którym uznaliśmy z Sorają, że chcielibyśmy mieć dziecko.

Myśl o ojcostwie wywoływała we mnie wir sprzecznych uczuć: przerażenie i przypływ energii, niepewność i radość. Zastanawiałem się, jakim byłbym ojcem. Chciałem być dokładnie taki, jaki był Baba – i równocześnie zupełnie inny.

Ale minął rok – i nic. Po każdej miesiączce Soraja stawała się coraz bardziej zniechęcona, niecierpliwa, nerwowa. Wtedy początkowo subtelne aluzje chali Dżamili stały się już bardziej czytelne: „*Cho dega*? No i co? Kiedy będę mogła zaśpiewać *alaho* małemu *nauasa*?" Generał, stuprocentowy Pasztun, nigdy o takie sprawy nie pytał – oznaczałoby to aluzję do stosunku płciowego między własną córką a mężczyzną – nawet jeśli mężczyzna ten był jej poślubiony od ponad czterech lat. Za to pilnie nadstawiał ucha, gdy chala Dżamila dręczyła nas półsłówkami.

– Czasem to musi chwilę potrwać – powiedziałem Sorai pewnej nocy.

– Cały rok to już nie chwila, Amir! – powiedziała niezwykłym u niej, ostrym głosem. – Coś jest nie tak. Wiem to.

– No, to chodźmy do lekarza.

Doktor Rosen, grubasek o okrągłej twarzy i małych, równych ząbkach, mówił lekkim wschodnioeuropejskim akcentem. Wygląd też miał jakiś taki słowiański. Był prawdziwym pasjonatem kolejnictwa – jego gabinet usiany był książkami o historii kolei, modelami lokomotyw, malowidłami przedstawiającymi pociągi pędzące po torze, po torze, przez most. Wielki napis nad biurkiem głosił: ŻYCIE TO POCIĄG, PROSZĘ WSIADAĆ, DRZWI ZAMYKAĆ!

Szybko nakreślił plan postępowania. Najpierw zajmie się mną.

– Z panami łatwa sprawa – powiedział, bębniąc palcami po blacie mahoniowego biurka. – U panów hydraulika jest prosta. Jak męska psychika. Mało niespodzianek. Z kolei panie... No, Pan Bóg musiał nieźle główkować, nim stworzył panie.

Zastanawiałem się, czy tą przemową raczy wszystkich swoich pacjentów.

– Takie już nasze szczęście – powiedziała Soraja.

Doktor Rosen zaśmiał się, ale jakoś nie do końca szczerze. Wręczył mi skierowanie do analizy i plastikowy słoiczek, Sorai – też skierowanie, ale na zwykłe badanie krwi. Uścisnęliśmy sobie dłonie.

– Proszę wsiadać, drzwi zamykać – powiedział jeszcze, gdy nas odprowadzał.

Ja zdałem na piątkę.

Teraz doktor Rosen zabrał się do Sorai: ciągłe mierzenie temperatury, badania krwi na wszystkie możliwe hormony, badania moczu, coś, co doktor nazywał „testem śluzu szyjkowego", USG, kolejne badania krwi i jeszcze więcej badań moczu. Soraja musiała się też poddać histeroskopii – doktor Rosen wprowadził wziernik do jej macicy, ale nie zobaczył nic podejrzanego.

– Hydraulika jest czysta – powiedział, ściągając gumowe rękawiczki. Denerwowało mnie to określenie. Nie podobało mi się, że mówi o nas jak o łazience. Albo o samochodzie. Po ostatnim badaniu wyjaśnił, że nie umie wyjaśnić, dlaczego nie możemy mieć dzieci. Zdaje się, że nie było to nic nadzwyczajnego, bo nawet miało nazwę: „Bezpłodność o nieznanym podłożu".

Potem zaczęło się leczenie. Zastrzyki leków hormonalnych Soraja robiła sobie sama. Kiedy to nic nie dało, doktor Rosen zaczął mówić o zapłodnieniu in vitro. Zaraz dostaliśmy uprzejmy list od ubezpieczalni, że życzą nam wszystkiego najlepszego, ale tego zabiegu nam nie pokryją.

Poszła na to zaliczka za powieść. Zapłodnienie in vitro było procesem długim, skomplikowanym, nużącym – i też nic nie dało. Całe miesiące wysiadywania po poczekalniach, czytania w nich „Pani Domu" i „Reader's Digest", nakładania kolejnych papierowych fartuchów, wizyt w zimnych, wysterylizowanych pokojach zabiegowych oświetlonych jarzeniówkami, ciągłego opowiadania kompletnie obcym ludziom o najintymniejszych szczegółach naszego pożycia, zastrzyków i pobierania próbek. W końcu wróciliśmy do doktora Rosena i jego pociągów.

Siadł za biurkiem, zabębnił palcami po biurku i po raz pierwszy użył słowa „adopcja". Soraja płakała przez całą drogę do domu.

Przyznała się rodzicom już w następną sobotę po ostatniej wizycie u lekarza. Siedzieliśmy w ogrodowych fotelach w ogródku Taherich, grillując pstrągi i popijając jogurtowy *dogh*. Był wczesny wieczór marcowy w 1991 roku. Chala Dżamila podlała już róże i kapryfolium, więc ich woń mieszała się z zapachem pieczonej ryby. Zdążyła też już dwa razy pogłaskać Soraję po włosach, mówiąc za każdym razem:

– Bóg wie, co dla kogo najlepsze, *baczem*. Może po prostu nie jest wam dane...

Soraja siedziała ze wzrokiem utkwionym we własnych dłoniach. Wiedziałam, jak ma tego wszystkiego dość.

– Lekarz powiedział, że możemy zdecydować się na adopcję – powiedziała cicho.

Generał Taheri spojrzał bystro i zamknął pokrywę grilla.

– Tak powiedział?

– Powiedział, że to by było jakieś wyjście.

O adopcji rozmawialiśmy już we dwoje w domu. Soraja była w najlepszym razie niezdecydowana.

– Wiem, że to głupota, a może i próżność – mówiła już, gdy jechaliśmy do domu jej rodziców – ale nic na to nie poradzę. Zawsze marzyłam, że trzymając je w rękach będę miała świadomość, że przez dziewięć miesięcy karmiłam je własną krwią, że gdy kiedyś spojrzę mu w oczy, zobaczę ciebie albo mnie, że dziecko urośnie i będzie miało twój albo mój uśmiech. Ale bez tego... Czy to grzech?

– Nie – odpowiedziałem wtedy.

– Czy jestem samolubna?

– Nie, Sorajo.

– Bo jeżeli tobie zależy...

– Nie – powiedziałem. – Jeżeli mamy się na to zdecydować, to nie możemy mieć najmniejszych wątpliwości. I oboje musimy tego chcieć. Inaczej byłoby nie fair, również względem dziecka.

Oparła głowę o szybę i nie odezwała się ani słowem, dopóki nie dotarliśmy do domu Taherich.

Teraz generał przysunął się do niej z fotelem.

– *Baczem*, ta... ta cała adopcja... Nie wiem, czy to dobre dla nas, Afgańczyków.

Soraja spojrzała na mnie ze znużeniem i westchnęła.

– Po pierwsze, dziecko dorasta i zaczyna chcieć dowiedzieć się, kim byli jego naturalni rodzice – mówił dalej generał. – I trudno mieć o to pretensje.

Czasem wynoszą się z domu, który budowało się im Bóg wie jakim wysiłkiem, po to tylko, by odnaleźć tych, którzy dali im życie. Krew to straszna siła, *baczem*. Pamiętaj o tym.

– Nie chcę już o tym mówić – powiedziała Soraja.

– Jeszcze tylko jedno – powiedział. Widać było, że zaczyna go ponosić i że zaraz usłyszymy całą mowę. – Weźmy choćby Amir-dżana. Wszyscy znaliśmy jego ojca, ja wiem, kim był w Kabulu jego dziadek i pradziadek. Jak chcesz, mogę wyrysować ci jego drzewo genealogiczne. Dlatego właśnie, gdy jego ojciec – niech Bóg da mu wieczne odpoczywanie – przyszedł z *chastegari*, nie wahałem się ani chwili. A możesz mi wierzyć, że i jego ojciec nie zgodziłby się przyjść prosić o twoją rękę, gdyby nie wiedział, od kogo pochodzisz. Krew to straszna siła, *baczem*. A przy adopcji nigdy nie wiadomo, jaką krew wprowadza się do rodziny. Co innego, gdybyśmy byli Amerykanami. Tu ludzie pobierają się z miłości, nazwisko i pochodzenie się nie liczy. I tak samo adoptują dzieci – liczy się tylko, żeby dziecko rosło zdrowo. Ale my, *baczem*, jesteśmy Afgańczykami.

– Ryby już się chyba upiekły – powiedziała Soraja. Generał Taheri nie spuszczał z niej wzroku. Poklepał ją po kolanie. – Ciesz się, że jesteś zdrowa i że masz dobrego męża.

– A co ty o tym sądzisz, Amir-dżan? – zapytała chala Dżamila.

Odstawiłem szklankę na parapet, gdzie spod doniczek z geranium ściekała woda.

– Ja chyba zgadzam się z sahibem generałem.

Generał się uspokoił i znów zajął się grillem.

Wszyscy mieliśmy własne powody, by nie decydować się na adopcję. Soraja swoje, generał swoje, i ja też swoje: może ojcostwo nie zostało mi dane za to, co kiedyś zrobiłem? Może to właśnie jest moja kara. I to kara sprawiedliwa. Może po prostu nie zostało mi to dane, jak powiedziała chala Dżamila. A może był w tym jeszcze jakiś inny sens.

Kilka miesięcy później z zaliczki za drugą powieść wpłaciliśmy pierwszą ratę kredytu na ładny, czteropokojowy domek w stylu wiktoriańskim w Bernal Heights w San Francisco. Miał spadzisty dach, parkiety i mały ogródek z drewnianym tarasem i miejscem na grill. Generał pomógł mi wykończyć parkiet i odmalować ściany. Chala Dżamila była niepocieszona, że przeprowadzamy się o prawie godzinę drogi samochodem – tym bardziej że według niej właśnie teraz Soraja potrzebowała szczególnej opieki i miłości. Nie miała pojęcia, że to właśnie te płynące z najlepszych chęci, lecz uciążliwe oznaki współczucia były głównym powodem przeprowadzki – przynajmniej ze strony Sorai.

Czasem, gdy Soraja spała już u mego boku, leżałem w łóżku i nasłuchiwałem, jak drzwi z moskitierą otwierają się i uderzają o framugę na wietrze, jak cykają cykady. Wtedy czułem niemal pustkę w łonie Sorai, jakby to było coś żywego, oddychającego. Ta pustka wsączyła się jakoś w nasze wspólne życie, w nasz śmiech, w nasze kochanie. Późną nocą czułem, jak płynie w ciemności od Sorai i kładzie się między nas, śpi między nami jak nowo narodzone dziecko.

14

Opuściłem słuchawkę na widełki i długo się w nią wpatrywałem. Dopiero gdy wzdrygnąłem się, gdy zaszczekał Aflaton, uświadomiłem sobie, że w pokoju zapadła głucha cisza. Soraja już wcześniej wyłączyła fonię w telewizorze.

– Amir, jak ty zbladłeś – powiedziała z kanapy, tej samej, którą dostaliśmy od jej rodziców na nasze pierwsze nowe mieszkanie. Leżała na niej, trzymając na piersi głowę Aflatona, z nogami przykrytymi starymi poduszkami. Po trochu oglądała dokumentalny film PBS o zagrożonych wytępieniem wilkach w Minnesocie, po trochu poprawiała wakacyjne prace uczniów – od sześciu lat uczyła w tej samej szkole. Usiadła. Aflaton zeskoczył na podłogę. To generał tak go ochrzcił – Aflaton to po persku Platon. Mój teść zawsze twierdził, że patrząc wystarczająco długo w czarne oczy naszego spaniela, można odczytać w nich naprawdę mądre myśli.

Podbródek Sorai lekko się zaokrąglił przez dziesięć lat, podobnie jak jej uda; czas wplótł też w jej kruczoczarne włosy kilka siwych pasemek. Wciąż jednak miała twarz królowej balu, brwi, przypominające rozłożone do lotu skrzydła ptaka i nos elegancko zakrzywiony jak litera arabskiego alfabetu.

– Zbladłeś – powtórzyła Soraja, odkładając stertę prac na stolik.

– Muszę jechać do Pakistanu.

Wstała.

– Do Pakistanu?

– Rahim Chan jest bardzo chory.

Gdy to mówiłem, coś z całej siły zacisnęło mi się na gardle.

– Ten dawny wspólnik kaki? – Soraja nie znała Rahima Chana osobiście, ale wiele jej o nim opowiadałem. Skinąłem głową.

– Och – szepnęła. – Tak mi przykro.

– Kiedyś byliśmy sobie bardzo bliscy – powiedziałem. – Kiedy byłem dzieckiem, był pierwszym dorosłym, którego uważałem za przyjaciela. Stanął mi przed oczyma widok jego i Baby, pijących herbatę w gabinecie naszego domu w Kabulu, palących przy oknie. Wonny wietrzyk wpadał z ogrodu przez otwarte okna i załamywał bliźniacze słupy dymu...

– Pamiętam, mówiłeś – powiedziała Soraja. Urwała. – Jak długo cię nie będzie?

– Nie wiem. Chce się ze mną zobaczyć.

– A czy to...

– Bezpieczne, bezpieczne. Wszystko będzie w porządku.

Oczywiście od początku chciała o to właśnie zapytać; piętnaście lat małżeństwa sprawiło, że bezbłędnie czytaliśmy sobie nawzajem w myślach.

– Idę się przejść.

– Mam iść z tobą?

– Nie, pójdę sam.

Pojechałem do parku Golden Gate i poszedłem wzdłuż Spreckels Lake, północną stroną parku. Było piękne niedzielne popołudnie. Słońce skrzyło się na wodzie, po której uwijały się dziesiątki miniaturowych żaglówek, pchane ostrą, typową dla San Francisco bryzą. Usiadłem na ławce i przyglądałem się, jak ojciec rzuca piłkę futbolową do syna i uczy go nie odrzucać jej bokiem, tylko nad ramieniem. Gdy spojrzałem w górę, zobaczyłem na niebie dwa latawce, czerwone, z długimi, niebieskimi ogonami. Unosiły się wysoko nad drzewami nad zachodnim krańcem parku, nad wiatrakami.

Myślałem o tym, co Rahim Chan powiedział na zakończenie naszej rozmowy telefonicznej. I że powiedział to mimochodem, jakby przypadkiem. Zamknąłem oczy i usiłowałem wyobrazić go sobie na drugim końcu linii telefonicznej: wpółotwarte usta, głowa przekrzywiona w jedną stronę. I jego głębokie, czarne oczy, które mówiły o naszej wspólnej tajemnicy. Tylko że teraz wiedziałem już, że on wie. Że moje podejrzenia były słuszne. Że wie o Assefie, latawcu, pieniądzach, zegarku ze wskazówkami w kształcie błyskawic. I że wiedział o tym od samego początku.

– Przyjedź. Znowu można być dobrym – powiedział tuż przed odłoże-
niem słuchawki. Mimochodem. Od niechcenia.

Znowu można być dobrym.

Kiedy wróciłem do domu, Soraja właśnie rozmawiała z mamą przez telefon.

– Nie na długo, Madar-dżan. Na tydzień, może dwa... Oczywiście, możecie oboje przenieść się na ten czas do mnie...

Dwa lata wcześniej generał złamał prawą kość udową. Kończył wtedy
kolejny napad migreny. Niewyspany i nieco jeszcze otumaniony wychodził
z pokoju i potknął się o kraj dywanu. Na jego krzyk chala Dżamila wybiegła
z kuchni.

– Zupełnie jakby złamał się *dżaru*, kij od miotły – opowiadała potem,
choć lekarz twierdził, że to raczej niemożliwe. To złamanie – i wynikłe
z niego powikłania, czyli zapalenie płuc, zakażenie krwi, długi pobyt w szpitalu – sprawiło, że chala Dżamila z monologów na temat własnych dolegliwości przerzuciła się na dolegliwości męża. Opowiadała każdemu, że w pewnym momencie lekarze zaczęli obawiać się o stan nerek generała. „Ale co
oni wiedzą o afgańskich nerkach?" – dodawała z niejaką dumą. Z pobytu
generała w szpitalu zapamiętałem przede wszystkim to, że chala Dżamila
czekała, aż mąż zaśnie, po czym śpiewała mu pieśni, które pamiętałem jeszcze z Kabulu, z trzeszczącego radia Baby.

Stan zdrowia generała – i czas – pogodziły go ostatecznie z Sorają. Odby-
wali wspólne spacery, co niedzielę chodzili razem na obiad. Czasem generał przychodził do niej do szkoły i przyglądał się, jak uczy. Siadał pod ścianą na końcu klasy w tym swoim wyświechtanym, szarym garniturze, kładł
drewnianą laskę na kolanach i uśmiechał się. Czasem nawet notował.

Tej nocy leżeliśmy z Sorają obok siebie, jej plecy opierały się o moją
pierś, twarz wtuliłem w jej włosy. Pamiętałem, że kiedyś leżeliśmy czoło
w czoło, wymieniając wieczorne pocałunki i szeptaliśmy aż do zapadnięcia
w sen o małych paluszkach u nóg, pierwszych uśmiechach, pierwszych
słowach, pierwszych krokach. Teraz też tak czasem robiliśmy, ale szeptaliśmy już tylko o szkole, o mojej kolejnej książce, śmialiśmy się z czyjejś
szczególnie wymyślnej kreacji na przyjęciu. Gdy się kochaliśmy, nadal było
dobrze, czasem lepiej niż dobrze, ale czasem czułem tylko ulgę, że już mam
to za sobą, że mogę zasnąć i nie rozmyślać o bezcelowości tego, co przed
chwilą robiliśmy. I choć Soraja nigdy o tym nie mówiła, miałem wrażenie,

że i ona czuje to samo. Wtedy każde z nas odsuwało się na swoją połowę łóżka i czekało na wybawienie. Soraję wybawiał sen, mnie, jak zawsze, książka.

Po telefonie Rahima Chana leżałem w ciemności i przebiegałem oczyma równoległe, srebrne smugi wlewającego się przez żaluzje księżycowego światła. Wreszcie, tuż przed świtem, udało mi się zasnąć. Śnił mi się Hassan. Biegł po śniegu, kraj jego zielonego *czapan* wlókł się za nim po ziemi, śnieg skrzypiał pod jego czarnymi gumiakami. I z całych sił krzyczał przez ramię: „Dla ciebie – tysiąc razy!"

Tydzień później siedziałem na miejscu przy oknie w samolocie pakistańskich linii lotniczych i patrzyłem, jak dwaj umundurowani pracownicy obsługi naziemnej wyciągają bloki spod kół. Samolot odkołował od terminalu i wkrótce znalazł się w powietrzu, przecinając warstwę chmur. Oparłem czoło o szybę i na próżno czekałem na sen.

15

W trzy godziny po przylocie do Peszawaru siedziałem na podartej tapicerce tylnego siedzenia wypełnionej dymem papierosowym taksówki. Mój kierowca, mały, spocony, palący papierosa za papierosem człowieczek, który przedstawił mi się jako Golam, prowadził nonszalancko, beztrosko, wielokrotnie o włos unikając zderzenia i nawet na chwilę nie przerywając potoku słów:

– ...to straszne, co się dzieje w Afganistanie. A przecież Afgańczycy i Pakistańczycy to bracia. Muzułmanie powinni muzułmanom pomagać, więc...

Przestałem go słuchać i tylko od czasu do czasu uprzejmie kiwałem głową. Peszawar pamiętałem dość dobrze z tych kilku miesięcy, które spędziliśmy tu z Babą w roku 1981. Teraz jechaliśmy na zachód Jamrud Road i właśnie mijaliśmy dawną dzielnicę kolonialną i jej eleganckie, otoczone wysokimi murami domy. Rozgardiasz mijanego miasta trochę przypominał mi dawny Kabul, szczególnie zaś *Koczer-Morga*, Kurzy Targ, gdzie wraz z Hassanem kupowaliśmy sobie ziemniaki w *chutney* i wodę wiśniową. Ulice zapchane były rowerzystami, bardzo niesfornymi przechodniami i motorowymi rikszami, wyrzucającymi z siebie niebieskie spaliny – to wszystko zaś kręciło się w labiryncie wąskich zaułków i uliczek. Brodaci przekupnie owinięci cienkimi kocami sprzedawali z wąskich, ciasno zbitych straganów abażury ze skór zwierzęcych, dywany, wyszywane chusty i mosiężne naczynia. Miasto pękało wprost od zgiełku; krzyki handlarzy mieszały się z głośną, hinduską muzyką, warkotem riksz i dzwonkami konnych wozów. Przez otwarte okno taksówki wpadały przyjemne i niezbyt przyjemne, a za to równie silne wonie – korzenny zapach tak ulubionych przez Babę *pakora* i *nihari* szedł o lepsze ze spalinami dieslowskich silników, smrodem zgnilizny, śmieci i odchodów.

Minąwszy czerwone budynki uniwersytetu, znaleźliśmy się w dzielnicy nazwanej przez mojego gadatliwego kierowcę „miasteczkiem afgańskim". Zobaczyłem cukiernie i sklepy z dywanami, stragany z kebabem, dzieci o umazanych błotem dłoniach handlujące papierosami, restauracyjki – każda z wymalowaną na szybie mapą Afganistanu – a wśród nich liczne biura organizacji humanitarnych.

– Tutaj co drugi to Afgańczyk, *jar*. Niektórzy coś tam robią, handlują, ale większość jest bardzo, ale to bardzo biedna.

Pomyślałem o moim ostatnim spotkaniu z Rahimem Chanem w 1981 roku. Wieczorem tego samego dnia, którego później opuściliśmy z Babą Kabul, przyszedł się z nami pożegnać. Pamiętam, że objęli się z Babą w sieni i cicho płakali. Gdy przyjechaliśmy do Ameryki, nie stracili ze sobą kontaktu. Cztery, pięć razy do roku rozmawiali przez telefon, Baba czasem oddawał mi słuchawkę. Ostatni raz rozmawiałem z Rahimem Chanem wkrótce po śmierci Baby. Wiadomość o niej jakoś dotarła do Kabulu; zaraz do mnie zatelefonował. Rozmawialiśmy tylko parę minut, potem połączenie zostało przerwane.

Kierowca zatrzymał się przed wąskim budynkiem na ruchliwym skrzyżowaniu dwóch krętych ulic. Zapłaciłem mu, wziąłem walizkę i wszedłem w misternie rzeźbioną bramę. Budynek miał drewniane balkony, na nich otwarte okiennice, z wielu zwieszało się pranie. Wszedłem po skrzypiących schodach na piętro i ciemnym korytarzem doszedłem do ostatnich drzwi po prawej. Sprawdziłem adres na trzymanym w dłoni kawałku papieru. Zapukałem.

Drzwi otworzył mi kościsty stwór, który udawał, że jest Rahimem Chanem.

Jeden z moich wykładowców w San Jose wielokrotnie powtarzał nam, że „oklepanych zwrotów trzeba unikać jak ognia". Po czym śmiał się z własnego żartu. Grupa śmiała się wraz z nim, ale ja zawsze byłem zdania, że tak zwanymi oklepanymi zwrotami niesłusznie się pogardza, bo czasem nie da się celniej wyrazić danej myśli. Tyle że celności tej zwykle się nie zauważa, bo myśli się tylko o tym, że to oklepany zwrot. I na przykład trudno lepiej oddać charakter pierwszych minut mojego spotkania po latach z Rahimem Chanem niż za pomocą wyświechtanego zwrotu „zapadło niezręczne milczenie".

Usiedliśmy na mechatym materacu leżącym pod ścianą, naprzeciw okna wychodzącego na hałaśliwą ulicę. Wpadające przez okno słońce rzucało trójkątny klin światła na położony na podłodze afgański dywanik. Pod jedną ścianą stały dwa rozkładane fotele a w przeciwległym rogu – mały mosiężny samowar. Nalałem z niego herbaty dla nas obu.

– Jak mnie znalazłeś? – zapytałem.

– Nietrudno znaleźć kogoś w Ameryce. Kupiłem mapę Stanów i dzwoniłem do informacji po różnych miastach północnej Kalifornii – odpowiedział. – Jakie to dziwne widzieć cię dorosłego.

Uśmiechnąłem się i wrzuciłem sobie do herbaty trzy kostki cukru. Pamiętałem, że Rahim Chan wolał gorzką i bardzo czarną.

– Baba nie zdążył ci powiedzieć, ale od piętnastu lat jestem żonaty.

Prawda była taka, że przez przerzuty do mózgu Baba miał kłopoty z pamięcią i koncentracją.

– Ożeniłeś się? Z kim?

– Nazywa się Soraja Taheri. – Pomyślałem, że na pewno siedzi teraz w domu i martwi się o mnie.

– Taheri? Czyją jest córką?

Powiedziałem mu. Oczy mu się rozjaśniły.

– A, tak, teraz pamiętam. Zaraz, zaraz, ale czy generał Taheri nie ożenił się z siostrą Szarifa-dżana? Jak jej tam było...

– Dżamila-dżan.

– *Balaj*! – powiedział z uśmiechem. – Szarif-dżan to mój znajomy jeszcze z Kabulu, przyjaźniliśmy się jeszcze zanim wyjechał do Ameryki.

– Od dawna pracuje tam w biurze imigracyjnym, zajmuje się sprawami Afgańczyków.

– *Haiii* – westchnął. – A dzieci macie?

– Nie.

– Aha. – Pił herbatę i więcej o to nie pytał. Rahim Chan był jednym z najdomyślniejszych ludzi, jakich znałem.

Opowiadałem mu wiele o Babie, o jego pracy, o pchlim targu i o tym, że umarł szczęśliwy. Opowiadałem o studiach, o moich czterech wydanych powieściach – tu uśmiechnął i rzekł, że ani przez chwilę nie wątpił, że tak będzie. Powiedziałem mu, że zacząłem od pisania opowiadań w oprawnym w skórę notesie, który dostałem od niego. W ogóle nie pamiętał, że mi go dał. Prędzej czy później rozmowa musiała zejść na talibów.

– Czy rzeczywiście jest aż tak źle? – zapytałem.

– Jeszcze gorzej. Znacznie gorzej – powiedział. Wskazał na bliznę nad prawym okiem, która krzywym łukiem wiła się wokół jego krzaczastych brwi. – W roku 1998 byłem na meczu na stadionie Gazi. Grał chyba Kabul z Mazar-i-Szarif. A wiesz, że w Afganistanie piłkarzom nie wolno teraz grać w krótkich spodniach, bo to nieprzyzwoite? – zaśmiał się ze znużeniem. – Mniejsza z tym. W pewnym momencie Kabul strzelił gola i mój sąsiad zaczął głośno krzyczeć z radości. A tu nagle podchodzi do mnie młody brodacz, który z kałasznikowem w ręce pilnował naszego rzędu, i wali mnie kolbą w czoło. „Jeszcze raz tak zrobisz, oderżnę ci język, stary ośle!" – Rahim Chan potarł bliznę wykrzywionym palcem. – Mógłbym być jego dziadkiem, a musiałem siedzieć, cały zakrwawiony, i jeszcze przeprosić psiego syna.

Dolałem mu herbaty. Rahim Chan opowiadał dalej. Część rzeczy, o których mówił, wiedziałem, części nie. Powiedział mi, że zgodnie z zawartą z Babą umową od roku 1981 mieszkał w naszym domu – to akurat było mi wiadome. Wkrótce przed naszą ucieczką z Kabulu Baba „sprzedał" mu nasz dom. W tamtych czasach Baba był pewny, że wydarzenia w Afganistanie to tylko chwilowa przerwa w zwykłym życiu, że czasy wydawanych przez niego przyjęć w posiadłości w Uazir Akbar Chan i pikników w Pagmanie muszą kiedyś wrócić. Dlatego też umówił się z Rahimem Chanem, że ten będzie pilnował domu do naszego powrotu.

Rahim Chan opowiedział mi, że gdy w latach 1992–1996 Kabul wpadł w ręce Sojuszu Północnego, każdą dzielnicę zajęło inne stronnictwo.

– Jeżeli szło się z Szar-e-Nau do Kerte-Parwan kupić dywan, można było zostać postrzelonym przez snajpera albo wysadzonym w powietrze rakietą. Oczywiście pod warunkiem, że puścili człowieka przez wszystkie punkty kontrolne. To tak, jakby na przejście z jednej dzielnicy do drugiej trzeba było mieć wizę. Ludzie przeważnie siedzieli po domach i modlili się, żeby żadna rakieta nie wleciała im przez dach.

Opowiadał mi, że ludzie wybijali dziury w ścianach domów, by omijać co niebezpieczniejsze ulice – zamiast nimi chodziło się od dziury do dziury. Gdzie indziej znowu poruszano się podziemnymi tunelami.

– Czemu nie wyjechałeś? – zapytałem.

– Kabul to moje miasto. Teraz też – zaśmiał się. – Pamiętasz tę ulicę, którą się idzie od waszego domu do *Kiszla*, wojskowych koszar niedaleko szkoły Istiklal?

– Tak. – Sam chodziłem tym skrótem do szkoły. Przypomniałem sobie, że szliśmy tamtędy też z Hassanem. Wtedy, gdy żołnierze dokuczali mu z powodu jego matki. Potem Hassan płakał w kinie, a ja objąłem go ramieniem.

– Kiedy do Kabulu wkroczyli talibowie i wyrzucili z miasta Sojusz Północny, tańczyłem na tej ulicy z radości – mówił Rahim Chan. – I nie tylko ja, możesz mi wierzyć. Ludzie świętowali w *Czaman*, w *De-Mazang*, witali talibów na ulicach, włazili im na czołgi, robili sobie z nimi zdjęcia. Tak wszyscy mieli dość ciągłych walk, rakiet, strzelaniny, wybuchów, przyglądania się, jak Gulbuddin i jego kolesie strzelają do wszystkiego, co się rusza. Sojusz narobił w Kabulu więcej szkód niż *Szorawi*. Zniszczyli sierociniec twojego ojca, słyszałeś o tym?

– Dlaczego? – zapytałem. – Dlaczego akurat sierociniec?

Przypomniałem sobie, jak to było, gdy siedziałem za Babą na otwarciu. Wiatr zdmuchnął mu karakułową czapkę, wszyscy się śmiali, a gdy skończył przemawiać, wstali i klaskali. A teraz została po tym tylko kupa gruzu. Baba wydał na to tyle pieniędzy, tyle się namęczył nad projektem, tyle razy jeździł na plac budowy, tyle razy sprawdzał, czy każda cegła, każdy dźwigar, każdy kamień leży tak, jak powinien...

– Pewnie tak, przy okazji... – powiedział Rahim Chan. – Nawet nie pytaj, Amir-dżan, co się działo, kiedy przeszukiwano gruzy. Strzępy ciał dzieci...

– Więc kiedy przyszli talibowie...

– Witaliśmy ich jak bohaterów – powiedział Rahim Chan.

– Nareszcie pokój.

– Tak, nadzieja to dziwna rzecz. Nareszcie pokój. Ale za jaką cenę? – Rahima Chana chwycił silny atak kaszlu, szarpiący jego wątłym ciałem na wszystkie strony. Gdy splunął w chusteczkę, ta natychmiast stała się czerwona. Uznałem, że najwyższy czas zadać cisnące mi się na usta pytanie.

– A co z tobą? – zapytałem. – Jak się czujesz? Ale tak naprawdę?

– Tak naprawdę to umieram – powiedział ochryple. Znów kaszel, znów krew na chustce. Wytarł usta, rękawem otarł pot z kościstego czoła i rzucił mi szybkie spojrzenie. – To już nie potrwa długo – wyrzucił z siebie.

– Jak długo?

Wzruszył ramionami i znów się rozkaszlał.

- Końca lata chyba już nie dożyję.
- Zabiorę cię do nas. Znajdziemy dobrego lekarza. Teraz co chwila wymyślają jakieś nowe leczenie. Są nowe lekarstwa, eksperymentalne terapie, moglibyśmy cię zapisać... – Gadałem kompletne bzdury i zdawałem sobie z tego sprawę, ale było to lepsze niż płacz, na którym zresztą pewnie i tak się skończy.

Roześmiał się, ukazując brakujące dolne siekacze. Był to najbardziej zmęczony śmiech, jaki słyszałem w życiu.

- Widzę, że Ameryka zaraziła cię już tym swoim wspaniałym optymizmem. Bardzo dobrze. My, Afgańczycy, jesteśmy narodem melancholików, prawda? Często zbytnio nurzamy się w *gamhori*, litujemy się nad sobą. Poddajemy się stracie i cierpieniu, przyjmujemy je jak coś oczywistego czy nawet koniecznego. I mówimy *zendagi migzara*, życie toczy się dalej. Ale ja nie poddaję się losowi, tylko trzeźwo myślę. Byłem tu u kilku niezłych doktorów i wszyscy powiedzieli to samo. Ufam im i wierzę w to, co mówią. Wola boska.

- Jest tylko to, co się robi, i to, czego się nie robi – zaoponowałem.

Rahim Chan znów się zaśmiał.

- Zupełnie jakbym słyszał twego ojca. Bardzo mi go brak. Nie, Amir--dżan. Wola boska, i już. – Urwał. – Poza tym jest jeszcze inny powód, dla którego cię tu sprowadziłem. To prawda, chciałem zobaczyć cię jeszcze raz, ale jest jeszcze coś.

- Zrobię wszystko...

- Wiesz, że po waszym wyjeździe mieszkałem w waszym domu?

- Tak.

- Ale nie sam. Przez jakiś czas mieszkał tam ze mną Hassan.

- Hassan? – powtórzyłem. Kiedy ostatni raz wymówiłem to imię? Poczułem stare, dobrze znane, ostre ukłucie wyrzutów sumienia, jakby dźwięk tego imienia zdjął ze mnie zaklęcie, sprawił, że znów mogły mnie męczyć. Nagle powietrze w mieszkanku Rahima Chana stało się za gęste, za gorące, zbyt przesycone woniami ulicy.

- Już wcześniej myślałem, żeby ci o tym napisać, ale nie wiedziałem, czy będziesz chciał wiedzieć. Myliłem się?

Mogłem powiedzieć prawdę, że nie. Mogłem skłamać, że tak. Wybrałem pośrednią drogę.

- Nie wiem.

Znów wykaszlał trochę krwi na chusteczkę. Gdy pochylił się do przodu, aby splunąć, zobaczyłem na skórze jego głowy brązowe rany.

– Sprowadziłem cię tutaj, bo mam do ciebie prośbę. O coś, na czym mi zależy. Ale nim to zrobię, muszę opowiedzieć ci o Hassanie. Rozumiesz?

– Rozumiem – szepnąłem.

– Chcę ci o nim opowiedzieć. Wszystko. Wysłuchasz mnie?

Skinąłem głową.

Wtedy Rahim Chan upił kolejny łyk herbaty, oparł głowę o ścianę i zaczął mówić.

16

Jest wiele powodów, dla których w roku 1986 pojechałem do Hazaradżatu, aby odszukać Hassana. Najważniejszym z nich – niech mi Allach wybaczy – była samotność. Większość krewnych i przyjaciół albo zginęła, albo uciekła z kraju do Pakistanu czy Iranu. W Kabulu – w mieście, w którym spędziłem całe życie – nie znałem już prawie nikogo. Wszyscy uciekli. Gdy szedłem na spacer do Karte-Parwan – tam, gdzie dawniej zbierali się handlarze melonów, pamiętasz? – na ulicy nie poznawałem nikogo. Nikogo, kogo mógłbym pozdrowić, z kim mógłbym pójść na herbatę, poopowiadać. Tylko patrole *Russi*. W końcu przestałem wychodzić do miasta. Całe dnie spędzałem w domu twojego ojca, w gabinecie, czytałem stare książki po twojej matce, słuchałem radia, oglądałem komunistyczną propagandę w telewizji. Potem odmawiałem *namaz*, coś sobie gotowałem, jadłem, znowu czytałem, znowu się modliłem i szedłem spać. Rano wstawałem, modliłem się, i tak w kółko.

Artretyzm coraz bardziej utrudniał mi zajmowanie się domem. Ciągle bolały mnie plecy i kolana – przynajmniej godzinę trwało, nim rano rozruszałem zesztywniałe przez noc stawy, szczególnie zimą. Nie chciałem, żeby dom twojego ojca zmarniał przeze mnie, przeżyliśmy tu razem tyle dobrych chwil, mieliśmy tyle wspomnień, Amir-dżan. To nie byłoby w porządku. Ojciec sam go zbudował, tyle dla niego znaczył, a poza tym obiecałem mu przecież, że będę pilnował domu, kiedy wyjeżdżaliście do Pakistanu. Tyle nam zostało... Robiłem, co mogłem. Starałem się co parę dni podlewać drzewa, kosić trawę, zajmować się kwiatami, naprawiać, co było do naprawienia. No, ale nie byłem już młody.

Mimo to pewnie jakoś bym sobie poradził. Przynajmniej jeszcze przez jakiś czas. Ale gdy dowiedziałem się o śmierci twojego ojca... po raz pierwszy opadła mnie straszna samotność tego domu. I jego nieznośna pustka.

Dlatego któregoś dnia zatankowałem buicka do pełna i pojechałem do Hazaradżatu. Pamiętałem, że gdy Ali zwolnił się ze służby, twój ojciec powiedział mi, że razem z Hassanem zamieszkali w małej wiosce niedaleko Bamian. Pamiętałem też, że Ali miał tam jakiegoś krewnego. Nie wiedziałem, czy Hassan wciąż tam jest, czy ktoś o nim słyszał albo wie, gdzie go szukać. W końcu minęło już wtedy dziesięć lat od chwili, gdy Ali z Hassanem wyprowadzili się od was. W roku 1986 Hassan musiał już być dorosły, mieć dwadzieścia dwa, dwadzieścia trzy lata. Oczywiście, jeżeli żył, bo ci *Szorawi*, niech ich piekło pochłonie za to, co zrobili z naszym *uatan*, zabili już tylu młodych. Nie muszę ci tego mówić.

Ale dzięki Bogu odnalazłem go. Nie szukałem długo. Wystarczyło trochę popytać w Bamian, od razu wskazano mi drogę do wioski. Nie pamiętam, jak się nazywała, nie wiem, czy w ogóle miała nazwę. Pamiętam za to, że był upalny, letni dzień, że jechałem wyboistą polną drogą wzdłuż zeschniętych na wiór krzewów, powykręcanych, kolczastych drzew i pożółkłej jak słoma trawy. Minąłem padłego osła, gnijącego na poboczu. A potem, za zakrętem, na tej nieurodzajnej ziemi, zobaczyłem gliniane domki, a za nimi już tylko niebo i góry poszarpane jak zęby.

Ludzie w Bamian powiedzieli, że łatwo go znajdę – mieszka w jedynym w wiosce domu z ogrodem otoczonym murkiem. Mur, też gliniany, niski i dziurawy, otaczał maleńki domek, czy raczej trochę tylko porządniejszą chatkę. Na ulicy bawiły się bose dzieci. Odbijały kijem starą piłkę tenisową i długo się gapiły, gdy zatrzymałem się i zgasiłem silnik. Zapukałem do drewnianej furtki i wszedłem do ogródka, w którym mieściło się tylko parę wyschniętych grządek truskawek i nagie drzewo cytrynowe. W rogu, pod akacją, był *tandur*; przed nim kucał jakiś mężczyzna. Kładł ciasto na dużej, drewnianej łopacie i rzucał je na ściany pieca. Gdy mnie zobaczył, aż upuścił ciasto. Musiałem go powstrzymać, bo chciał całować mnie po rękach.

– Niech ci się przyjrzę – powiedziałem.

Odsunął się. Był teraz wysoki; stojąc na palcach z trudem sięgałem mu do podbródka. Słońce z Bamian utwardziło mu skórę, która była teraz o kilka odcieni ciemniejsza niż w Kabulu; stracił też parę przednich zębów. Na policzku wiło mu się kilka kosmyków. Poza tym jednak miał te same, wąskie, zielone oczy, tę samą bliznę nad górną wargą, tę samą okrągłą twarz i miły uśmiech. Od razu byś go poznał, Amir-dżan, jestem tego pewien.

Weszliśmy do środka. W kącie siedziała młoda, jasnoskóra Hazarka. Szyła chustę. Była w zaawansowanej ciąży.

– To moja żona, Rahimie Chanie – powiedział z dumą Hassan. – Nazywa się Farzana-dżan.

Była nieśmiała i tak dobrze wychowana, że mówiła głosem cichym jak szept i nie podniosła na mnie ładnych, orzechowych oczu. Ale za to na Hassana patrzyła tak, jakby siedział na tronie w *Arg*.

– Kiedy? – zapytałem, gdy usiedliśmy w ich glinianej izdebce. Był tam tylko wytarty dywan, parę talerzy, dwa materace i lampa naftowa.

– W zimie, *Inszallach* – powiedział Hassan. – Modlę się, by to był chłopiec, bym mógł nadać mu imię po moim ojcu.

– No właśnie, a gdzie jest Ali?

Hassan spuścił wzrok. Powiedział mi, że Ali i jego krewny – ten, który był właścicielem domu – zginęli dwa lata temu na minie tuż przed Bamian. Na minie! Czy jest teraz bardziej afgańska śmierć, Amir-dżan? Sam nie wiem, dlaczego, ale jestem przeświadczony, że Alego zawiodła jego prawa, wykręcona przez chorobę noga, że to nią stąpnął na minę. Zasmuciłem się na wieść o jego śmierci. Jak wiesz, dorastałem razem z twoim ojcem, a Ali był u niego, od kiedy pamiętam. Pamiętam, jak byliśmy mali, Ali zachorował i o mało nie umarł. Twój ojciec chodził wtedy po domu i płakał cały dzień.

Farzana zrobiła nam *szorua* z fasolą, rzepą i ziemniakami. Umyliśmy ręce i zanurzaliśmy świeży, prosto z pieca *nan* w *szorua*. Dawno nie jadłem czegoś tak wspaniałego. Wtedy właśnie poprosiłem Hassana, aby przeniósł się do mnie, do Kabulu. Powiedziałem mu o domu, o tym, że sam nie dam rady go dłużej utrzymywać. Że dobrze zapłacę, że będzie tam jemu i jego chanum wygodnie. Spojrzeli na siebie. Nic nie odpowiedzieli. Potem, gdy znów umyliśmy ręce i Farzana podała nam winogrona, Hassan powiedział, że jego dom jest teraz tu, w tej wiosce, że tu chcą oboje spędzić resztę życia.

– Poza tym tak blisko stąd do Bamian. Mamy tam znajomych. Wybacz, Rahimie Chanie. Musisz nas zrozumieć.

– Oczywiście – powiedziałem. – Nie przepraszaj. Rozumiem.

Gdy piliśmy herbatę po posiłku, Hassan zapytał o ciebie. Powiedziałem mu, że jesteś w Ameryce, ale że niewiele o tobie wiem. Bo Hassan zarzucił mnie pytaniami: czy jesteś żonaty, czy masz dzieci, czy jesteś wysoki, czy dalej puszczasz latawce i chodzisz do kina, czy jesteś szczęśliwy? Powiedział, że w Bamian zaprzyjaźnił się z pewnym starym nauczycielem perskiego, który nauczył go czytać i pisać. Czy jeżeli do ciebie napisze, przekażę ci list? I czy według mnie mu odpiszesz? Powiedziałem, że wiem o tobie tyle, co z rozmów telefonicznych z twoim ojcem, i nie bardzo wiedziałem, co odpowiedzieć Hassanowi. Potem zapytał mnie o twojego ojca. Gdy mu powiedziałem, skrył twarz w dłoniach i wybuchnął płaczem. Płakał jak dziecko przez całą noc.

Uparli się, że muszę u nich zanocować. Farzana przygotowała mi posłanie i zostawiła mi przy nim szklankę studziennej wody, na wypadek, gdyby w nocy zachciało mi się pić. Przez całą noc słyszałem, że szeptała do Hassana. I słyszałem jego szloch.

Rano Hassan oznajmił mi, że postanowili wraz z Farzaną przenieść się do mnie, do Kabulu.

– Nie powinienem był tu przyjeżdżać – powiedziałem. – Miałeś rację, Hassan-dżan. Tu jest wasze *zendagi*, wasze życie. To wielkie uchybienie z mojej strony pojawić się tu i ni stąd, ni zowąd żądać, byście rzucili wszystko. To ja przepraszam.

– Nie mamy znowu tak wiele do rzucenia – powiedział Hassan wesoło, choć jego oczy były jeszcze zapuchnięte i zaczerwienione. – Pojedziemy z tobą. Zajmiemy się domem.

– Jesteście tego pewni?

Skinął głową i wbił wzrok w ziemię.

– Sahib aga był dla mnie jak drugi ojciec... Niech odpoczywa w pokoju.

Zebrali cały dobytek w kilka starych szmat, wiążąc ich końce. Zapakowaliśmy to wszystko do buicka. Hassan stanął na progu z Koranem w dłoni. Wychodząc, każde z nas ucałowało księgę. A potem pojechaliśmy do Kabulu. Gdy ruszałem, Hassan odwrócił się, by po raz ostatni popatrzeć na swój dom.

Gdy dotarliśmy na miejsce, okazało się, że Hassan nie zamierza wprowadzić się do domu.

– Przecież te wszystkie pokoje są puste, Hassan-dżan. Nikt w nich nie mieszka – powiedziałem.

Ale on nie dał się przekonać. Powiedział, że chodzi o *ihtiram*, szacunek. Wraz z Farzaną zanieśli swoje rzeczy do chatki na podwórzu, tej samej, w której się urodził. Błagałem go, aby zajął jeden z pokoi gościnnych na piętrze, ale nawet nie chciał o tym słyszeć.

– Co sobie pomyśli Amir aga? – powiedział mi. – Co sobie pomyśli, gdy po wojnie wróci do Kabulu i okaże się, że zająłem jego miejsce w tym domu?

A potem przez czterdzieści dni nosił żałobę po twoim ojcu.

Mimo moich protestów od razu przejęli całe gotowanie i sprzątanie. Hassan zajmował się też kwiatami w ogrodzie, podlewał je, zbierał pożółkłe liście, sadził krzewy róż. Odmalował mur. Wewnątrz domu zamiatał pokoje, w których od lat nikt nie mieszkał, czyścił nieużywane od lat łazienki. Amir-dżan, pamiętasz ten mur za kukurydzą, którą zasadził twój ojciec? Jak wyście to nazywali z Hassanem? „Ścianą chorej kukurydzy"? Jesienią tamtego roku, w środku nocy, rakieta zniszczyła cały ten fragment muru. Hassan odbudował go własnymi rękami, cegła po cegle. Nie wiem, jak bym sobie bez nich poradził.

Tej samej jesieni Farzana urodziła martwą dziewczynkę. Hassan ucałował nieruchomą twarzyczkę dziecka, po czym pochowaliśmy je w ogrodzie pod krzakiem róży. Mały kopczyk pokryliśmy liśćmi topoli. Odmówiłem modlitwę. Farzana przez cały dzień nie wychodziła z chatki i zawodziła – serce mi się krajało, Amir-dżan. Modlę się do Allacha, byś nigdy nie musiał słuchać takiego zawodzenia kobiety.

Za murem szalała wojna, ale w domu twego ojca nasza trójka znalazła przed nią schronienie. Pod koniec roku 1980 popsuł mi się wzrok, więc książki twojej matki czytał mi teraz Hassan. Siadaliśmy przy piecu w sieni, czytał mi Rumiego i Chajjama. Farzana gotowała w kuchni. Co rano Hassan kładł kwiat na kopczyku pod różanym krzakiem.

Na początku roku 1990 Farzana znów zaszła w ciążę. Tego samego roku, ale już w lecie, pewnego popołudnia zastukała do bramy kobieta w niebieskiej burce, chuście z otworem na oczy. Gdy podszedłem, chwiała się na nogach, jakby z wyczerpania. Zapytałem, czego chce, ale nie odpowiedziała.

– Kim pani jest? – zapytałem, ale w tej samej chwili ona upadła na podjazd. Zawołałem Hassana. Pomógł mi wnieść ją do domu, do salonu. Położyliśmy ją na kanapie i zdjęliśmy chustę. Okazało się, że to bezzębna staruszka o pozlepianych, siwych włosach i wrzodach na rękach. Wyglądała, jakby od wielu dni nie miała nic w ustach. Ale najgorsza była jej twarz: ktoś wziął nóż i... Amir-dżan, po prostu pociął ją w kratkę. Jedna z ran biegła od policzka do linii włosów, nie oszczędzając lewego oka. To było straszne. Zwilżyliśmy jej czoło szmatką, otworzyła oczy.

– Gdzie Hassan? – szepnęła.

– Tu jestem – powiedział, chwycił ją za dłoń i uścisnął.

Jej zdrowe oko powędrowało ku niemu.

– Szłam z daleka, aby zobaczyć, czy na jawie jesteś równie piękny, jak w moich snach. Jesteś. Nawet bardziej. – Przyciągnęła jego dłoń do swej poranionej twarzy. – Proszę cię, uśmiechnij się do mnie.

Hassan uśmiechnął się. Kobieta zaczęła płakać.

– Czy ktoś ci powiedział, że wychodząc ze mnie, też się uśmiechnąłeś? A ja nawet nie chciałam wziąć cię na ręce. Niech mi Allach przebaczy, nawet nie chciałam cię potrzymać.

Nikt z nas nie widział Sanaubar od czasu, gdy w roku 1964 uciekła z trupą śpiewaków i tancerzy wkrótce po urodzeniu Hassana. Ty, Amir, nigdy jej nie widziałeś, ale w młodości była cudownie piękna. Uśmiechała się i chodziła tak, że mężczyźni szaleli na jej punkcie. Każdy, wszystko jedno, mężczyzna czy kobieta, nie mogli się jej dość napatrzyć. A teraz...

Hassan puścił jej dłoń i wybiegł z domu. Chciałem go powstrzymać, ale mi uciekł. Zobaczyłem, że biegnie na wzgórze, to, na którym dawniej się bawiliście. Biegł, aż się kurzyło. Nie goniłem go. Cały dzień siedziałem przy Sanaubar, aż niebo z błękitnego stało się purpurowe. Zapadła noc, księżyc oblał swym blaskiem chmury, a Hassan nie wracał. Sanaubar płakała. Mówiła, że źle zrobiła, przychodząc tu, może jeszcze gorzej, niż uciekając. Zmusiłem ją, żeby została. Wiedziałem, że Hassan wróci.

Wrócił dopiero następnego dnia rano. Był zmęczony, znużony, jakby w ogóle nie kładł się spać. Uścisnął oburącz dłoń Sanaubar i powiedział jej, że może płakać, jeśli chce, ale nie musi: że teraz jest u siebie w domu, wśród swoich. Dotknął blizn na jej twarzy i powiódł palcami po jej włosach.

Hassanowi i Farzanie udało się ją wyleczyć. Wykarmili ją, odczyścili jej strój. Umieściłem ją w jednym z pokoi na piętrze. Czasem, gdy wyglądałem do ogrodu, widziałem Hassana i jego matkę, jak rozmawiali, klęcząc obok siebie i zbierając pomidory albo przycinając różany krzak. Pewnie usiłowali nadrobić stracony czas. O ile wiem, ani razu nie zapytał jej, gdzie była i czemu uciekła, ona zaś też o tym nie mówiła. No cóż, o pewnych rzeczach lepiej nie opowiadać.

Zimą, ale ciągle w tym samym roku, to właśnie Sanaubar przyjęła na świat Hassanowego syna. Śnieg jeszcze nie spadł, ale zimowe wiatry wiały już po ogrodzie i podwórzu, łamiąc kwiaty, wzniecając tumany zeschłych liści. Pamiętam dokładnie, jak Sanaubar wyszła z chatki, trzymając wnuka – cały był opatulony w wełniany koc. Stała rozpromieniona pod ciężkim, szarym niebem, łzy płynęły jej po policzkach, przejmujący wiatr targał jej włosy. Trzymała chłopca, jakby już nigdy nie chciała wypuścić go z rąk. Podała go Hassanowi, on podał go mnie, a ja odśpiewałem w maleńkie uszko modlitwę *Ajat-ul-kursi*.

Dali mu na imię Sohrab na cześć, jak wiesz, Amir-dżan, ulubionego bohatera Hassana z *Szahname*. Był to śliczny chłopczyk, słodki jak miód, usposobienie odziedziczył po ojcu. Żałuj, że nie widziałeś go z Sanaubar, Amir-dżan.

Stał się dla niej pępkiem świata. Szyła mu ubranka, robiła zabawki z kawałków drewna, szmatek i suchej trawy. Gdy chorował, nie spała całymi nocami i pościła przez trzy dni. Paliła za niego *isfand* w tygielku, aby odczynić *nazar*, urok. Gdy Sohrab miał dwa lata, zaczął nazywać ją „Sasa". Byli nierozłączni.

Sanaubar dożyła jego czwartych urodzin, a potem któregoś ranka po prostu się nie obudziła. Sprawiała wrażenie spokojnej, jakby wcale nie miała już nic przeciwko śmierci. Pochowaliśmy ją na cmentarzu na wzgórzu, tym z granatowym drzewem. Odmówiłem za nią modlitwę. Hassan bardzo przeżył jej stratę – zawsze bardziej boli stracić coś, co się miało, niż od początku tego nie mieć. Jeszcze bardziej przeżył to mały Sohrab. Chodził po domu i szukał swojej „Sasy". Ale wiesz, jak to dzieci – szybko zapomniał.

Wtedy – był już pewnie rok 1995 – S*zorawi* zostali pokonani i wypędzeni z Afganistanu. Kabul przeszedł w ręce Massuda, Rabbaniego i mudżahedinów. Dopiero teraz zrobiło się naprawdę strasznie, gdy jedni walczyli z drugimi. Nie byliśmy pewni dnia ani godziny. Uszy przyzwyczaiły się do świstu pocisków, odgłosów strzelaniny, oczy – do widoku ludzi wykopujących ciała z gruzów. Amir-dżan, w tamtych dniach Kabul był chyba prawdziwym piekłem na ziemi. Ale Allach nas strzegł. W Uazir Akbar Chan walki nie były tak zaciekłe jak gdzie indziej.

Gdy ostrzał rakietowy słabł, a strzelanina nieco przycichała, Hassan brał Sohraba do zoo, by oglądać lwa Marżana, albo do kina. Hassan nauczył syna strzelać z procy; w wieku lat ośmiu Sohrab doszedł w tym do wielkiej wprawy. Stawał na tarasie i potrafił strącić szyszkę, ustawioną na wiadrze po drugiej stronie podwórka. Ale Hassan nauczył go też czytać i pisać – nie pozwolił, by jego syn dorastał w analfabetyzmie jak on sam. Bardzo przywiązałem się do tego chłopca – w końcu przy mnie stawiał pierwsze kroki, wymówił pierwsze słowa. Kupowałem Sohrabowi książki dla dzieci w takiej księgarni koło kina Park – ją pewnie też już zniszczyli. Sohrab połykał je jedna po drugiej. Bardzo przypominał mi w tym ciebie, Amir-dżan, ty też uwielbiałeś czytać, gdy byłeś mały. Czasem czytałem mu przed zaśnięciem, zadawaliśmy sobie zagadki, uczyłem go karcianych sztuczek. Bardzo za nim tęsknię.

Zimą Hassan brał syna na turnieje latawców. Oczywiście nie było już takich zawodów jak dawniej, wszyscy bali się za długo zostawać poza domem, ale pojedyncze turnieje jeszcze się zdarzały. Hassan brał Sohraba na ramiona i biegli tak po ulicach, włazili na drzewa, by zdejmować latawce. Pamiętasz, Amir-dżan, jak Hassan świetnie łapał latawce? To mu zostało.

Pod koniec zimy Hassan i Sohrab wieszali zdobyte latawce na ścianach sieni – jak obrazy.

Opowiadałem ci już, jak wszyscy cieszyli się, gdy w roku 1996 talibowie zajęli Kabul i położyli kres codziennym walkom? Pamiętam, jak wróciłem tego wieczoru do domu i zastałem Hassana w kuchni. Słuchał radia. Był zafrasowany. Zapytałem go, co się stało. Pokręcił głową.

– Rahimie Chanie, niech Bóg ma teraz w opiece Hazarów – powiedział.

– Ale wojna już się skończyła, Hassan – odpowiedziałem. – A skoro tak, *Inszallach*, to czeka nas szczęście i spokój. Bez rakiet, bez zabijania, bez pogrzebów!

Ale Hassan tylko wyłączył radio i zapytał, czy jeszcze czegoś nie potrzebuję, bo idzie spać.

Kilka tygodni później talibowie zakazali turniejów latawców. A dwa lata później, w roku 1998, dokonali masakry Hazarów w Mazar-i-Szarif.

17

Rahim Chan powoli rozprostował nogi i oparł się o nagą ścianę ostrożnym, powolnym ruchem kogoś, komu każdy ruch sprawia nieznośny ból. Na zewnątrz rżał osioł, ktoś kogoś nawoływał po urdyjsku. Słońce już zaczynało zachodzić, przeświecając na czerwono w przerwach między nędznymi domami.

Na nowo przytłoczył mnie ogrom zbrodni, jakich dokonałem tamtej zimy i tamtego lata. Dzwoniły mi w głowie te imiona: Hassan, Sohrab, Ali, Farzana, Sanaubar... Gdy Rahim Chan wymówił imię Alego, czułem się, jakbym znalazł od wielu lat nieużywaną pozytywkę, która natychmiast zaczęła grać: „Ej, Babalu, kogoś dzisiaj zjadł? Kogoś dzisiaj zjadł, skośnooki Babalu?" Usiłowałem przypomnieć sobie twarz Alego, zobaczyć jego spokojne oczy, ale czas to żarłoczna bestia – wszystkie szczegóły najchętniej pożera sam.

– Czy Hassan wciąż mieszka w domu? – zapytałem.

Rahim Chan podniósł filiżankę do zeschniętych warg i pociągnął łyk herbaty. Potem z kieszeni na piersi wydobył kopertę. Podał mi ją.

– To do ciebie.

Rozdarłem zaklejoną kopertę. W środku znalazłem polaroidową fotografię i złożony list. Przez dobrą minutę wpatrywałem się w zdjęcie.

Przed bramą z kutego żelaza stał wysoki mężczyzna w turbanie i *czapan* w zielone pasy, przy nim – mały chłopiec. Słońce świeciło na nich nisko, od lewej, rzucając cień na okrągłą twarz mężczyzny. Mrużył oczy od blasku i uśmiechał się, ukazując brakujące przednie zęby. Nawet na tym lekko nieostrym zdjęciu mężczyzna w *czapan* emanował spokojem i pewnością siebie, co widać było po tym, jak stał, po jego skrzyżowanych rękach, po lekkim pochyleniu głowy. A przede wszystkim po uśmiechu. Patrząc na to zdjęcie, dochodziło się do wniosku, że temu człowiekowi życie potoczyło się szczęśliwie. Rahim Chan miał rację: natychmiast rozpoznałbym go w tłumie. Chłopiec stał na bosaka, jedną ręką obejmując udo mężczyzny, głowę opierając mu o biodro. Też się uśmiechał i też mrużył oczy od słońca.

Rozłożyłem list. Był napisany po persku. Nie brakowało ani jednej kropki, ani jednej kreski, ani jednego odstępu między słowami – pismo było tak staranne, że aż dziecinne. Zacząłem czytać:

W imię Allacha, Łaskawego, Miłosiernego,

Amirze ago, z najwyższym szacunkiem,

Farzana-dżan, Sohrab i ja modlimy się, by ten oto list zastał Cię w zdrowiu i w blasku łaski Allacha. Przekaż, proszę, nasze serdeczne podziękowanie Rahimowi Chanowi, że podjął się dostarczenia Ci tego pisma. Mam nadzieję, że kiedyś dane mi będzie wziąć do rąk Twoją odpowiedź, z której dowiem się, jak żyjesz w Ameryce. Może nawet ucieszy nasze oczy Twoje zdjęcie. Wiele mówiłem o tobie Farzanie-dżan i Sohrabowi, o naszym wspólnym dzieciństwie, zabawach i gonitwach. Śmieją się zawsze, gdy opowiadam im, jak kiedyś razem psociliśmy!

Amirze ago,

Niestety Afganistan naszej młodości już nie istnieje. Nie ma ludzkiej dobroci, tylko zabijanie, ciągłe zabijanie. W Kabulu strach jest wszędzie: na ulicach, na stadionie, na targach, stał się częścią naszego życia, Amirze ago. Naszym uatan rządzą teraz dzicy ludzie. Niedawno poszliśmy z Farzaną-dżan na bazar po ziemniaki i nan. Zapytała sprzedawcę, po ile ma ziemniaki, on jej nie dosłyszał, bo chyba był głuchy na jedno ucho. Zapytała więc głośniej, a wtedy podbiegł do nas młody talib i uderzył ją w udo drewnianym kijem. Tak mocno, że upadła. Krzyczał na nią, przeklinał i mówił, że Ministerstwo Popierania Cnoty i Zwalczania Występku nie pozwala, by kobiety mówiły głośno. Potem długo miała na nodze wielki siniak, ale ja mogłem tylko stać i patrzeć, jak bił mi żonę. Bo gdybym stanął w jej obronie, ten pies na pewno z rozkoszą by mnie zastrzelił! Co wtedy stałoby się z naszym Sohrabem? Już i tak ulice pełne są głodnych sierot. Codziennie też dziękuję Allachowi, że żyję. Nie dlatego, żebym bał się śmierci, ale dlatego, że moja żona ma męża, a syn – rodziców.

Tak bym chciał, abyś kiedyś zobaczył Sohraba. Dobry z niego chłopak. Wraz z sahibem Rahimem Chanem nauczyliśmy go czytać i pisać, żeby nie dorastał w głupocie jak jego ojciec. A jak strzela z procy! Czasem biorę go do miasta i kupuję mu słodycze. W Szar-e-Nau wciąż jeszcze jest ten z małpą, więc gdy go spotykamy, zawsze mu płacę, aby małpa zatańczyła dla Sohraba. Żebyś Ty widział, jak on się wtedy cieszy! Często chodzimy we dwóch na cmentarz na wzgórzu. Pamiętasz, jak siadywaliśmy tam razem pod granatem i czytaliśmy Szahname? Wzgórze wyschło już na pieprz, drzewo od dawna nie ma owoców, ale wraz z Sohrabem nadal czytamy w jego cieniu Szahname. Oczywiście nie muszę Ci mówić, że jego ulubiony fragment to opowieść o jego imienniku Sohrabie i Rostamie. Niedługo już sam będzie umiał sobie o tym przeczytać. Jestem bardzo dumnym i szczęśliwym ojcem.

Amirze ago,
Sahib Rahim Chan jest bardzo chory. Kaszle cały dzień, a gdy ociera usta, widzę krew. Bardzo stracił na wadze. Bardzo się staram, aby jadł choć trochę szorua z ryżem, które gotuje mu Farzana-dżan, ale on zje najwyżej parę kęsów – a i to chyba tylko z grzeczności względem Farzany-dżan. Bardzo się martwię o tego szlachetnego człowieka i codziennie modlę się za niego. Za parę dni wyjedzie do Pakistanu do lekarza i może, Inszallach, powróci z dobrymi wieściami. W duchu jednak boję się o niego. Wraz z Farzaną--dżan powiedzieliśmy Sohrabowi, że sahib Rahim Chan wyzdrowieje. Czy można było inaczej? Chłopiec ma dopiero dziesięć lat i uwielbia sahiba. Są sobie tacy bliscy! Dawniej sahib Rahim Chan brał Sohraba na bazar i kupował mu baloniki i słodycze, ale teraz jest już na to za słaby.

Ostatnio wiele mi się śni, Amirze ago. Czasem śnią mi się rzeczy złe, na przykład ciała gnijące na splamionej krwią murawie stadionu. Budzę się wtedy spocony i bez tchu. Ale częściej śnią mi się dobre rzeczy i dziękuję za to Allachowi. Śni mi się, że sahib Rahim Chan wyzdrowieje, że mój syn wyrośnie na dobrego człowieka, wolnego człowieka, ważnego człowieka. Śni mi się, że kwiaty laula znów zakwitną na ulicach Kabulu, że w herbaciarniach znów zabrzmi muzyka rubab, że na niebie znów pojawią się latawce. I śni mi się, że pewnego dnia i Ty wrócisz do Kabulu, do kraju dzieciństwa. Jeżeli tak się stanie, czeka tu na Ciebie stary, wierny przyjaciel.

Niech Allach zawsze będzie z Tobą.

Hassan

Dwa razy przeczytałem ten list. Z powrotem złożyłem kartkę i znów długo wpatrywałem się w zdjęcie. Potem i jedno, i drugie włożyłem do kieszeni.

– Co u niego słychać? – zapytałem.

– Ten list został napisany pół roku temu, na kilka dni przed moim wyjazdem. Miesiąc później zatelefonował do mnie jeden z moich sąsiadów z Kabulu. Opowiedział mi, że gdy tylko wyjechałem, rozeszły się plotki, że jakaś rodzina Hazarów mieszka całkiem sama w wielkim domu w Uazir Akbar Chan. Albo że przynajmniej tak opowiadają talibowie. Zaraz przyszło tam ich dwóch, by przesłuchać Hassana. Oskarżyli go o kłamstwo, gdy powiedział, że mieszka tam ze mną, choć wielu sąsiadów, w tym również mój rozmówca, poświadczyli prawdę jego słów. Talibowie powiedzieli, że Hassan jest oszustem i złodziejem jak wszyscy Hazarowie i nakazali mu opuścić dom przed zachodem słońca. Hassan protestował, ale obaj talibowie już patrzyli na dom jak... jak on to powiedział... „jak wilki na stado owiec". Oznajmili Hassanowi, że sami się tu wprowadzą, rzekomo po to, by dopilnować posiadłości do powrotu prawowitego właściciela. Hassan wciąż protestował, więc wyprowadzili go na ulicę...

– Nie. – Nagle zabrakło mi tchu.

– ...kazali mu klęknąć...

– Nie. Boże. Nie.

– ...i zabili go strzałem w tył głowy.

– Nie.

– ...Farzana wybiegła z krzykiem i rzuciła się na nich...

– Nie.

– ...Ją też zastrzelili. Potem mówili, że działali w obronie własnej...

Ale ja mogłem już tylko szeptać w kółko:

– Nie. Nie. Nie.

Nie mogłem przestać myśleć o tym dniu w roku 1974, gdy wszyscy – Baba, Rahim Chan, Ali i ja – zebraliśmy się w szpitalu przy łóżku Hassana tuż po operacji jego zajęczej wargi. Gdy patrzyliśmy, jak spogląda na siebie w lustrze. A teraz wszyscy, którzy tam byli, albo nie żyją, albo zaraz umrą. Poza mną.

A potem inny obraz: człowiek w długiej szacie przystawia lufę kałasznikowa do karku Hassana. Huk wystrzału odbija się echem po ulicy, przy której stoi dom mego ojca. Hassan ciężko pada na asfalt, a jego życie, pełne nieodwzajemnionej wierności, ulatuje z niego jak niesione wiatrem latawce, które tak świetnie umiał łapać.

– Talibowie wprowadzili się do domu – mówił dalej Rahim Chan. – Rzekomo dlatego, że wypędzili tego, który chciał go sobie przywłaszczyć. Nikt nie powiedział ani słowa, pewnie głównie ze strachu przed talibami, ale i dlatego, że nikt nie chciał narażać się dla dwojga hazarskich służących.

– Co zrobili z Sohrabem? – zapytałem. Byłem zmęczony, pusty. Rahima Chana chwycił długi atak kaszlu. Gdy wreszcie uniósł głowę, miał zaczerwienioną twarz i przekrwione oczy.

– Dowiedziałem się, że jest w jakimś sierocińcu w Karte-Se. Amir-dżan...

Ale znów się rozkaszlał. Gdy mu przeszło, wyglądał jeszcze starzej niż chwilę temu, zupełnie jakby starzał się z każdym napadem kaszlu.

– Amir-dżan, wezwałem cię tu, bo chciałem jeszcze raz popatrzeć na ciebie przed śmiercią. Ale to nie wszystko.

Milczałem. Chyba już wiedziałem, co powie.

– Jedź do Kabulu. Po Sohraba.

Brakowało mi słów. Przecież jeszcze nie zdążyłem oswoić się z myślą o śmierci Hassana.

– Wysłuchaj mnie. Znam tu, w Peszawarze, amerykańskie małżeństwo. Nazywają się Betty i Thomas Caldwell. To chrześcijanie, prowadzą małą agencję dobroczynną za pieniądze prywatnych sponsorów. Głównie zajmują się chowaniem i karmieniem afgańskich dzieci, które straciły rodziców. Byłem u nich. Jest czysto i bezpiecznie, dzieci mają dobrą opiekę, a sami Caldwellowie to dobrzy ludzie. Już mi powiedzieli, że chętnie przyjmą Sohraba, i...

– Rahimie Chanie, chyba nie mówisz poważnie.

– Dzieci są delikatne. Kabul już teraz pełen jest zmarnowanych dzieci, nie chcę, by Sohrab stał się jednym z nich.

– Rahimie Chanie, nie chcę, nie mogę jechać do Kabulu!

– Sohrab to zdolny chłopiec. Tutaj ma szansę na nowe życie, nową nadzieję, na ludzi, którzy mogą go pokochać. Thomas aga to dobry człowiek, Betty chanum jest miła. Żałuj, że nie wiedziałeś, jak traktuje swoje sierotki...

– Ale dlaczego ja? Nie można komuś zapłacić? Jeśli chodzi o pieniądze, zapłacę.

– Nie chodzi o pieniądze, Amir-dżan! – ryknął Rahim Chan. – Jestem umierający, nie pozwolę, by mnie obrażano! Wiesz dobrze, że mnie nigdy nie chodziło o pieniądze. A dlaczego ty? No, chyba obaj wiemy dlaczego.

Nie chciałem zrozumieć tej ostatniej uwagi, ale zrozumiałem. Aż za dobrze.

– Ale ja mam w Ameryce żonę, dom, pracę, rodzinę... W Kabulu jest niebezpiecznie, wiesz dobrze, i chcesz, żebym narażał się dla... – Urwałem.

– A wiesz – powiedział Rahim Chan – że kiedyś, gdy ciebie nie było, rozmawiałem z twoim ojcem. Wiesz, jak wtedy martwił się o ciebie. Pamiętał, że powiedział mi: „Rahim, jeżeli chłopak sam nie umie się bronić, to wyrośnie z niego mężczyzna, który nie umie bronić niczego". Czy rzeczywiście tak się stało?

Spuściłem wzrok.

– Proszę cię tylko, byś spełnił ostatnie życzenie umierającego – powiedział z całą powagą.

Rzucił na szalę wszystko. Zagrał najsilniejszą kartą. A przynajmniej tak mi się wtedy zdawało. Jego słowa wisiały między nami jak w próżni, ale on przynajmniej wiedział, co chce powiedzieć. Ja za to wciąż usiłowałem dobrać właściwe słowa – a przecież to ja z nas dwóch byłem pisarzem. W końcu udało mi się wykrztusić:

– Może Baba miał rację.

– Szkoda, że tak myślisz, Amir.

Nie miałem odwagi spojrzeć mu w oczy.

– A ty tak nie uważasz?

– Gdybym tak uważał, nie wezwałbym cię tutaj.

Bawiłem się obrączką.

– Ty zawsze miałeś o mnie zbyt dobre mniemanie.

– A ty zawsze byłeś dla siebie zbyt surowy. – Zawahał się. – Ale jest jeszcze coś. Coś, czego nie wiesz.

– Rahimie Chanie, proszę cię...

– Sanaubar nie była pierwszą żoną Alego.

Dopiero teraz uniosłem wzrok.

– On był już przedtem żonaty. Z pewną Hazarką z okolic Dżagori. Na długo przed twoim urodzeniem. Byli małżeństwem przez trzy lata.

– A cóż to ma do rzeczy?

– Gdy po trzech latach nie doczekali się potomstwa, rzuciła go i wyszła za jednego człowieka z Chost. I jemu urodziła trzy córki. Rozumiesz, do czego zmierzam?

Rzeczywiście zaczynałem rozumieć. Ale nie chciałem go słuchać. Ja miałem w Kalifornii spokojne życie, dobre małżeństwo, obiecującą karierę pisarską, kochających teściów... Na co mi to wszystko?

– Ali nie mógł mieć dzieci – powiedział Rahim Chan.

– Nieprawda. Przecież miał z Sanaubar Hassana. Mieli Hassana...

– Nie mieli – odparł Rahim Chan.

– Mieli!

– Nie mieli, Amir.

– To kto...

– Chyba wiesz kto.

Poczułem się jak ktoś, kto zsuwa się w przepaść, na próżno usiłując chwytać się krzaków i cierni. Pokój wirował, chwiał się na wszystkie strony.

– A Hassan wiedział? – zapytałem jakby obcymi wargami.

Rahim Chan zamknął oczy. I pokręcił głową.

– Świnie – wymamrotałem. Wstałem. – Cholerne świnie! – Teraz już wrzeszczałem. – Cholerne, kłamliwe świnie!

– Siadaj – powiedział Rahim Chan.

– Jak on mógł zataić to przede mną? I przed nim? – krzyczałem.

– Amir-dżan, błagam cię, pomyśl przez chwilę. To wstydliwa sprawa. Ludzie zaraz zaczęliby gadać. W tamtych czasach człowiek miał tylko jedno: honor. A jakby ludzie zaczęli gadać... Nikomu nie mogliśmy powiedzieć, musisz to zrozumieć.

Próbował mnie zatrzymać, ale strąciłem jego dłoń z ramienia i ruszyłem do drzwi.

– Amir-dżan, proszę cię, nie odchodź.

Otworzyłem drzwi i odwróciłem się do niego.

– A dlaczego mam zostać? Co jeszcze możesz mi powiedzieć? Mam trzydzieści osiem lat i teraz dowiaduję się, że całe moje dotychczasowe życie było jednym wielkim, pieprzonym kłamstwem! Co takiego możesz teraz powiedzieć, żeby poprawić mi humor? Nic! Nic a nic!

I wyszedłem, trzaskając drzwiami.

18

Słońce już prawie zaszło, na niebie zostały tylko purpurowo-czerwone plamy. Szedłem ruchliwą, wąską uliczką wiodącą od domu Rahima

Chana przez labirynt podobnych, hałaśliwych ulic, pełnych przechodniów, rowerów i riksz. Na rogach wisiały billboardy reklamujące coca-colę i papierosy; plakaty zachwalające filmy z pakistańskich wytwórni filmowych, z tak zwanego Lollywood, ukazywały aktorki o namiętnym wyrazie twarzy, tańczące po ukwieconych łąkach z przystojnymi, smagłymi mężczyznami.

Wszedłem do małej, zadymionej herbaciarni i zamówiłem filiżankę czarnej herbaty. Przechyliłem się w tył na tylnych nogach krzesła i potarłem twarz. Uczucie powolnego spadania jakby mijało, ale za to czułem się jak ktoś, kto obudził się we własnym domu i zauważył, że wszystkie meble zostały poprzestawiane, że każdy znajomy dotąd kąt wygląda teraz dziwnie i obco, i teraz ten ktoś usiłuje na nowo ocenić otoczenie, na nowo się we wszystkim zorientować.

Jak ja mogłem być tak ślepy? Przecież wszystkie znaki na to właśnie wskazywały. Teraz zrozumiałem i to, że Baba sprowadził doktora Kumara, by zoperował Hassanowi zajęczą wargę, i to, że Baba nigdy nie zapominał o urodzinach Hassana. Przypomniałem sobie dzień, w którym zapytałem Babę, czy nie myśli o wynajęciu nowej służby. I jak on mnie ofuknął: „Hassan zostanie. Zostanie tu, z nami, tu, gdzie jest jego miejsce. Tu jest jego dom, jesteśmy jego rodziną". I jak płakał – Baba płakał! – gdy Ali oznajmił mu, że odchodzi wraz z Hassanem.

Kelner postawił przede mną filiżankę. W miejscu, w którym nogi stolika krzyżowały się na kształt litery X znajdował się pierścień mosiężnych kulek wielkości orzecha włoskiego. Jedna z nich obluzowała się, więc pochyliłem się, by ją dokręcić. Szkoda, że równie łatwo nie mogę naprawić własnego życia. Pociągnąłem łyk najczarniejszej od wielu lat herbaty i usiłowałem myśleć o Soraj, o generale i chali Dżamili, o powieści, którą mam dokończyć. Usiłowałem patrzeć na śpieszących ulicą ludzi, to wchodzących do małych cukierni, to wychodzących. Usiłowałem słuchać muzyki *kawali*, płynącej z radia tranzystorowego przy sąsiednim stoliku. Usiłowałem wszystkiego, ale wciąż widziałem tylko twarz Baby w dzień rozdania świadectw maturalnych, siedzącego we właśnie ofiarowanym mi fordzie, woniejącego piwem i mówiącego: „Szkoda, że nie ma dziś z nami Hassana".

Jak on mógł tak kłamać? Przez tyle lat! Mnie i Hassanowi? Przecież sam kiedyś wziął mnie na kolana, popatrzył mi głęboko w oczy i powiedział: „Tak naprawdę istnieje tylko jeden grzech. Kradzież. Kto kłamie, kradnie komuś innemu prawo do prawdy". Sam to powiedział! A teraz, w piętnaście lat po tym, jak go pochowałem, dowiaduję się, że Baba był złodziejem. I to najgorszym z możliwych, bo ukradł to, co najświętsze. Mnie okradł z prawa do wiedzy, że mam brata, Hassana z jego tożsamości, Alego z honoru, z jego *nang* i *namos*.

Pytania nie ustawały: jak Baba mógł spojrzeć Alemu w twarz? Jak Ali mógł mieszkać w tym domu, wiedząc, że został pohańbiony przez swego pana w sposób najgorszy dla Afgańczyka? I jak ja mam teraz pogodzić ten nowy wizerunek Baby z tym, który od tak dawna odcisnął się w mojej świadomości: gdy w brązowym garniturze kusztyka po podjeździe Taherich, by w moim imieniu poprosić o rękę Sorai?

Oto kolejny zwrot, który nie spodobałby się mojemu nauczycielowi z uniwersytetu: „niedaleko pada jabłko od jabłoni". Tylko że to prawda. Okazało się, że jesteśmy z Babą bardziej do siebie podobni, niż mi się zdawało. Obaj zdradziliśmy kogoś, kto był gotowy oddać za nas życie. I wtedy uświadomiłem sobie, że Rahim Chan wezwał mnie tutaj, abym odkupił nie tylko własne grzechy.

Powiedział mi przed chwilą, że zawsze byłem dla siebie zbyt surowy. Czy miał rację? Rzeczywiście: to nie ja pchnąłem Alego na minę, nie ja sprowadziłem talibów do naszego domu, by zastrzelili Hassana. Tak – ale to ja sprawiłem, że musieli odejść. Czy to takie trudne wyobrazić sobie, że gdybym tego nie zrobił, wszystko potoczyłoby się inaczej? Bo może Baba zabrałby ich do Ameryki. Może Hassan miałby teraz własny dom, pracę, rodzinę, własne życie – w kraju, w którym nikogo nie obchodziło, że jest Hazarą, w którym mało kto wiedział w ogóle, co to Hazara. Może nie. Ale może – tak.

Powiedziałem Rahimowi Chanowi: „Nie mogę jechać do Kabulu. Mam w Ameryce żonę, dom, pracę, rodzinę". Ale jak ja teraz mogę spakować się i wrócić do domu, gdy moje postępowanie przekreśliło szanse Hassana na takie życie?

Żałowałem, że Rahim Chan mnie wezwał. Żałowałem, że nie pozwolił mi żyć w nieświadomości. Ale on mnie wezwał. A to, co mi powiedział, zmieniło wszystko. Uświadomiło, że całe moje życie jeszcze na długo przed zimą roku 1975, na długo przed tym, gdy karmiła mnie owa rozśpiewana Hazarka, było stekiem kłamstw, zdrady i tajemnic.

Powiedział mi: „Znowu można być dobrym".

A więc mogę przerwać ten zaklęty krąg.

Z pomocą małego chłopca. Sieroty. Syna Hassana. Gdzieś w Kabulu.

Wracając rikszą do mieszkania Rahima Chana, przypomniałem sobie, co kiedyś usłyszałem od Baby: że ktoś zawsze musi za mnie walczyć. Teraz mam trzydzieści osiem lat. Zaczynam łysieć i siwieć, ostatnio dostrzegłem też w kącikach oczu drobne zmarszczki. Teraz jestem starszy, ale może nie za stary, żeby wreszcie zacząć walczyć za siebie. Jak się okazuje, Baba kłamał, ale nie w tym wypadku.

Jeszcze raz spojrzałem na twarz na zdjęciu oświetloną promieniami słońca. Na twarz mojego brata. Hassan kochał mnie kiedyś, kochał mnie tak, jak nigdy nie kochał mnie nikt. Teraz już go nie ma, ale żyje jakaś jego cząstka. Żyje – gdzieś w Kabulu.

Żyje i czeka.

Gdy wróciłem, Rahim Chan odmawiał właśnie *namaz*, klęcząc w rogu pokoju. Widziałam jedynie jego zarys, kiwający się w stronę wschodu na tle krwistoczerwonego nieba. Poczekałem, aż skończy.

Wtedy powiedziałem mu, że jadę do Kabulu. I że rano może zatelefonować do Caldwellów.

– Będę się za ciebie modlił – powiedział.

19

Znowu nudności. Napływ śliny do ust poczułem, jeszcze nim minęliśmy podziurawiony kulami napis WITAMY NA PRZEŁĘCZY CHAJBER. Żołądek jakby skręcił mi się i skurczył. Farid, mój kierowca, obrzucił mnie chłodnym spojrzeniem. W jego oczach jakoś nie było współczucia.

– Czy można otworzyć okno? – zapytałem.

Zapalił papierosa i trzymał go między dwoma, jakie mu zostały, palcami ręki trzymanej na kierownicy. Nie spuszczając swych czarnych oczu z drogi, pochylił się do przodu, podniósł leżący pod nogami śrubokręt i podał mi go. Wepchnąłem ostrze w mały otwór w drzwiach, w miejscu, gdzie kiedyś znajdowała się korbka, i zacząłem opuszczać szybę.

Farid jeszcze raz obrzucił mnie pogardliwym i tym razem niemal wrogim spojrzeniem i znów zajął się papierosem. Od wyjazdu z Dżamrudu zaszczycił mnie może dziesięcioma słowami.

– *Taszakor* – wymamrotałem. Wychyliłem się przez okno, by chłodne, popołudniowe powietrze owiało mi twarz. Droga na przełęcz Chajber, wiodąca przez tereny należące do różnych górskich plemion, wijąca się między łupkowymi i wapiennymi zboczami, była dokładnie taka, jak ją sobie zapamiętałem – jechałem już tędy z Babą w roku 1974. Nagie, strzeliste góry wznosiły się z głębokich wąwozów po wystrzępione szczyty. Na grzbietach wznosiły się stare, rozpadające się fortece z glinianej cegły. Próbowałem patrzeć wyłącznie na bielejące na północy pasmo Hindukuszu, ale za każdym razem, gdy żołądek trochę mi się uspokajał, terenowa toyota brała kolejny zakręt, wywołując u mnie kolejny napad mdłości.

– Masz cytrynę.

– Co?

– Cytrynę. Pomaga na nudności – powiedział Farid. – Zawsze biorę jedną na drogę.

– Nie, dziękuję – odpowiedziałem. Sama myśl, że w żołądku mogłoby mi się zrobić jeszcze kwaśniej, omal nie doprowadziła mnie do wymiotów. Farid uśmiechnął się złośliwie.

– Wiem, wiem, to nie amerykańskie lekarstwo. To tylko stary sposób mojej mamy.

Już pożałowałem, że zmarnowałem taką świetną okazję, by choć trochę zmienił o mnie zdanie.

– W takim razie jednak spróbuję.

Sięgnął na tylne siedzenie po papierową torbę, z której wyjął pół cytryny. Zacisnąłem na niej zęby i odczekałem parę minut.

– Masz rację, już mi lepiej – skłamałem. Jako Afgańczyk wiedziałem, że lepiej cierpieć, niż wydać się źle wychowanym. Zmusiłem się nawet do lekkiego uśmiechu.

– Stary sposób *uatani*, nam nie trzeba fikuśnych lekarstw – powiedział Farid nieco, ale tylko nieco, łagodniejszym tonem. Strzepnął popiół z papierosa i popatrzył na siebie z uwielbieniem w lusterko wsteczne. Był Tadżykiem, chudym, ciemnoskórym, o ogorzałej twarzy, wąskich ramionach i długiej szyi z jabłkiem Adama, które przebijało się przez jego brodę, gdy kręcił głową. Ubrany był mniej więcej tak jak ja, choć może raczej było właśnie na odwrót: w grubo tkany wełniany koc, zawinięty wokół szarego *pirhantumban* i kurtki bez rękawów. Na głowie miał brązowy *pakol*, lekko przekrzywiony na bok, w stylu tadżyckiego bohatera Ahmada Shaha Massuda, zwanego przez tadżyków „Lwem Panczsziru".

Z Faridem poznał mnie w Peszawarze Rahim Chan. Powiedział mi, że Farid ma dwadzieścia dziewięć lat, choć nieufna, pomarszczona twarz mogła należeć do kogoś starszego o lat dwadzieścia. Urodził się w Mazar-i-Szarif i mieszkał tam do dziesiątego roku życia, gdy wraz z ojcem i całą rodziną przeprowadził się do Dżalalabadu. Gdy miał czternaście lat, ojciec zabrał go na dżihad przeciw *Szorawim*. Walczyli w dolinie Panczsziru całe dwa lata, zanim ojciec zginął rozszarpany na strzępy ogniem z helikoptera. Farid mógł pochwalić się dwiema żonami i pięciorgiem dzieci.

– Miał siedmioro – powiedział mi z żalem Rahim Chan, ale kilka lat wcześniej dwie jego córki zginęły od wybuchu miny, na której stracił też palce u nóg i trzy palce lewej dłoni. Gdy to się stało, przeniósł się do Peszawaru.

– Kontrola – mruknął ponuro Farid. Obniżyłem się nieco na siedzeniu, krzyżując ręce na piersi, na chwilę zapominając o nudnościach. Obawy okazały się płonne: dwaj Palestyńczycy podeszli do zdezelowanej toyoty Farida, zajrzeli do środka i zaraz kazali jechać.

Farid był pierwszym punktem na liście spraw do załatwienia przed wyjazdem, którą sporządziliśmy z Rahimem Chanem. Na liście znalazły się poza tym różne rzeczy potrzebne w podróży: wymiana dolarów na pieniądze kaldarskie i afgańskie, mój strój i *pakol* – jak na ironię przez cały czas, gdy mieszkałem w Afganistanie, ani razu czegoś takiego nie włożyłem – zdjęcie Hassana i Sohraba i wreszcie rzecz może najważniejsza: sztuczna broda, czarna i długa, spełniająca wymogi szariatu – a przynajmniej szariatu w wydaniu talibów. Rahim Chan miał znajomego w Peszawarze, który trudnił się ich wyrobem, między innymi na użytek zachodnich dziennikarzy pracujących w Afganistanie.

Rahim Chan usiłował namówić mnie, abym został z nim jeszcze parę dni dłużej, by wszystko dokładniej zaplanować. Ja jednak wiedziałem, że muszę wyjechać jak najszybciej. Bałem się, że się rozmyślę. Bałem się, że zacznę się zastanawiać, dzielić włos na czworo, rozważać wszelkie za i przeciw, i w końcu przekonam sam siebie, aby nie jechać. Bałem się, że na drodze stanie mi moje nowe życie w Ameryce, że wejdę z powrotem do tej wielkiej rzeki i pozwolę sobie zapomnieć, pozwolę, by to, czego dowiedziałem się przez ostatnich kilka dni, opadło znów na dno. Bałem się, że porwie mnie ta wielka woda, że nie pozwoli mi zrobić tego, co zrobić musiałem. Że na nowo rozdzieli mnie z Hassanem. I z przeszłością, która właśnie do mnie wróciła. Że zaprzepaszczę tę ostatnią szansę zmazania win. Wyjechałem więc, zanim to wszystko zdążyło się zdarzyć. Soraja nie mogła się dowiedzieć, że wracam do Afganistanu, bo natychmiast, pierwszym samolotem, zjawiłaby się w Peszawarze.

Przekroczyliśmy granicę. Wszędzie widać było oznaki straszliwej nędzy. Po obu stronach drogi pojawiały się tu i ówdzie wioski, jak porzucone zabawki wśród kamieni, rozsypujące się domki z gliny i chaty składające się tylko z czterech słupów i podartego brezentu zamiast dachu. Przed chatami obdarte dzieci uganiały się za piłką. Kilka kilometrów dalej zobaczyłem gromadę mężczyzn siedzących w kucki jak wrony na dawno wypalonym kikucie sowieckiego czołgu. Wiatr rozwiewał im narzucone na ramiona koce. Za nimi kobieta w brązowej chuście niosła wielki gliniany dzban ścieżką wśród glinianych chat.

– To dziwne – powiedziałem.

– Co dziwne?

– Jestem we własnym kraju, a czuję się jak turysta – powiedziałem, patrząc na pasterza, prowadzącego kilka wynędzniałych kóz poboczem drogi.

Farid znów uśmiechnął się złośliwie. Odrzucił papierosa.

– Dalej uważasz, że to twój kraj?

– Chyba zawsze tak będę uważał – powiedziałem, ale chyba zbyt szybko.

– Po dwudziestu latach w Ameryce? – pytał, wymijając dziurę w drodze wielkości piłki plażowej.

Skinąłem głową.

– Dorastałem w Afganistanie.

Złośliwy uśmiech teraz już ani na chwilę nie znikał mu z twarzy.

– Czemu się śmiejesz?

– Mniejsza z tym – mruknął.

– Nie, chcę wiedzieć. Czemu się śmiejesz?

Zobaczyłem w lusterku, że coś mignęło mu w oczach.

– Chcesz wiedzieć? – powtórzył pogardliwie. – Niech zgadnę, ago sahibie: pewnie mieszkałeś w wielkim, piętrowym albo nawet dwupiętrowym domu, z ładnym ogrodem, w którym twój ogrodnik sadził ci kwiaty i drzewa owocowe. Oczywiście otoczonym murem, z piękną bramą. Twój ojciec jeździł amerykańskim samochodem, mieliście służbę, pewnie Hazarów. Rodzice sprowadzali ludzi do pracy, gdy trzeba było udekorować dom na wykwintne *mehmani*, żeby goście mogli przyjść się napić i pochwalić podróżami po Europie i Ameryce. I założę się o oczy mojego pierworodnego, że pierwszy raz w życiu masz na sobie *pakol*. – Uśmiechnął się, ukazując garnitur przedwcześnie zepsutych zębów. – Zgadłem?

– Ale dlaczego mówisz mi to wszystko?

– Bo pytasz – rzucił. Wskazał na wlokącego się skrajem drogi starca dźwigającego na plecach wielki tobół z sianem. – To jest prawdziwy Afganistan, sahibie ago. Ja znam taki Afganistan. A ty? Ty zawsze byłeś tu turystą, tylko o tym nie wiedziałeś.

Rahim Chan zdążył mnie uprzedzić, żebym nie oczekiwał w Afganistanie zbyt miłego przyjęcia ze strony tych, którzy zostali, aby walczyć.

– Współczuję ci z powodu ojca – powiedziałem. – I córek. I ręki.
– To nic dla mnie nie znaczy – odparł. Pokręcił głową. – A w ogóle to po co ty tu wracasz? Sprzedać ziemię swojego Baby? Wziąć forsę i uciec do mamusi, do Stanów?
– Moja matka umarła, gdy mnie rodziła – odpowiedziałem.
Westchnął i zapalił kolejnego papierosa. Milczał.
– Zjedź na pobocze.
– Co?
– Zjedź na pobocze, cholera, bo będę rzygał!
Wytoczyłem się z samochodu w ostatniej chwili.

Pod wieczór krajobraz się zmienił: spalone słońcem szczyty i kamieniste zbocza ustąpiły miejsca zieleni i polom uprawnym. Zjeżdżaliśmy z Landi Kotal przez ziemie Szinwari do Landi Chana. Do Afganistanu wjechaliśmy w Torcham. Po obu stronach drogi pojawiły się sosny, rzadziej, niż pamiętałem, i często ogołocone z igieł, ale i tak przyjemnie było znów zobaczyć drzewa po ciężkiej drodze z przełęczy Chajber. Zbliżaliśmy się do Dżalalabadu, gdzie mieliśmy przenocować u brata Farida.

Do miasta wjechaliśmy tuż przed zachodem słońca. Stolica stanu Nangarhar słynęła kiedyś z owoców i ciepłego klimatu. Farid jechał wzdłuż porządnych niegdyś, kamiennych budynków śródmieścia. Znów było tam mniej palm, niż pamiętałem z poprzednich pobytów; niektóre domy zmieniły się w pozbawione dachów ściany i kupy drobnego, glinianego gruzu.

Farid skręcił w wąską niebrukowaną drogę i zaparkował toyotę przy wyschniętym rynsztoku. Wysunąłem się z mojego miejsca, przeciągnąłem i wziąłem głęboki wdech. Dawniej w Dżalalabadzie wiatr przynosił z okolicznych pól trzciny cukrowej słodki zapach, który rozchodził się po całym mieście. Zamknąłem oczy i czekałem, by znów go poczuć. Ale na próżno.

– Chodźmy – powiedział niecierpliwie Farid. Ruszyliśmy drogą, minęliśmy kilka bezlistnych topoli rosnących wzdłuż rzędu chylących się ku upadkowi glinianych murków. Farid poprowadził mnie do drzwi zaniedbanego, parterowego domku. Zapukał w ich nieheblowane deski.

Przez szparę w drzwiach wyjrzała młoda kobieta o oczach koloru morskiej wody, w białej burka na głowie. Najpierw zobaczyła mnie, wzdrygnęła się, potem dostrzegła Farida i oczy jej pojaśniały.

– *Salam alejkum*, kaka Farid!

– *Salam*, Mariam-dżan – odpowiedział Farid i obdarzył ją tym, czego skąpił mnie: ciepłym uśmiechem. Ucałował ją w czoło. Kobieta cofnęła się, robiąc nam przejście, ale nadal patrzyła na mnie z pewną obawą, gdy za Faridem wchodziłem do środka.

Gliniane sklepienie było niskie, ściany – zupełnie nagie, jedyne źródło światła stanowiły dwie lampy naftowe zawieszone w kącie. Zdjęliśmy buty i wstąpiliśmy na pokrywającą klepisko słomianą matę. Pod jedną ze ścian, na materacu przykrytym wystrzępionym kocem, siedziało ze skrzyżowanymi nogami trzech młodych chłopców. Wysoki, brodaty mężczyzna podniósł się, aby nas powitać. Uścisnęli się z Faridem, ucałowali w oba policzki. Farid przedstawił mi go jako swego starszego brata Wahida.

– On jest z Ameryki – powiedział do Wahida, wskazując na mnie kciukiem. Zostawił nas i poszedł się przywitać z chłopcami.

Wahid usiadł wraz ze mną pod ścianą naprzeciw chłopców, którzy rzucili się na Farida i wdrapywali mu się na ramiona. Mimo moich zapewnień, że nie trzeba, Wahid kazał jednemu z chłopców pójść po jeszcze jeden koc, by było mi wygodniej, a Mariam wysłał po herbatę. Zapytał o drogę z Peszawaru, o przejazd przez przełęcz Chajber.

– Mam nadzieję, że nie natknęliście się na *dozd* – powiedział. Przełęcz Chajber słynęła nie tylko z trudnej drogi, lecz również z band, które czyhały na podróżnych. Nim zdążyłem odpowiedzieć, mrugnął do mnie i powiedział głośno:

– Oczywiście żaden *dozd* nie zawracałby sobie głowy starym wrakiem mojego brata.

Farid przewrócił właśnie najmłodszego z chłopców na ziemię i łaskotał go w żebra zdrową ręką. Chłopiec śmiał się i wierzgał nogami.

– Ja przynajmniej mam samochód – sapnął Farid. – A jak się czuje twój osioł?

– Jedzie się na nim lepiej niż tym twoim samochodem.

– *Char chara misznassa* – odciął się Farid. „Osioł zna się na osłach". Zaśmiali się wszyscy, ja też. Z sąsiedniej izby dobiegały głosy kobiet. Z miejsca, w którym siedziałem, widziałem część tego pokoju. Mariam i jakaś starsza kobieta w brązowej *hidżabie* – pewnie jej matka – rozmawiały półgłosem i nalewały herbatę.

– A czym zajmujesz się w Ameryce, Amirze ago? – zapytał Wahid.

– Jestem pisarzem – odpowiedziałem. Zdawało mi się, że znów słyszę złośliwy chichot Farida.

– Pisarzem? – powtórzył Wahid, na którym najwyraźniej zrobiło to duże wrażenie. – Piszesz o Afganistanie?

– Kiedyś pisałem. Teraz akurat nie – odpowiedziałem. Moja ostatnia powieść, *Czas popiołu*, to historia profesora uniwersytetu, który przyłącza się do bandy Cyganów, bo zastał żonę w łóżku z jednym ze swych studentów. Całkiem niezła. Kilku recenzentów napisało wręcz, że książka jest „dobra", jeden użył nawet słowa „pasjonująca". Teraz jednak nagle zawstydziłem się mojej najnowszej powieści. Miałem nadzieję, że Wahid nie zapyta, o czym jest.

– Może powinieneś znowu pisać o Afganistanie – powedział Wahid. – Opowiedzieć światu, co u nas wyprawiają talibowie.

– No, nie wiem... Ja raczej nie pisuję o takich sprawach.

– A – powiedział Wahid, skinął głową i lekko się zaczerwienił. – Pewnie, masz swój rozum. Kim jestem, żeby...

W tej samej chwili pojawiły się Mariam i starsza kobieta z filiżankami i imbryczkiem z herbatą na małej tacy. Wstałem na znak szacunku i skłoniłem się.

– Salam alejkum – powiedziałem.

Starsza z kobiet, która teraz zasłaniała dolną część twarzy swą hidżabą, również się skłoniła.

– Salam – odpowiedziała ledwo słyszalnym głosem. Nie patrzyliśmy na siebie. Stałem, gdy nalewała mi herbatę.

Postawiła przede mną filiżankę z parującym płynem i wyszła, poruszając się bezszelestnie na bosych stopach. Usiadłem i zacząłem pić mocną, czarną herbatę. Wahid wreszcie przerwał niezręczne milczenie.

– A więc co cię sprowadza do Afganistanu?

– A co ich wszystkich sprowadza, drogi bracie? – odezwał się Farid. Mówił niby to do Wahida, ale patrzył na mnie pogardliwym wzrokiem.

– Bas! – rzucił Wahid.

– Zawsze chodzi o to samo – mówił dalej Farid. – Sprzedać ziemię, dom, wziąć forsę i uciec jak tchórz. Wrócić do Ameryki, zabrać rodzinkę na wakacje do Meksyku.

– Farid! – ryknął Wahid. Zadrżały i jego dzieci, i nawet sam Farid. – Co to za zachowanie? To mój dom! Amir aga jest dziś moim gościem. Nie pozwolę, abyś go obrażał pod moim dachem!

Farid otworzył usta, chciał coś powiedzieć, ale rozmyślił się i nie powiedział nic. Oparł się o ścianę, mruknął coś pod nosem i założył okaleczoną stopę na drugą nogę. Nie spuszczał ze mnie oskarżycielskiego spojrzenia.

– Wybacz, Amirze ago – powiedział Wahid. – Mój brat już od dzieciństwa mówi szybciej, niż myśli.

– Nie, to moja wina – powiedziałem, usiłując uśmiechnąć się mimo wbitego we mnie wzroku Farida. – Nie czuję się urażony. Powinienem był mu

172

powiedzieć, po co jadę do Afganistanu. Nie przyjechałem niczego sprzedawać. Szukam chłopca.

– Chłopca? – powtórzył Wahid.

– Tak. – Z kieszeni koszuli wydobyłem zdjęcie. Widok Hassana na nowo rozdrapał zabliźnione rany. Musiałem odwrócić twarz. Podałem zdjęcie Wahidowi. Ten popatrzył na nie, potem na mnie i znów na zdjęcie.

– Tego chłopca?

Skinąłem głową.

– Tego Hazary?

– Tak.

– A kim on jest dla ciebie?

– Jego ojciec wiele dla mnie znaczył. To ten mężczyzna na zdjęciu. Już nie żyje.

Wahid zamrugał oczyma.

– Był twoim przyjacielem?

Instynktownie omal nie przytaknąłem – jakbym i ja chciał podświadomie chronić tajemnicę Baby. Ale dość kłamstw.

– Był moim przyrodnim bratem. – Przełknąłem ślinę. I dodałem: – Był nieślubnym synem mego ojca. – Obróciłem filiżankę, przesunąłem palcem po uszku.

– Nie chciałem być niedyskretny.

– Nie jesteś niedyskretny – odparłem.

– Co zrobisz, jak go znajdziesz?

– Zabiorę do Peszawaru. Tam ktoś się nim zajmie.

Wahid oddał mi zdjęcie i oparł ciężką dłoń na moim ramieniu.

– Jesteś szlachetnym człowiekiem, Amirze ago. Prawdziwym Afgańczykiem.

Aż skuliłem się w duchu.

– Jestem dumny, że mogę cię gościć u siebie – powiedział. Podziękowałem mu i ukradkiem spojrzałem na Farida. Z wbitym w ziemię wzrokiem bawił się wystrzępionym krajem słomianki.

Po chwili Mariam i jej matka przyniosły dwie miski z gorącą jarzynową *szorua* i dwa chleby.

– Niestety nie możemy cię poczęstować mięsem – powiedział Wahid. – Na mięso stać dziś tylko talibów.

– Ale to wygląda przepysznie – powiedziałem. I miałem rację. Zapytałem, czy nie zjedzą z nami, ale Wahid odparł, że jedli już wcześniej. Obaj z Faridem podwinęliśmy więc rękawy i jedliśmy palcami, zanurzając w sosie kawałki chleba.

Gdy jadłem, zauważyłem, że synowie Wahida – trzej chudzielcy o umorusanych policzkach i wystających spod mycek krótko przystrzyżonych ciemnych włosach ukradkiem wpatrują się w mój zegarek elektroniczny. Najmłodszy szepnął coś do ucha innego z braci. Ten skinął głową, nie spuszczając oka z zegarka. Najstarszy – miał może dwanaście lat – kiwał się w przód i w tył, wbijając wzrok w przegub mojej ręki. Po kolacji, gdy już umyłem ręce wodą, które Mariam nalała mi z glinianego dzbana, zapytałem Wahida, czy mogę dać jego synom *hadia* – podarek. W pierwszej chwili odmówił. Nalegałem, więc w końcu dał się przekonać. Zdjąłem zegarek i podałem go najmłodszemu z chłopców.

– *Taszakor* – bąknął nieśmiało.

– Pokazuje czas w dowolnym mieście na świecie – powiedziałem mu. Chłopcy grzecznie pokiwali głowami i podawali sobie zegarek z ręki do ręki, przymierzając, czy pasuje. Po chwili jednak znudzili się i zegarek legł porzucony na słomie.

– Mógłeś mi powiedzieć – powiedział potem Farid. Leżeliśmy już na matach, które rozłożyła nam żona Wahida.

– Co powiedzieć?

– Po co przyjechałeś do Afganistanu. – W jego głosie nie brzmiała już dotychczasowa, zaczepna nutka.

– Nie pytałeś – odparłem.

– Powinieneś był mi powiedzieć.

– Nie pytałeś.

Obrócił się w moją stronę. Wsunął łokieć pod głowę.

– Bo może będę mógł ci pomóc.

– Dziękuję, Farid – powiedziałem.

– Źle zrobiłem, pochopnie cię oceniając.

Westchnąłem.

– Nie przejmuj się. Miałeś więcej racji, niż ci się zdaje.

Ręce ma związane do tyłu grubym, postrzępionym sznurem, który wpija mu się w skórę. Na oczach ma opaskę z czarnego materiału. Klęczy na ulicy, nad wypełnionym stojącą wodą rynsztokiem, z głową zwieszoną na piersi. Twardy grunt rani jego kolana. Kiwa się lekko w takt modlitwy. Zapada wieczór, jego długi cień kołysze się na żwirze. Powtarza cicho ja-

kieś słowa. Podchodzę bliżej. Słyszę: „Tysiąc razy. Dla ciebie – tysiąc razy".
Kiwa się w przód i w tył. Unosi twarz. Widzę bladą bliznę nad górną wargą.

Nie jesteśmy sami.

Najpierw dostrzegam lufę. Potem stojącego za nim mężczyznę. Jest wysoki, ma długą szatę i czarny turban. Patrzy w dół na klęczącego oczyma, w których jest tylko wielka, bezmierna pustka. Podchodzi o krok bliżej, unosi lufę. Przytyka ją do karku klęczącego. Przez chwilę odbija się w niej zachodzące słońce.

Karabin wydaje z siebie ogłuszający huk.

Śledzę wzorkiem ruch lufy. Widzę twarz za strużką dymu, sączącą się z wylotu. To ja jestem tym w długiej szacie.

Budzę się z krzykiem.

Wyszedłem na zewnątrz. Stanąłem w srebrnym blasku półksiężyca i spojrzałem w upstrzone gwiazdami niebo. W ciemności szemrały świerszcze, wiatr powiewał gałęziami drzew. Pod bosymi stopami poczułem chłodną ziemię i po raz pierwszy po przekroczeniu granicy poczułem, że znów jestem u siebie. Że po tylu latach znów stoję na ziemi przodków. To na tej ziemi mój pradziadek pojął trzecią żonę, nim rok później zmarł na cholerę podczas wielkiej epidemii, która nawiedziła Kabul w roku 1915. Ale trzecia żona, w odróżnieniu od dwóch pierwszych, powiła mu syna. To na tej ziemi mój dziadek polował z królem Nadirem Szachem i ustrzelił jelenia. Na tej ziemi zmarła moja matka. Na tej ziemi walczyłem o miłość ojca.

Usiadłem, opierając się o glinianą ścianę domu. Zaskoczyło mnie przywiązanie, jakie nagle poczułem do Starego Kraju. Wyjechałem stąd przecież tak dawno, że miałem prawo zapomnieć. I by o mnie zapomniano. Miałem dom w kraju, który dla ludzi śpiących po drugiej stronie tej ściany znajdował się jakby w innej galaktyce. Myślałem, że zapomniałem. Nie zapomniałem. W zimnej księżycowej poświacie poczułem pod stopami szmer. Szmer Afganistanu. Może Afganistan też o mnie nie zapomniał?

Popatrzyłem na zachód i nie mogłem się nadziwić, że tam, za górami, wciąż leży Kabul. Że istnieje naprawdę, nie jako wspomnienie, nie jako część tytułu agencyjnej wiadomości na piętnastej stronie „San Francisco Chronicle". Że gdzieś za tymi górami śpi miasto, w którym wraz z bratem o zajęczej wardze puszczaliśmy latawce. Gdzieś tam zginął niepotrzebnie ten z mojego snu. Kiedyś tam, za górami, dokonałem wyboru. A teraz, ćwierć wieku później, wybór ten sprowadza mnie z powrotem.

Już miałem wejść do środka, gdy usłyszałem płynące stamtąd głosy. Jeden z nich należał do Wahida.

– ...nie zostało nic dla dzieci.

– Głodujemy, ale nie jesteśmy dzikusami! To nasz gość! Co miałem zrobić? – mówił ze ściśniętym gardłem.

– ...coś jutro znaleźć. – Kobiecy głos był bliski płaczu. – Jak mam nakarmić...

Odszedłem na palcach. Teraz zrozumiałem, dlaczego chłopcy tak szybko przestali się interesować zegarkiem. Wcale nie patrzyli na zegarek, tylko na postawioną przede mną miskę z jedzeniem.

Pożegnaliśmy się wcześnie rano. Nim wdrapałem się do toyoty, podziękowałem Wahidowi za gościnę. Wskazał na swój mały domek.

– Mój dom jest twoim domem – powiedział. Jego trzej synowie patrzyli na nas z progu. Najmłodszy miał na ręce zegarek, który z trudem trzymał się na jego kruchej dłoni.

Gdy odjeżdżaliśmy, zerknąłem w boczne lusterko. Wahid wraz z chłopcami stał w tumanie kurzu wznieconym przez koła samochodu. Pomyślałem sobie, że w jakimś innym świecie ci chłopcy na pewno pogoniliby przez chwilę za nami.

Przed wyjazdem, gdy byłem pewny, że nikt nie patrzy, zrobiłem to samo, co dwadzieścia sześć lat wcześniej: wsunąłem pod jeden z materaców garść zwiniętych banknotów.

20

Farid mnie uprzedzał. Wielokrotnie. Ale na próżno.

Jechaliśmy wyboistą, krętą drogą z Dżalalabadu do Kabulu. Poprzednim razem jechałem tędy – w przeciwną stronę – pod brezentową plandeką ciężarówki. Baba o mało nie zginął z rąk rozśpiewanego, odurzonego narkotykami rosyjskiego oficera – jaki ja byłem wtedy wściekły na Babę, jaki przerażony, a potem jaki dumny! Szosa między Kabulem a Dżalalabadem, zawsze przerażająca, bo wijąca się stromo wśród skał, zdążyła od tego czasu przeżyć dwie wojny. Dwadzieścia lat temu zdążyłem zaznać trochę tej pierwszej, której ponure pamiątki widziałem teraz wzdłuż drogi: wypalone wraki starych, sowieckich czołgów, poprzewracane i przerdzewiałe wojskowe ciężarówki, zepchnięty w przepaść kikut rosyjskiego gazika. Drugą wojnę oglądałem w telewizji, a teraz widziałem ją oczyma Farida. On zaś był w swym żywiole, gdy bez wysiłku wymijał na drodze straszliwe dziury. Po nocy spędzonej u Wahida zrobił się znacznie rozmowniejszy. Tym razem posadził mnie z przodu obok siebie i patrzył na mnie, gdy do mnie mówił. Raz czy dwa nawet się uśmiechnął. Kręcąc kierownicą okaleczoną dłonią, pokazywał mi mijane wioski glinianych domków, w których dawniej miał znajomych. Mówił, że większość z nich albo nie żyje, albo mieszka w obozach dla uchodźców w Pakistanie.

– Czasem to ci, co nie żyją, są szczęśliwsi – dodał.

Przy wypalonych, sczerniałych ruinach kolejnej wioski, gdzie z domów zostały tylko resztki ścian domów, zobaczyłem śpiącego psa.

– Miałem tu kolegę – powiedział Farid. – Świetnie naprawiał rowery. A jak grał na bębenku! Talibowie zabili go, zabili całą jego rodzinę, i spalili wieś.

Minęliśmy spaloną wioskę. Pies nawet się nie poruszył.

Dawniej z Dżalalabadu do Kabulu jechało się dwie godziny, może trochę dłużej. Teraz zajęło nam to ponad cztery. Farid ostrzegł mnie, gdy już dotarliśmy na miejsce i mijaliśmy zaporę w Mahipar.

– Kabul jest teraz inny niż miasto, które pamiętasz – powiedział.

– Słyszałem.

Popatrzył na mnie, jakby chciał powiedzieć, że co innego słyszeć, a co innego zobaczyć na własne oczy. A gdy wreszcie zobaczyliśmy z samochodu panoramę miasta, byłem pewny, ale to całkiem pewny, że gdzieś musiał zmylić drogę. Farid na pewno zauważył zdumienie na mojej twarzy; wożąc ludzi do Kabulu, zdążył się przyzwyczaić do wrażenia, jakie ten widok robi na każdym, kto dawno nie odwiedzał stolicy Afganistanu.

Poklepał mnie po ramieniu.

– No, to wróciłeś – powiedział ponuro.

Gruz i żebracy. Gdziekolwiek spojrzałem, widziałem tylko to. Żebraków pamiętałem oczywiście i z dawnych czasów – Baba miał zawsze przy sobie trochę drobnych, nie pamiętam, by komukolwiek odmówił jałmużny. Ale teraz klęczeli na każdym rogu ulicy, w łachmanach, wyciągając zaskorupiałe od brudu dłonie. W dodatku większość z nich stanowiły teraz dzieci, wychudłe, patrzące spode łba, czasem nawet pięcio- czy sześcioletnie. Siedziały na kolanach opatulonych w chusty matek wzdłuż rynsztoków na co

bardziej ruchliwych skrzyżowaniach, skandując: „*Bakszysz, bakszysz!*"
Dopiero po chwili zauważyłem jeszcze jedną różnicę: prawie żadne nie
towarzyszyło dorosłemu mężczyźnie – obie wojny sprawiły, że ojcowie
stali się w Afganistanie bardzo rzadkim towarem.

Jechaliśmy na zachód w stronę dzielnicy Karte-Se ulicą Dżade Mejwand,
którą z lat siedemdziesiątych pamiętałem jako jedną z głównych arterii miasta. Od strony północnej ciągnęło się wyschnięte koryto rzeki Kabul, od
południa, na wzgórzach, ruiny starych murów obronnych. Na wschód od
muru leżał fort Bala Hisar – stary zamek, zajmowany w roku 1992 przez
uzbeckiego watażkę Dostuma. Fort leżał już w górach Szirdarwaza, w tym
samym paśmie, z którego mudżahedini zasypywali Kabul ogniem rakieto-
wym w latach 1992–1996 – to z tych czasów pochodziła większość ogląda-
nych przeze mnie zniszczeń. Góry ciągnęły się aż ku zachodowi. Pamiętałem z dzieciństwa, że na jednym ze wzniesień strzelano z *Tope czaszt*, „armat
południa". Strzelano codziennie o dwunastej i poza tym w ramadanie na
koniec dnia, na znak, że kończy się kolejny, całodzienny post. Huk armat-
niego wystrzału słychać było wtedy w całym mieście.

– Kiedy byłem dzieckiem, przychodziłem na Dżade Mejwand – powiedziałem cicho. – Było tu mnóstwo sklepów i hoteli, neony, restauracje...
U starego Saifo kupowałem latawce. Miał mały warsztat niedaleko komen-
dy policji.

– Komenda jeszcze jest – powiedział Farid. – Policji na pewno tu nie
brakuje. Ale latawców i ich sprzedawców nie znajdziesz dziś ani na Dżade
Mejwand, ani w całym Kabulu. Tego już nie ma.

Dżade Mejwand wyglądała teraz jak wielki zamek z piasku. Te z budynków, które jeszcze stały, w każdej chwili groziły zawaleniem – miały zapad-
nięte dachy, ściany podziurawione pociskami rakietowymi. Niejeden kwar-
tał ulic był jedną wielką kupą gruzu. W jednej z nich zobaczyłem
poprzestrzelany billboard z napisem Pıj Coca-Co... Wśród ruin pozbawio-
nego okien budynku, stert cegieł i kamieni bawiły się dzieci. Rowerzyści
i furmani zaprzężonych w muły wozów lawirowali między dziećmi, bez-
pańskimi psami i stertami gruzu. Nad całym miastem unosił się tuman kurzu; za rzeką piął się ku niebu pojedynczy słup dymu.

– Co się stało z drzewami? – zapytałem.

– Ludzie pościnali je w zimie na opał – powiedział Farid. – Przedtem
sporo ich wycięli *Szorawi*.

– Dlaczego?

– Bo kryli się w nich snajperzy.

Posmutniałem. Mój powrót do Kabulu był jak spotkanie dawno zapomnianego przyjaciela, z którym życie nie obeszło się łaskawie, bezdomnego, zubożałego.

– Mój ojciec zbudował sieroiniec w Szar-e-Kona, na starym mieście, na południe stąd – powiedziałem.

– Pamiętam ten sieroiniec – powiedział Farid. – Zniszczono go kilka lat temu.

– Możesz się zatrzymać? – zapytałem. – Chciałbym przejść się przez chwilę.

Farid zaparkował przy krawężniku w małej, bocznej uliczce przy koślawym, pozbawionym drzwi, opuszczonym budynku.

– Tu była kiedyś apteka – mruknął, gdy wysiadaliśmy z samochodu. Wróciliśmy na Dżade Mejwand i skręciliśmy w prawo, na zachód.

– Co tak śmierdzi? – zapytałem, bo oczy zaszły mi łzami.

– Spaliny – odpowiedział Farid. – Z dieslowskich generatorów. Elektrownie gonią resztkami, co chwila wyłączają prąd, więc ludzie robią go sobie sami.

– Spaliny... Pamiętasz, czym tu dawniej pachniało?

Farid się uśmiechnął.

– Kebabem.

– Jagnięcym – dodałem.

– Jagnięcym – powtórzył Farid, rozkoszując się samym brzmieniem tego słowa. – Teraz jagnięcina w Kabulu jest tylko dla talibów. – Pociągnął mnie za rękaw. – O wilku mowa...

Zbliżał się jakiś pojazd.

– Sprawdzają brody – szepnął Farid.

Wtedy pierwszy raz zobaczyłem talibów. Przedtem oczywiście oglądałem ich w telewizji, w Internecie, na okładkach czasopism, na gazetowych zdjęciach. Ale teraz dzieliło mnie od nich najwyżej piętnaście metrów. Z całych sił usiłowałem sobie wytłumaczyć, że to, co poczułem nagle w ustach, to nie smak niepohamowanego, zwierzęcego strachu. Że ciało nie przywarło mi nagle do kości, że serce nie tłucze się jak oszalałe. Teraz widziałem ich jak na dłoni, w ich pełnej glorii.

Czerwona furgonetka – też toyota – jechała bardzo powoli. Na pace siedziało w kucki kilku młodych mężczyzn o surowych twarzach, z zarzuconymi na plecy kałasznikowami. Wszyscy mieli brody i czarne turbany. Jeden z nich, ciemnoskóry dwudziestolatek o gęstych, splątanych brwiach, obracał w dłoni bicz, którym rytmicznie uderzał o burtę furgonetki. W pewnej chwili jego krążący na wszystkie strony wzrok spoczął na mnie. Na długo. Nigdy w życiu nie czułem się tak nagi. Wreszcie talib splunął przeżutym tytoniem i popatrzył gdzie indziej. Wreszcie udało mi się odetchnąć. Furgonetka talibów ruszyła dalej Dżade Mejwand, zostawiając za sobą kłęby kurzu.

– Czyś ty zwariował? – syknął Farid.

– Co?

– Nie wolno się na nich gapić! Rozumiesz? Nie wolno!

– Wcale nie chciałem się gapić.

– Twój przyjaciel ma całkowitą rację, ago. To jak szturchać kijem wściekłego psa – odezwał się ktoś. Głos należał do starego żebraka, siedzącego boso na schodach podziurawionego kulami budynku. Miał na sobie podarty *czapan* i brudny turban. Lewa powieka zwisała bezwładnie na pustym oczodole. Wyciągnął wykręconą przez artretyzm dłoń w kierunku, w którym odjechała czerwona furgonetka. – Jeżdżą i patrzą. Patrzą, czy ktoś da im pretekst. W końcu zawsze kogoś znajdą. Wtedy i psy mają co jeść, i robi się na chwilę mniej nudno, więc wszyscy mówią „Allach-u-akbar!" A nawet jak nikt im nie podpadnie, to zawsze można zabić kogoś ot, tak.

– Przy talibach zawsze patrz pod nogi – powiedział Farid.

– Twój przyjaciel dobrze radzi – dodał żebrak. Zakaszlał sucho, splunął w brudną chustkę. – Bardzo przepraszam, ale czy nie wspomógłbyś mnie paroma afganami? – zapytał cicho.

– *Bas.* Idziemy – powiedział Farid, ciągnąc mnie za ramię.

Wręczyłem staremu kilkaset tysięcy afganów – równowartość trzech dolarów. Gdy pochylił się po nie w moją stronę, jego smród – połączenie skwaśniałego mleka z odorem od tygodni niemytych nóg – omal nie przyprawił mnie o mdłości. Szybko ukrył pieniądze w pasie, zdrowym okiem rozglądając się na wszystkie strony.

– Serdeczne dzięki za wspaniałomyślność, sahibie ago.

– Czy wiesz, gdzie w Karte-Se jest sierociniec? – zapytałem.

– Nietrudno go znaleźć. Na zachód od bulwaru Darulaman – odpowiedział. – Dzieci przeniesiono do Karte-Se, gdy rakiety zniszczyły stary. Oczywiście to jak wyrwać kogoś z paszczy lwa i rzucić w paszczę tygrysa.

– Dziękuję, ago – odpowiedziałem i już miałem odejść.

– Pierwszy raz, prawda?

– Słucham?

– Pierwszy raz widziałeś talibów?

Nie odpowiedziałem. Stary żebrak pokiwał głową i uśmiechnął się, ukazując żółte, krzywe reszki zębów.

– Pamiętam, kiedy sam zobaczyłem ich po raz pierwszy, gdy wkraczali do Kabulu. Jaki to był radosny dzień! – powiedział. – Koniec zabijania! *Ła, ła!* Ale, jak mówi poeta: „Miłość była tak piękna, lecz potem nadszedł smutek!"

Na mojej twarzy wykwitł uśmiech.

– Ja przecież znam ten *gazel*. To Hafez.

– Tak jest. Rzeczywiście – odpowiedział stary. – Ja też wiem, że to Hafez. W końcu wykładałem to na uniwersytecie.

– Tak?

Stary znów zakaszlał.

– Od 1958 do 1996. Uczyłem o Hafezie, Chajjamie, Rumim, Bejdelu, Dżamim, Sadim... Kiedyś nawet zaproszono mnie na wykład do Teheranu. To było w 1971. Mówiłem o mistyce Bejdela. Pamiętam, że gdy skończyłem, wszyscy wstali i klaskali. Ha! – Pokiwał głową. – Ale widziałeś tych młodzieńców z kałasznikowami? Jak myślisz, czym dla nich jest sufizm?

– Moja mama też uczyła na uniwersytecie – powiedziałem.

– Jak się nazywała?

– Sofia Akrami.

Zdrowe oko zabłysło mu mimo zasłony zaćmy.

– „Pustynne ziele żyje, ale wiosenny kwiat rozkwita i więdnie". Taki wdzięk, taka godność i taka tragedia.

– Znałeś moją matkę? – zapytałem, klękając przy nim na schodach.

– O, tak – powiedział. – Po zajęciach często siadaliśmy i rozmawialiśmy. Ostatni raz gawędziliśmy w deszczowy dzień, tuż przed egzaminami. Zjedliśmy na spółkę kawałek pysznego ciasta migdałowego. Do tego był miód i gorąca herbata. Była już wtedy w bardzo widocznej ciąży, która czyniła ją jeszcze piękniejszą. Nigdy nie zapomnę, co mi wtedy powiedziała.

– Co takiego? Powiedz.

Baba zawsze mówił o matce ogólnikami. Mówił na przykład: „Była wspaniałą kobietą". Ja zaś zawsze pragnąłem szczegółów: jak słońce lśniło w jej włosach, jakie lody najbardziej lubiła, jakie piosenki nuciła, czy obgryzała paznokcie? Ale te wspomnienia Baba zabrał ze sobą do grobu. Może jej imię budziło w nim wyrzuty sumienia, przypominało, co zrobił tak szybko po jej śmierci? Może jej strata była dla niego tak wielka, tak bolesna, że nie potrafił o niej rozmawiać? A może i jedno, i drugie?

– Powiedziała mi: „Tak bardzo się boję?" Zapytałem: „Czego?" A ona: „Bo jestem tak bardzo szczęśliwa. Takie szczęście jest aż przerażające". Zapytałem ją, dlaczego tak uważa. Odpowiedziała: „Bo takie szczęście przytrafia się tylko wtedy, gdy zaraz ma się coś utracić". Powiedziałem jej na to, żeby nic nie mówiła, że to głupie.

Farid wziął mnie za ramię.

– Powinniśmy już iść, Amirze ago – powiedział cicho. Wyrwałem rękę.

– Co jeszcze? Co jeszcze powiedziała?

Rysy starego żebraka złagodniały.

– Żałuję, ale nic więcej nie pamiętam. Twoja matka umarła dawno temu, a moja pamięć jest jak te potrzaskane domy. Wybacz.

– Ale cokolwiek, choćby bez znaczenia...

Uśmiechnął się.

– Spróbuję sobie przypomnieć. Obiecuję. Wróć, zawsze mnie tu znajdziesz.

– Dziękuję – powiedziałem. – Bardzo, bardzo dziękuję.

I rzeczywiście byłem mu wdzięczny. Teraz wiedziałem przynajmniej, że moja mama lubiła popijać herbatą ciasto migdałowe z miodem, że była szczęśliwa i że aż martwiła się swoim szczęściem. Od tego starego żebraka na ulicy dowiedziałem się o niej więcej niż przez całe życie od Baby.

Kiedy wracaliśmy do samochodu Farida, żaden z nas nie powiedział tego, co powiedziałby każdy nie-Afgańczyk: że to zupełnie nieprawdopodobny zbieg okoliczności, aby spotkany na ulicy żebrak okazał się znajomym mojej matki. Wiedzieliśmy obaj, że w Afganistanie, a już szczególnie w Kabulu, jest to jak najbardziej naturalne. Baba zawsze mawiał, że gdy spotka się dwóch Afgańczyków, którzy nigdy przedtem nie widzieli się na oczy, po dziesięciu minutach okaże się, że są spokrewnieni.

Zostawiliśmy żebraka na schodach przed zrujnowanym budynkiem. Chciałem skorzystać z jego propozycji, wrócić do niego i zapytać, czy nie przypomniał sobie jeszcze czegoś o mojej matce, ale już nigdy go nie spotkałem.

Znaleźliśmy nowy sierociniec w północnej części Karte-Se, nad brzegiem wyschniętej rzeki Kabul. Był to płaski, przypominający koszary budynek o ścianach obłażących z tynku i zabitych deskami oknach. Farid powiedział mi po drodze, że Karte-Se było jedną z najbardziej zniszczonych części miasta. Gdy wysiedliśmy z samochodu, natychmiast dostrzegliśmy liczne tego dowody. Wzdłuż pełnych lejów po pociskach ulic stały nie domy, lecz niemal wyłącznie ich opuszczone ruiny. Minęliśmy przerdzewiały szkielet leżącego na dachu auta, telewizor bez kineskopu, do połowy zagrzebany w gruzie i mur z wykonanym czarnym sprejem napisem *Zenda bad Taliban!* (Niech żyją talibowie!).

Drzwi otworzył nam niski, chudy, łysiejący mężczyzna o rzadkiej siwej brodzie. Miał na sobie wytartą tweedową marynarkę i myckę, na czubku nosa zaś okulary z jednym stłuczonym szkłem. Jego czarne, drobne jak nasiona fasoli oczka zerkały zza szkieł to na mnie, to na Farida.

– *Salam alejkum* – powiedział.

– *Salam alejkum* – powtórzyłem za nim i pokazałem mu zdjęcie. – Szukamy tego chłopca.

Obrzucił je pobieżnym spojrzeniem.

– Bardzo mi przykro. Nigdy go nie widziałem.

– Prawie mu się nie przyjrzałeś, przyjacielu – powiedział Farid. – Może popatrzysz jeszcze raz?

– *Loftan* – powiedziałem. – Bardzo proszę.

Stojący w drzwiach człowiek wziął zdjęcie do ręki. Przez chwilę patrzył na nie i wreszcie mi je oddał.

– Niestety. Bardzo mi przykro. Znam je tu prawie wszystkie, ale tego nie. A teraz przepraszam, mam dużo pracy.

Zamknął drzwi. Na klucz.

Uderzyłem w nie pięścią.

– Ago! Ago, proszę otworzyć. Nie mamy złych zamiarów.

– Już mówiłem, tutaj go nie ma – dobiegł nas głos z drugiej strony. – A teraz proszę odejść.

Farid podszedł do drzwi i oparł o nie czoło.

– Przyjacielu, nie jesteśmy talibami – powiedział cichym, ostrożnym głosem. – Mój towarzysz chce zabrać chłopca w bezpieczne miejsce.

– Przyjechałem z Peszawaru. – Ja też podszedłem do samych drzwi. – Mój dobry przyjaciel zna dwoje Amerykanów, którzy prowadzą tam dom dziecka.

Czułem, że tamten nadal stoi za drzwiami, że słucha, że waha się, targany to podejrzliwością, to nadzieją.

– Posłuchaj, znałem ojca Sohraba – powiedziałem. – Nazywał się Hassan. Jego matce było na imię Farzana. Nazywał swoją babcię Sasa. Umie czytać i pisać. I dobrze strzela z procy. Ago, dla niego jest nadzieja. Jest jakieś wyjście. Proszę, otwórz.

Cisza.

– Jestem przyrodnim bratem jego ojca.

Chwila ciszy. A potem dźwięk obracanego w zamku klucza. Wąska twarz tamtego pojawiła się między framugą a drzwiami. Popatrzył na mnie, na Farida, znów na mnie.

– W jednym się mylisz.

– W czym?

– Z procy strzela nie dobrze, ale świetnie.

Uśmiechnąłem się.

– Nigdy się z nią nie rozstaje. Jak gdzieś idzie, zawsze wsadza ją za spodnie.

Mężczyzna przedstawił się jako Zaman, dyrektor sierocińca.

– Chodźmy do mnie do biura.

Ruszyliśmy za nim przez ciemne, ponure korytarze, po których snuły się bose dzieci w przetartych swetrach. Mijaliśmy sale, w których zamiast podłogi rozłożono maty, zamiast szyb w okna wprawiono plastikową folię. W salach stały jedna przy drugiej stalowe, piętrowe prycze, najczęściej bez materaców.

– Ile dzieci tu mieszka? – zapytał Farid.

– Więcej, niż się mieści. Jakieś dwieście pięćdziesiąt – odpowiedział Zaman przez ramię. – Ale nie wszystkie z nich to *jatim*. Wielu z nich straciło na wojnie tylko ojców, ale matki nie mają za co ich karmić, bo talibowie nie pozwalają kobietom pracować. Dlatego przyprowadzają dzieci tutaj. – Zatoczył ręką łuk. – Tu jest im lepiej niż na ulicy. Niewiele lepiej, ale zawsze. Ten budynek wcale nie miał być zamieszkany, to był magazyn firmy produkującej dywany. Dlatego nie ma bojlera, studnia wyschła. – Zniżył głos. – Prosiłem talibów o pieniądze na nową studnię. Tyle razy, że nawet nie pamiętam ile. Ale oni tylko bawią się tymi swoimi różańcami i mówią, że nie mają pieniędzy. Akurat! – zaśmiał się gorzko.

Pokazał palcem rząd łóżek pod ścianą jednej z sal.

– Brakuje nam łóżek, brakuje materaców. Co gorsza, brakuje również koców. – Wskazał na dziewczynkę, skaczącą przez skakankę z dwiema innymi. – Ostatniej zimy dzieci musiały spać po kilkoro pod jednym kocem. Dla jej brata zabrakło. Którejś nocy umarł z zimna. – Ruszył dalej. – Sprawdzałem ostatnio, ile zostało nam ryżu. Za miesiąc dzieci będą dostawały chleb i herbatę na śniadanie i kolację.

Zauważyłem, że nie wspomniał o obiedzie. Zatrzymał się i odwrócił do mnie.

– Nie mają pod czym spać, prawie nie mamy jedzenia, ubrań, czystej wody. Pod dostatkiem mamy tylko dzieci, którym zabrano dzieciństwo. Tragedia polega na tym, że tym jeszcze się poszczęściło. Jest ich tu za dużo a i tak codziennie muszę odprawiać z niczym matki, które przyprowadzają tu dzieci. – Podszedł do mnie bliżej. – Mówisz, że dla Sohraba jest jakaś nadzieja? Obyś nie kłamał, ago. Choć... może jest już za późno.

– Co to znaczy?

Zaman odwrócił wzrok.

– Chodźmy do mnie.

Gabinet dyrektora stanowiły cztery nagie, popękane ściany, maty na podłodze, biurko i dwa składane krzesła. Gdy Zaman siadał na jednym, a ja na drugim z nich, zobaczyłem, że z dziury przy podłodze wychynął szary szczur. Zamarłem, gdy się zatrzymał, żeby obwąchać najpierw moje buty, potem Zamana, nim umknął przez otwarte drzwi.

– Co to znaczy, że może być za późno? – zapytałem.

– Może najpierw zaparzyć *czaj*?

– Nie, dziękuję. Proszę mówić.

Zaman odchylił się na krześle i skrzyżował ręce na piersi.

– To, co powiem, nie będzie przyjemne. Nie mówiąc już o tym, że może być bardzo niebezpieczne.

– Dla kogo?

– Dla ciebie, dla mnie. I oczywiście dla Sohraba, o ile dla niego w ogóle nie jest już za późno.

– Muszę wiedzieć – powiedziałem.

Skinął głową.

– Tak uważasz? Pozwól, że najpierw zapytam, jak bardzo zależy ci na odnalezieniu bratanka?

Pomyślałem o ulicznych bójkach, w których uczestniczyliśmy w dzieciństwie, w których Hassan zawsze stawał w mojej obronie, czasem jeden na dwóch, czasem jeden na trzech. Ja cofałem się i patrzyłem, chciałem się przyłączyć, ale zawsze coś mnie powstrzymywało.

Popatrzyłem przez drzwi na korytarz i zobaczyłem dzieci tańczące w kole. Mała dziewczynka z amputowaną tuż pod kolanem lewą nóżką siedziała na brudnym materacu i klaskała w takt wraz z innymi. Zobaczyłem, że Farid też na nie patrzy, że jego okaleczona dłoń zwisa bezwładnie. Przypomniałem sobie synów Wahida... I jedno stało się dla mnie oczywiste: nie wyjadę z Afganistanu bez Sohraba.

– Mów, gdzie on jest – powiedziałem głośno.

Zaman długo na mnie patrzył. Wreszcie skinął głową, podniósł ołówek, obrócił go w palcach.

– Ale nikt nie może się dowiedzieć, że wiesz ode mnie.

– Obiecuję.

Postukał ołówkiem w blat biurka.

– Wiem, że obiecujesz, ale jestem pewny, że i tak pożałuję, iż ci powiedziałem. Zresztą to wszystko jedno, i tak jestem przeklęty. Ale jeżeli cokolwiek można uczynić dla Sohraba... Powiem ci, bo ci wierzę. Wyglądasz na kogoś, kto jest gotowy na wszystko. – Milczał przez dłuższą chwilę. – Jest pewien ważny talib – zniżył głos. – Przyjeżdża tu co miesiąc, co dwa. Przywozi pieniądze. Niedużo, ale to zawsze coś. – Ruchliwe oczy Zamana spojrzały na mnie i znów umknęły w bok. – Zwykle bierze dziewczynkę, ale nie zawsze.

– A ty na to pozwalasz? – zapytał zza moich pleców Farid. I już ruszył za biurko ku dyrektorowi.

– A mam jakieś wyjście? – odparował Zaman. Cofnął się wraz z krzesłem.

– Jesteś tu dyrektorem – mówił Farid. – Masz opiekować się dziećmi.

– Nic nie mogę poradzić.

– Handlujesz dziećmi! – Farid już krzyczał.

– Farid, siadaj! Nie... – powiedziałem. Ale było już za późno, bo nagle Farid przeskoczył przez biurko. Krzesło Zemana poleciało w bok z trzaskiem, Farid rzucił się na niego i przycisnął do podłogi. Dyrektor wyrywał się i usiłował krzyczeć. Kopnął nogą w szufladę biurka, wysypały się z niej papiery.

Obiegłem biurko i zrozumiałem, dlaczego Zaman nie może krzyczeć: Farid go dusił. Chwyciłem oburącz Farida za ramiona i pociągnąłem je z całych sił. Odtrącił mnie.

– Dość! – krzyknąłem. Ale twarz Farida była czerwona z gniewu, usta wykrzywił mu zaciekły grymas.

– Zabiję! Zabiję go! Daj mi spokój! – warczał.

– Puść go!

– Zabiję!

Jego głos przekonał mnie, że muszę działać szybko, bo inaczej po raz pierwszy w życiu mogę zostać naocznym świadkiem morderstwa.

– Farid, dzieci patrzą. Farid! – powiedziałem. Jego mięśnie znów naprężyły się pod moim dotykiem i przez chwilę pomyślałem, że rzeczywiście udusi Zamana. Ale potem odwrócił się i zobaczył dzieci. Stały w milczeniu w drzwiach, trzymając się za ręce. Niektóre płakały. Poczułem, że jego mięśnie się rozluźniają, opuścił ręce, wstał. Spojrzał na leżącego u swych stóp Zamana i plunął mu w twarz. A potem podszedł do drzwi i zamknął je.

Zaman podniósł się, wytarł rękawem krew z rozbitej wargi i ślinę z policzka. Kasląc i dysząc ciężko, włożył z powrotem myckę i okulary, zobaczył, że teraz oba szkła były pęknięte, zdjął je i ukrył twarz w dłoniach. Długo nikt z nas nic nie mówił.

– Zabrał Sohraba miesiąc temu – wykrztusił wreszcie Zaman, wciąż osłaniając twarz dłońmi.

– I ty nazywasz się dyrektorem? – powiedział Farid.

Zaman opuścił ręce.

– Od pół roku nie dostaję pensji. Nie mam już nic, bo oszczędności całego życia wydałem na prowadzenie tego sierocińca. Wszystko, co miałem, wszystko, co odziedziczyłem, sprzedałem, by prowadzić ten przeklęty dom. Myślicie, że nie mam rodziny w Iranie, w Pakistanie? Ja też mogłem uciec jak wszyscy. Ale nie uciekłem. Zostałem. Zostałem dla nich. – Wskazał ręką drzwi. – Jeżeli nie dam mu jednego dziecka, weźmie ich dziesięć. Dlatego właśnie godzę się, by wziął jedno, a osąd zostawiam Allachowi. Godzę się na tę hańbę i biorę jego przeklęte, brudne pieniądze. Bo zaraz idę na bazar i kupuję jedzenie dla dzieci.

Farid spuścił wzrok.

– Co się dzieje z dziećmi, które zabiera? – zapytałem.

Zaman przetarł oczy kciukiem i palcem wskazującym.

– Czasem wracają.

– Kim on jest? Jak go znaleźć?

– Idźcie jutro na mecz. Na stadion Gazi. Zobaczycie go w przerwie. To ten w czarnych okularach słonecznych. – Zaman wziął do ręki własne, pęknięte okulary i obrócił je w palcach. – A teraz idźcie już. Dzieci się boją.

Odprowadził nas do wyjścia.

Gdy odjeżdżaliśmy, zobaczyłem w lusterku, że Zaman stoi w drzwiach otoczony gromadką dzieci trzymających się jego koszuli. I że nałożył już stłuczone okulary.

21

Przejechaliśmy na drugą stronę rzeki i ruszyliśmy na północ przez zatłoczony plac Pasztunistański. Baba brał mnie tu czasem do restauracji Chajber na kebaba. Budynek jeszcze stał, ale wejście było zamknięte na głucho, okna wybite, a na szyldzie brakowało liter.

Niedaleko restauracji zobaczyłem zwłoki. Młody człowiek dyndał na szubienicy. Miał nabrzmiałą, siną twarz; ubranie, które nosił w ostatnim dniu życia, było podarte i pokrwawione. Nikt z przechodniów nie zwracał na niego uwagi.

Przejechaliśmy plac w milczeniu i skierowaliśmy się w stronę dzielnicy Uazir Akbar Chan. Gdziekolwiek spojrzałem, miasto i jego zabudowania z suszonej na słońcu cegły spowijał tuman kurzu. Kilka przecznic za placem Pasztunistańskim Farid pokazał mi dwóch mężczyzn, rozprawiających żywo na rogu ulicy. Jeden z nich podskakiwał na jednej nodze; drugą miał amputowaną pod kolanem. W rękach trzymał protezę.

– Wiesz, co oni robią? Targują się o jego nogę.

– Sprzedaje nogę?

Farid skinął głową.

– Na czarnym rynku można za nią dostać kupę forsy. Starczy na jedzenie dla dzieci na kilka tygodni.

Ku mojemu zdziwieniu większość domów w Uazir Akbar Chan miała i dachy, i proste ściany. Wszystkie były w całkiem niezłym stanie. Za murami wciąż rosły drzewa, a na ulicach było znacznie mniej gruzu i śmieci niż w Karte-Se. Przetrwały nawet tabliczki z numerami ulic, choć niektóre z nich były pogięte i podziurawione kulami.

– Tu nie wygląda to tak źle – zauważyłem.

– Nic dziwnego. Tu mieszka większość ważnych ludzi.

– Talibowie?

– Oni też – odpowiedział Farid.

– A kto jeszcze?

Wjechał w szeroką ulicę z dość czystym chodnikiem, wzdłuż której wznosiły się otoczone murami posiadłości.

– Ludzie, którzy stoją za talibami. Ci, którzy teraz rządzą Afganistanem: Arabowie, Czeczeni, Pakistańczycy – powiedział Farid. Pokazał na północny zachód. Ulicę Piętnastą, o, tam, nazywa się teraz Sarak-e-Memana. Ulicą Gości. Tak ich się tu teraz nazywa. Goście. Ale to tacy goście, co sikają na dywan.

– To chyba tu! – powiedziałem. – Tam! – I wskazałem na charakterystyczny punkt, którym kierowałem się w dzieciństwie. Baba mówił, że gdybym się kiedyś zgubił, nasza ulica to ta, na której końcu stoi różowy dom. Różowy dom o bardzo stromym dachu był za czasów mojego dzieciństwa jedynym domem w tym kolorze w całej dzielnicy. Teraz też.

Farid skręcił w boczną ulicę. W tej samej chwili zobaczyłem dom Baby.

W różanych krzakach w ogrodzie znaleźliśmy małego żółwia. Nie wiemy, skąd się tu wziął, ale jesteśmy zbyt podekscytowani, by się nad tym zastanawiać. Malujemy mu skorupę na czerwono. To pomysł Hassana. Bardzo dobry pomysł, bo już się nam nie zgubi w zaroślach. Bawimy się, że jesteśmy dzielnymi odkrywcami, którzy w dalekiej dżungli schwytali olbrzymiego, przedpotopowego potwora i przywieźli go ze sobą, aby wszyscy mogli go zobaczyć. Kładziemy go do drewnianego wózka, zrobionego Hassanowi przez Alego na urodziny. Udajemy, że to wielka, stalowa klatka. Przedstawiamy państwu zionącego oknem potwora! Maszerujemy po trawie, ciągnąc za sobą wózek, między jabłoniami i wiśniami, które zastępują nam niebotyczne drapacze chmur. Z ich okien nasz triumfalny pochód oglądają tysiące ludzi. Przechodzimy po półkolistym mostku, który Baba zbudował pod figami – teraz jest to wielki, wiszący most łączący dwa miasta, a mały stawek, nad którym stoi, to spienione morze. Nad masywnymi słupami mostu wybuchają fajerwerki, uzbrojeni żołnierze salutują nam z obu stron wśród strzelających w niebo stalowych lin. Żółw trzęsie się w wózku na nierównościach alejki, wjeżdżamy na okrągły podjazd z czerwonej cegły za bramą z kutej stali, gdzie kłaniamy się wiwatującym na nas za cześć światowym przywódcom. Jesteśmy Hassan i Amir, sławni poszukiwacze przygód i najwięksi odkrywcy świata, którzy zaraz otrzymają medal za swe wspaniałe osiągnięcie...

Ostrożnie wszedłem na podjazd, gdzie spośród czerwonych cegieł wystawały teraz kępki chwastów. Stanąłem przed bramą domu ojca i czułem się jak ktoś obcy. Położyłem dłonie na zardzewiałych kratach bramy, pamiętając, że jako dziecko wbiegałem tędy tysiące razy po coś, co teraz nie miało najmniejszego znaczenia, a wówczas wydawało się takie ważne. Zajrzałem za bramę.

Podjazd ciągnący się dalej, od bramy w stronę podwórza – to na tym podjeździe na zmianę z Hassanem spadaliśmy z roweru, gdy pewnego lata uczyliśmy się jeździć – wydawał się teraz węższy. W wielu miejscach asfalt popękał w zygzaki, w których też zagnieździły się wybujałe chwasty. Ścięto większość topoli, na które wdrapywaliśmy się z Hassanem, żeby puszczać zajączki w okna sąsiadów. Te, które przetrwały, prawie nie miały liści. „Ściana chorej kukurydzy" jeszcze stała, ale nie było już pod nią kukurydzy, ani chorej, ani zdrowej. Z muru odchodziła farba, w wielu miejscach ukazując już nagie kamienie. Trawnik był teraz brunatny, tak jak kurz unoszący się nad miastem; gdzieniegdzie zdarzały się łyse plamy, gdzie nie rosło już nic. Na podjeździe stał gazik. Jego widok raził, bo przecież w tym miejscu powinien stać czarny mustang Baby. Przez tyle lat osiem cylindrów mustanga ożywało na nowo co rano, budząc mnie ze snu. Zobaczyłem pod gazikiem plamę wyciekającego oleju, który zdążył już zabarwić podjazd wielkim, czarnym kleksem. Za gazikiem leżały na boku puste taczki. Z lewej strony podjazdu nie zostało ani śladu po zasadzonych przez Babę i Alego krzakach róż – tylko chwasty powoli pożerały asfalt. Chwasty i brudna ziemia.

Za moimi plecami Farid dwukrotnie przycisnął klakson.

– Musimy jechać, ago. Ktoś może nas zobaczyć.

– Jeszcze chwila – odpowiedziałem.

Dom też nie przypominał już zapamiętanego z dzieciństwa wielkiego, białego dworu. Był mniejszy, miał nieco zapadły dach i popękany tynk. Okna salonu, sieni i łazienki dla gości na piętrze były wybite i byle jak zaklejone plastikową folią lub zabite deskami przybitymi wprost do framugi. Farba, niegdyś tak biała, że aż lśniąca, była teraz widmowo szara i częściowo wyblakła, ukazując pod spodem warstwy cegieł. Schodki przed głównym wejściem były pokruszone. Jak wiele innych miejsc w Kabulu, dom mojego ojca był obrazem upadłej wielkości.

Zidentyfikowałem okno mojego dawnego pokoju – trzecie okno na piętrze nad głównymi schodami przed wejściem. Stanąłem na palcach, ale za oknem widać było tylko cień. Dwadzieścia pięć lat temu stałem w tym oknie, po szybie spływały strugi deszczu, mój oddech osiadał na szkle. Patrzyłem, jak Hassan i Ali pakują swoje rzeczy do bagażnika samochodu ojca.

– Amirze ago! – zawołał znów Farid.

– Idę – rzuciłem w odpowiedzi.

Poczułem przemożną chęć, aby wejść do środka. Aby jeszcze raz dotknąć stopą schodów, na których Ali zawsze kazał nam zdejmować zaśnieżone buty. Chciałem wejść do sieni, poczuć woń skórki pomarańczowej, której Ali dorzucał do pieca wraz z trocinami. Usiąść przy stole w kuchni, zjeść *nan*, popić herbatą, posłuchać hazarskich pieśni Hassana.

Znowu klakson. Wróciłem do toyoty zaparkowanej przy krawężniku. Farid siedział za kierownicą i znów palił papierosa.

– Muszę jeszcze coś zobaczyć – oznajmiłem mu.

– Byle szybko.

– Dziesięć minut.

– No, to idź. – A potem, gdy odchodziłem: – Lepiej zapomnieć. Wtedy jest lżej.

– Co lżej?

– Lżej żyć – powiedział Farid. Wyrzucił przez okno niedopałek papierosa. – Co jeszcze chcesz zobaczyć? Od razu ci powiem: tego, co pamiętasz, już nie ma. Najlepiej zapomnieć.

– O nie. Ja już niczego nie chcę zapomnieć – powiedziałem. – Dziesięć minut.

Gdy wraz z Hassanem wspinaliśmy się na wzgórze za domem Baby, nawet nie byliśmy zasapani. Goniliśmy się po szczycie lub siadaliśmy w miejscu, skąd mieliśmy świetny widok na rozciągające się w dole lotnisko. Patrzyliśmy na lądujące i startujące samoloty. A potem goniliśmy się znowu.

Teraz, gdy docierałem na szczyt wzgórza, każdy oddech palił mnie w płucach, pot spływał po twarzy. Stanąłem, ciężko dysząc, w boku kłuła mnie kolka. Potem odszukałem stary cmentarz – nie trwało to długo. Był i cmentarz, i stare drzewo granatowe.

Oparłem się o kamienną bramę cmentarza, na którym Hassan pochował swoją matkę. Starej, metalowej kraty zwisającej z zawiasów już nie było, a i same nagrobki były teraz ledwo widoczne wśród rozpanoszonych wszędzie chwastów. Na niskim murku okalającym cmentarz siedziały dwie wrony.

Hassan napisał w liście, że drzewo od wielu lat już nie owocowało. Patrząc na nie, bezlistne, zwiędłe, wątpiłem, czy jeszcze kiedykolwiek wyda owoce. Stanąłem pod nim, wspominając, ile razy wspinaliśmy się na nie, siadaliśmy na gałęziach, wymachując nogami, a prześwitujące między liśćmi słońce rzucało nam na twarze pstrokatą mozaikę światłocienia. W ustach poczułem wonny smak granatu.

Przyklęknąłem i powiodłem dłońmi po pniu. Znalazłem to, czego szukałem. Napis prawie już całkiem zniknął, ale jednak był: AMIR I HASSAN, SUŁTANI KABULU. Palcem obwiodłem zarys każdej litery. Z maleńkich rowków powyciągałem drobiny kory.

Usiadłem ze skrzyżowanymi nogami pod drzewem i spojrzałem na południe, na miasto mojego dzieciństwa. Dawniej drzewa widać było za każdym murem, za każdym domem. Niebo było wielkie i błękitne, pranie suszące się na sznurach aż lśniło w słońcu. Wytężając słuch, można było usłyszeć nawet nawoływania sprzedawcy owoców, prowadzącego osła przez

Uazir Akbar Chan: „Wiśnie! Morele! Winogrona!" A pod wieczór rozlegał się *azan* z minaretu przy meczecie w Szar-e-Nau, wołanie muezina, aby gromadzić się na modlitwę.

Usłyszałem klakson, zobaczyłem machającego do mnie Farida. Musiałem iść.

Wróciliśmy w okolice placu Pasztunistańskiego. Po drodze kilkakrotnie mijaliśmy czerwone furgonetki z uzbrojonymi, młodymi brodaczami. Za każdym razem Farid klął pod nosem jak szewc.

Wynająłem pokój w małym hoteliku niedaleko placu. Drobnego recepcjonisty w okularach nie odstępowały ani na krok trzy małe dziewczynki w identycznych czarnych sukienkach i białych chustach. Wziął ode mnie siedemdziesiąt pięć dolarów, co było iście bajońską ceną w tak obskurnym hotelu, ale nie miałem nic przeciwko temu. Wyzyskiwanie ludzi po to, by wykarmić dzieci, to coś zupełnie innego, niż po to, by postawić dom na plaży na Hawajach.

Nie było ciepłej wody, wody nie było również w spękanej muszli klozetowej. W pokoju stało tylko pojedyncze stalowe łóżko z podartym materacem nakrytym starym kocem i drewniane krzesło w kącie. Rozbitej szyby w oknie wychodzącym na plac też nikt nie wymienił. Gdy kładłem walizkę na podłogę, zobaczyłem na ścianie nad łóżkiem plamę zaschniętej krwi.

Dałem Faridowi trochę pieniędzy. Poszedł kupić nam coś do jedzenia. Wrócił z czterema miskami gorącego kebabu, świeżym pieczywem i miską białego ryżu. Usiedliśmy na łóżku i rzuciliśmy się na jedzenie. To jedno się w Kabulu nie zmieniło: kebab był równie pyszny jak dawniej.

Na noc ja położyłem się na łóżku, Farid na podłodze, na dodatkowym kocu, za który właściciel hotelu ściągnął ze mnie dodatkową opłatę. Jedynym źródłem światła w pokoju był księżyc, którego blask wlewał się do środka przez rozbite okno. Farid zdążył się dowiedzieć od właściciela, że w całym Kabulu nie ma prądu już od dwóch dni, a hotelowy generator akurat jest zepsuty. Chwilę rozmawialiśmy. Farid opowiedział mi o swoim dzieciństwie spędzonym w Mazar-i-Szarif i potem w Dżalalabadzie. O tym, jak wraz z ojcem przyłączyli się do *dżihadu* przeciw *Szorawim*, jak walczyli z nimi w dolinie Panczszziru. Jak zostali bez zapasów i żywili się szarańczą. Opowiedział mi o śmierci ojca pod ogniem helikoptera, o dniu, w którym jego dwie córki zginęły na minie. Pytał mnie o Amerykę. Powiedziałem mu, że w Ameryce można wejść do byle sklepu i wybierać między piętnastoma czy dwudziestoma rodzajami płatków na śniadanie. Że jagnięcina jest zawsze świeża, mleko zimne, woda czysta, owoców w bród. W każdym domu jest telewizor, każdy telewizor ma pilota, a kto chce, może sobie sprawić antenę satelitarną i odbierać ponad pięćset kanałów.

– Pięćset?! – wykrzyknął Farid.

– Pięćset.

Umilkliśmy na chwilę. Już właściwie zasypiałem, gdy Farid zachichotał.

– Ago, słyszałeś, co zrobił mułła Nasruddin, kiedy jego córka przyszła do niego pożalić się, że mąż ją bije?

W ciemności czułem uśmiech na jego twarzy, taki sam wykwitł na mojej. Nie ma świecie Afgańczyka, który nie znałby choćby kilku kawałów o głupawym mulle.

– No, co zrobił?

– Też ją pobił, a potem odesłał do męża i kazał mu powiedzieć, że mułła nie jest głupcem. Jak drań może mu bić córkę, to mułła może zbić mu żonę.

Zaśmiałem się. I z samego żartu, i dlatego, że humor afgański pozostał, jaki był. Przeszły wojny, wynaleziono Internet, robot jeździł po powierzchni Marsa, a w Afganistanie dalej opowiadają kawały o mulle Nasruddinie.

– A znasz to, jak mułła wziął na ramię ciężki wór i wsiadł na osła? – zapytałem.

– Nie.

– Ktoś podchodzi do niego na ulicy i pyta, czemu nie położy worka na ośle. A mułła na to: „Nie, to byłoby okrutne. Biedaczek musi już nieść mnie".

Powymienialiśmy się tak kawałami o mulle, aż obu wyczerpał się repertuar. Znów zapadła cisza.

– Amirze ago...? – zaczął Farid, choć już zapadałem w sen.

– Tak?

– Po co tu przyjechałeś. Ale tak naprawdę?

– Przecież wiesz.

– Po chłopca?

– Po chłopca.

Farid przewrócił się z boku na bok.

– Aż trudno uwierzyć.

– Chwilami mnie też trudno uwierzyć, że tu jestem.

– Nie... Ale dlaczego akurat po tego chłopca? Tłuc się aż z Ameryki po... po jakiegoś szyitę?

Nagle do reszty odechciało mi się śmiać. I spać.

– Jestem zmęczony – powiedziałem. – Prześpijmy się.

Wkrótce w pustym pokoju rozległo się chrapanie Farida. Ja nie spałem. Leżałem z założonymi rękami, patrzyłem przez rozbite okno w rozgwieżdżone niebo i myślałem, że może rację mają ci, którzy mówią, że Afganistan to kraj bez nadziei.

Gdy weszliśmy na stadion Gazi przez jeden z tuneli, było tam już bardzo tłoczno. Tysiące ludzi uwijało się na zatłoczonych, betonowych trybunach. Dzieci bawiły się w przejściach, goniły tam i z powrotem po schodach. W powietrzu unosił się zapach fasoli w ostrym sosie połączony ze smrodem łajna i potu. Wraz z Faridem minęliśmy sprzedawców papierosów, pinii i ciastek.

Chudy chłopak w tweedowej marynarce chwycił mnie za ramię i zaczął mówić wprost do ucha. Pytał, czy nie chcę kupić „seksownych zdjęć".

– Bardzo seksownych, ago – mówił, a jego czujne oczy śmigały na wszystkie strony. Przypominał mi dziewczynę w San Francisco, która parę lat temu próbowała mi sprzedać krak. Chłopak odchylił połę marynarki, by pokazać towar: pocztówkowe fotosy z indyjskich filmów, przedstawiające wielkookie, omdlewające aktorki – całkowicie ubrane – w ramionach swych amantów.

– Bardzo seksowne – powtórzył.

– Nie, dziękuję – odpowiedziałem, przepychając się dalej.

– Jak go złapią, dadzą mu takie baty, że wszystkie dziady w nim zawyją – mruknął Farid.

Miejsca oczywiście nie były numerowane, nikt nie poprowadził nas do właściwego rzędu. Tego nie było tu nigdy, również za monarchii. Usiedliśmy zresztą nieźle, prawie na linii środkowej, choć Farid musiał dobrze rozpychać się za nas obu.

Pamiętałem, że murawa była soczyście zielona, gdy w latach siedemdziesiątych Baba przyprowadzał mnie tu na mecze. Teraz boisko było w opłakanym stanie, podziurawione i nierówne. Dwa jeszcze głębsze doły widać było za bramką od południowej strony. Trawy też już nie było, tylko wydeptana ziemia. Gdy obie drużyny wreszcie rozpoczęły mecz – mimo upału rzeczywiście grano w długich spodniach – trudno było się zorientować, gdzie jest piłka, bo gracze wzniecali ogromne kłęby pyłu. Po trybunach przechadzali się młodzi talibowie, uzbrojeni w bicze, którymi smagali każdego, kto dopingował zbyt głośno.

Tamtych przyprowadzono zaraz po gwizdku na przerwę. Przez bramę stadionu wjechały dwie zakurzone, czerwone furgonetki, takie jak te, na które natknęliśmy się w mieście. Tłum powstał. Z tyłu pierwszej furgonetki siedziała kobieta w zielonej burka, w drugiej mężczyzna z opaską na oczach. Furgonetki powoli objechały boisko, jakby po to, by każdy mógł się napatrzyć do woli. Z dobrym skutkiem: ludzie wyciągali szyje, gestykulowali, stawali na palcach. Grdyka stojącego obok mnie Farida poruszała się w górę i w dół. Powtarzał bezgłośnie słowa modlitwy.

Teraz czerwone furgonetki wjechały na boisko i ruszyły w stronę jednej z bramek, wlokąc za sobą bliźniacze tumany kurzu, błyszcząc kołpakami kół. Przy linii końcowej dołączyła do nich trzecia i nagle zrozumiałem, po co wykopano te dwa doły za bramką. Rozładowano trzecią furgonetkę. Tłum zaczął mruczeć niecierpliwie.

– Chcesz zostać? – zapytał poważnie Farid.

– Nie – odparłem. Nigdy w życiu nie chciałem znaleźć się dalej od jakiegoś miejsca niż w tej chwili. – Ale trzeba.

Dwaj talibowie z przerzuconymi przez plecy kałasznikowami pomogli wysiąść mężczyźnie z opaską na oczach, dwaj inni wyciągnęli kobietę w burka. Gdy znalazła się na ziemi, kolana ugięły się pod nią, upadła. Talibowie podnieśli ją, upadła jeszcze raz. Gdy jeszcze raz chwycili ją pod ramiona, zaczęła krzyczeć i wyrywać się. Nigdy, do końca moich dni, nie zapomnę tego krzyku – był to skowyt zwierzęcia, usiłującego uwolnić nogę zgniecioną przez sidła. Dwaj inni talibowie pomogli kolegom wepchnąć kobietę do jednego z dołów. Mężczyzna z opaską na oczach bez oporu pozwolił wsadzić się do drugiego. Po chwili stali w nich oboje.

Przy bramce stanął krępy, białobrody mułła w szarej szacie. Chrząknął do trzymanego w dłoni mikrofonu. Kobieta nie przestała krzyczeć nawet na chwilę. Mułła odmówił długą modlitwę z Koranu; jego nosowy głos to się wznosił, to opadał na nagle ucichłym stadionie. Przypomniałem sobie, co dawno temu powiedział mi Baba: „Sikam w te ich brody. Banda świętoszkowatych małp. Oni tylko macają paluchami paciorki różańca i recytują coś z książki, napisanej w języku, którego nawet nie rozumieją. Niech Bóg ma nas w swojej opiece, gdyby kiedykolwiek Afganistan miał wpaść w ich łapy".

Mułła skończył modlitwę i chrząknął jeszcze raz.

– Bracia i siostry! – zawołał po persku, a jego głos odbił się echem po stadionie. – Zebraliśmy się tutaj, by wypełnić szariat. By uczynić zadość sprawiedliwości. Zebraliśmy się tu dziś, bo wola Allacha i słowo jego proroka Mahometa, niech spoczywa w pokoju, są dziś prawem w Afganistanie, naszej ukochanej ojczyźnie. Słuchamy słowa Bożego i jesteśmy mu posłuszni, bo w obliczu potęgi Boga jesteśmy marnymi, słabymi istotami. A co mówi Bóg? Pytam! Co mówi Bóg?! Bóg mówi, że każdy grzesznik musi ponieść karę stosowną do jego winy. To nie ja mówię ani moi bracia. To mówi Bóg! Wolną ręką wskazał w niebo. Serce biło mi jak młotem, słońce paliło jak ogień.

– Każdy grzesznik musi zostać ukarany stosownie do jego winy! – powtórzył mułła do mikrofonu, zniżając głos, starannie, powoli i dramatycznie akcentując każde słowo. – Jaka więc kara, bracia i siostry, przystoi cudzołożnikom? Jak mamy karać tych, co drwią sobie ze świętości małżeństwa? Co mamy zrobić z tymi, którzy plują w twarz Boga? Jaką odpowiedź damy tym, co rzucają kamienie w okna domu Bożego? Jaką mamy dla nich odpowiedź? Właśnie te kamienie! – Wyłączył mikrofon. Cichy pomruk przetoczył się po tłumie.

Farid kręcił głową.

– I to mają być muzułmanie... – szepnął.

Wtedy z jednej z furgonetek wysiadł wysoki, barczysty mężczyzna. Na jego widok niektórzy widzowie zawyli radośnie – tym razem nikt nie uciszył ich batem. Jego biała szata lśniła w południowym słońcu, jej luźny kraj powiewał na lekkim wietrze, gdy rozpostarł ręce jak Jezus na krzyżu. Pozdrowił tłum, obracając się dookoła. Gdy zwrócił się w stronę naszego sektora, zobaczyłem, że ma okrągłe, czarne okulary, takie, jakie nosił John Lennon.

– To ten – powiedział Farid.

Wysoki talib w czarnych okularach podszedł do sterty kamieni wyładowanych z trzeciej furgonetki. Podniósł kamień i wyciągnął go w stronę tłumu. Szum tłumu ucichł, zmienił się w syk. Talib zamachnął się zupełnie jak baseballista rzucający piłkę i ze straszną siłą wypuścił z ręki kamień, wprost w skroń unieruchomionego w dole mężczyzny z opaską na oczach. Tłum sapnął „ach!" Kobieta znów zaczęła krzyczeć. Zamknąłem oczy, zakryłem twarz dłońmi. Okrzyk „ach!" rozbrzmiewał przy każdym rzucie kamieniem. Rozbrzmiewał długo. Gdy umilkł, spytałem Farida, czy to koniec. Odpowiedział, że nie. Chyba po prostu tłum się zmęczył. Nie wiem, jak długo jeszcze siedziałem z twarzą ukrytą w dłoniach. Wiem tylko, że gdy otworzyłem oczy, ludzie pytali się jeden przez drugiego: „Mord? Mord? Nie żyje?"

Mężczyzna w dole był teraz kupą zakrwawionych szmat. Głowa opadła mu w przód, opierając się podbródkiem o pierś. Talib w lennonkach podrzucał w dłoni kolejny kamień i patrzył na innego mężczyznę, który przykucnął przy dole. Ten, który kucał, miał w uszach słuchawki lekarskie, których koniec przytykał do ciała ofiary. Po chwili zdjął słuchawki i pokręcił głową, patrząc na taliba w okularach. Tłum jęknął.

John Lennon znów podszedł do dołu.

Gdy wreszcie było już po wszystkim, gdy zakrwawione ciała wrzucono bez ceremonii na – dwie różne – furgonetki, doły zostały szybko zakopane przez kilku mężczyzn z łopatami. Jeden z nich próbował bez szczególnego zapału zakryć rozległe plamy krwi. Kilka minut później na boisko powróciły obie drużyny. Rozpoczęła się druga połowa.

Spotkanie wyznaczono nam na godzinę trzecią po południu, jeszcze tego samego dnia. Zdumiała mnie szybkość, z jaką załatwiono całą sprawę. Spodziewałem się dłuższej zwłoki, pytań, może sprawdzania papierów. Przypomniałem sobie jednak, jak nieoficjalnie załatwiano w Afganistanie nawet najbardziej oficjalne sprawy. Wystarczyło, by Farid powiedział jednemu z uzbrojonych w baty talibów na trybunach, że mamy osobistą sprawę do tego w bieli. Farid zamienił z talibem kilka słów, ten skinął głową i zawołał coś po pasztuńsku do młodego człowieka stojącego na boisku. Ten z kolei podbiegł do bramki, przy której talib w okularach gawędził z krępym mułłą, tym samym, który wygłosił kazanie. Człowiek w bieli przez chwilę rozmawiał z naszym posłańcem. Zobaczyłem, że ten w okularach podnosi wzrok. Skinął głową i powiedział coś do ucha posłańcowi, który powtórzył to nam.

A więc wyznaczono nam spotkanie. Na trzecią.

22

Farid podjechał pod spory dom w Uazir Akbar Chan. Zaparkował w cieniu wierzby, której gałęzie przelewały się przez mur posiadłości na ulicy Piętnastej, Sarak-e-Memana, ulicy Gości. Przez chwilę siedzieliśmy, wsłuchując się w stuk chłodniejącego silnika. Nie mówiliśmy nic. Farid kręcił się na fotelu i bawił kluczykami wiszącymi w stacyjce. Widziałem, że chce mi coś powiedzieć.

– Ja poczekam w samochodzie – powiedział wreszcie jakby przepraszającym tonem. Unikał mego wzroku. – Teraz musisz... Ja...

Poklepałem go po ramieniu.

– I tak zrobiłeś więcej, niż do ciebie należało. Wcale nie myślałem, że ze mną tam pójdziesz.

Ale też wcale nie chciałem tam iść sam. Mimo wszystkiego, co teraz wiedziałem o Babie, żałowałem, że nie ma go tu ze mną. Baba wszedłby do środka pewnym krokiem, zażądałby rozmowy z najważniejszą osobą, zmiótłby każdego, kto ośmieliłby stanąć mu na drodze. Ale Baba dawno już nie żył. Spoczywał na niewielkiej, afgańskiej części cmentarza w Hayward. Miesiąc temu wraz z Sorają położyliśmy mu przy nagrobku bukiecik niezapominajek. Teraz byłem sam.

Wysiadłem z samochodu i podszedłem do wysokiej drewnianej bramy. Przycisnąłem dzwonek, ale bez skutki – prądu dalej nie było – więc musiałem stukać. Po chwili usłyszałem po drugiej stronie donośne głosy. Dwóch mężczyzn z kałasznikowami otworzyło bramę.

Spojrzałem jeszcze raz na Farida siedzącego w samochodzie i rzuciłem w jego stronę bezgłośne „wrócę", choć wcale nie byłem tego taki pewien.

Strażnicy przeszukali mnie od stóp do głów, pomacali po nogach, po kroczu. Jeden z nich powiedział coś po pasztuńsku, obaj zachichotali. Wpuścili mnie za bramę i poprowadzili obok dobrze utrzymanego trawnika, rzędu geranium i rosnących pod murem kolczastych krzewów. Na drugim końcu podwórza stała nad studnią stara ręczna pompa – przypomniałem sobie, że taka sama była w domu kaki Homajuna w Dżalalabadzie i że razem z jego bliźniaczkami Fazilą i Karimą wrzucaliśmy do niej kamyki, by nasłuchiwać plusku.

Weszliśmy po schodkach do wielkiego, choć pustego domu. Minęliśmy sień, w której wisiała wielka afgańska flaga, skąd poprowadzono mnie na piętro, do pokoju z dwiema identycznymi zielonymi kanapami i wielkim telewizorem w rogu. Na jednej ze ścian widniał przybity gwoździami kilim wyobrażający lekko spłaszczoną Mekkę. Starszy z mężczyzn wskazał mi jedną z kanap lufą karabinu. Usiadłem. Tamci dwaj wyszli.

Założyłem nogę na nogę. Wyprostowałem je. Siedziałem, trzymając spocone dłonie na kolanach. Czy wyglądałem na zdenerwowanego? Zacisnąłem dłonie, uznałem, że tak jest jeszcze gorzej, więc skrzyżowałem je na piersi. Krew tętniła mi w skroniach. Nigdy jeszcze nie czułem się tak samotny. Najróżniejsze myśli przemykały mi przez głowę, ale ja w ogóle nie chciałem myśleć, bo moje trzeźwiej rozumujące ja zdawało sobie sprawę, że postąpiłem jak szaleniec. Oto siedzę o tysiące kilometrów od żony, czekam w pokoju, z którego nie mogę uciec, na człowieka, który, jak sam widziałem, zamordował tego dnia dwie osoby. Istne szaleństwo. I, co gorsza, nieodpowiedzialność. Istniała bardzo realna obawa, że przeze mnie Soraja wkrótce zostanie wdową w wieku trzydziestu sześciu lat. To część mojego ja mówiła: „Amir, to do ciebie niepodobne. Przecież ty jesteś tchórzem. Taki już jesteś. Zresztą trzeba ci przyznać, że nigdy nie okłamywałeś się w tym względzie. We wszystkim, tylko nie w tym. Zresztą tchórzostwo nie jest takie złe, jeżeli idzie w parze z ostrożnością. Ale kiedy tchórz zapomni, kim jest... to niech Bóg ma go w swojej opiece".

Między kanapami stał niski stolik. Podstawa była w kształcie litery X; w miejscu, w którym łączyły się metalowe nogi, tkwiły mosiężne kulki wielkości orzecha włoskiego. Gdzieś już widziałem taki stolik. Gdzie? Uświadomiłem sobie: w zatłoczonej herbaciarni w Peszawarze. Wtedy, gdy wyszedłem od Rahima Chana. Teraz, na tym stoliku, leżała miska z czerwonymi winogronami. Urwałem jedno, wrzuciłem do ust. Musiałem się czymś zająć, żeby zagłuszyć głos w mojej głowie. Winogrona były słodkie. Zjadłem jeszcze jedno. Nie wiedziałem, że miał to być na długo ostatni stały pokarm.

Drzwi się otworzyły. Wrócili ci sami uzbrojeni strażnicy, ale między nimi stał wysoki, barczysty talib w bieli, wciąż w okularach à la John Lennon. Wyglądał jak jakiś nawiedzony guru New Age.

Usiadł naprzeciw mnie, jedną z dłoni opuścił na oparcie kanapy. Przez dłuższą chwilę nic nie mówił. Siedział, przyglądał mi się, jedną ręką bębnił po tapicerce, w palcach drugiej obracał turkusowe paciorki różańca. Na białą szatę narzucił teraz czarną kamizelkę, nałożył też złoty zegarek. Na jego lewym rękawie zauważyłem małą plamkę krwi. Fakt, iż nie przebrał się od egzekucji, mimowolnie mnie fascynował.

Co jakiś czas jego wolna dłoń podnosiła się, a jego grube palce jakby gładziły powietrze, powoli, w górę i w dół – jakby pieścił niewidzialnego kota. Jeden z rękawów obsunął się na łokieć i zobaczyłem wtedy na jego przedramieniu takie ślady, jakie widywałem u bezdomnych narkomanów w brudnych zaułkach San Francisco.

Jego skóra była znacznie bledsza od cery dwóch pozostałych, niemal ziemista; tuż pod krawędzią turbanu lśniły mu na czole drobne kropelki potu. Również jego broda, tej samej długości, co tamtych, była znacznie jaśniejsza.

– Salam alejkum – odezwał się.

– Salam.

– Teraz już możesz to zdjąć – powiedział.

– Słucham?

Skinął na jednego ze strażników. Trach. Nagle policzki mnie zapiekły, a strażnik ze śmiechem podrzucał w dłoni moją sztuczną brodę. Talib się uśmiechnął.

– Dawno tak dobrej nie widziałem. Ale tak jest chyba znacznie przyjemniej, prawda? Jak uważasz? – Nie przestawał ruszać palcami, pstrykał w nie, to zaciskał, to rozwierał pięść. – Czyli, *Inszallach*, przedstawienie ci się podobało?

– A to było przedstawienie? – zapytałem, pocierając policzki i łudząc się, że nie zdradzam głosem istnej eksplozji zgrozy.

– Publiczne wymierzanie sprawiedliwości to najwspanialsze z możliwych przedstawień, bracie. Jest i dramat, i napięcie, i, co najważniejsze, dobry przykład dla mas. – Pstryknął w palce. Młodszy ze strażników podał mu ognia. Talib się zaśmiał, zamruczał coś do siebie. Jego ręce trzęsły się tak, że omal nie upuścił papierosa. – Ale skoro tak lubisz przedstawienia, to żałuj, że nie byłeś ze mną w Mazar. W sierpniu 1998 roku.

– Słucham?

– Wiesz, zostawiliśmy ich ciała psom.

Zrozumiałem.

Wstał i obszedł kanapę dookoła. Raz i drugi. Znów usiadł. Zaczął mówić szybko.

– Chodziliśmy od drzwi do drzwi, wywoływaliśmy mężczyzn i chłopców. Strzelaliśmy do nich na miejscu, na oczach ich rodzin. Żeby widziały. Żeby wiedziały, kim są, gdzie ich miejsce. – Teraz już z trudem łapał powietrze. – Czasem rozwalaliśmy drzwi i wchodziliśmy do ich domów. A wtedy... ja... obracałem się w kółko i strzelałem. Strzelałem, dopóki cokolwiek widziałem w dymie. – Pochylił się do mnie, jakby chciał mi powierzyć ważną tajemnicę. – Nie da się do końca zrozumieć znaczenia słowa „wyzwolenie", jeżeli nie robiło się czegoś takiego, jeżeli nie stało się w pełnym pokoju i nie młóciło się po nim kulami, bez wyrzutów sumienia, bez grzechu, ze świadomością, że jest się dobrym, cnotliwym, porządnym. Że wypełnia się nakaz Boga. Ta świadomość zapiera dech w piersiach. – Ucałował różaniec, przekrzywił głowę. – Pamiętasz, Dżawid?

– Pamiętam, sahibie ago – odpowiedział młodszy ze strażników. – Jakże mógłbym zapomnieć?

O masakrze Hazarów w Mazar-i-Szarif czytałem w gazetach. Doszło do niej wkrótce po zajęciu Mazar, jednego z ostatnich zdobytych przez talibów miast. Pamiętam, że Soraja zbladła jak ściana i podała mi stronę z gazety.

– Od drzwi do drzwi. Przerywaliśmy tylko na jedzenie i modlitwę – mówił talib. Mówił to z radością, jakby opowiadał o jakimś szczególnie udanym przyjęciu. – Ciała zostawialiśmy na ulicy, a jeżeli rodziny usiłowały wciągnąć je ukradkiem do domów, to i do nich strzelaliśmy. Tak, ciała zostawiliśmy na ulicach. Dla psów. W sam raz. – Rozgniótł papierosa. Drżącymi dłońmi przetarł oczy. – Przyjechałeś z Ameryki?

– Tak.

– No i jak się ma ta stara dziwka?

Poczułem nagłe parcie na pęcherz. Modliłem się w duchu, by przeszło.

– Szukam chłopca.

– No, to chyba każdy – powiedział. Dwaj z kałasznikowami zaśmiali się. Ich zęby były zielone od żucia *nasuar*.

– Z tego, co wiem, jest tutaj – mówiłem dalej. – Ma na imię Sohrab.

– Pozwól, że cię o coś zapytam: co ty tam robisz, w tej starej dziwce, Ameryce? Czemu nie jesteś tu z braćmi muzułmanami? Czemu nie służysz ojczyźnie?

– Długo mnie tu nie było. – Tylko tyle potrafiłem powiedzieć. Krew uderzyła mi do głowy. Zwarłem kolana, ściskając pęcherz. Talib odwrócił się do tych dwóch przy drzwiach.

– Czy to odpowiedź? – zapytał ich.

– Nie, sahibie ago – odpowiedzieli chórem, z uśmiechem.

Zwrócił oczy na mnie. Wzruszył ramionami.

– Mówią, że to żadna odpowiedź. – Zaciągnął się nowym papierosem. – Wielu ludzi z mojego kręgu uważa, że opuszczenie ojczyzny w potrzebie jest równoważne ze zdradą. Mogę kazać cię aresztować, mogę nawet kazać cię rozstrzelać. Boisz się?

– Przyjechałem po chłopca.

– Boisz się?

– Tak.

– To dobrze – powiedział. Rozparł się na kanapie. Rozgniótł i tego papierosa.

Myślałem o Sorai. To mnie uspokajało. Myślałem o jej znamieniu w kształcie półksiężyca, wytwornej linii szyi, świetlistych oczach. O naszym weselu, gdy patrzyliśmy na siebie w lusterka pod zielonym welonem, o tym, jak policzki jej poczerwieniały, gdy powiedziałem, że ją kocham. O tym, jak tańczyliśmy do starej piosenki afgańskiej, jak wirowaliśmy do wtóru oklasków gości, a świat wirował wokół nas gąszczem kwiatów, sukni, smokingów i uśmiechniętych twarzy.

Talib znów coś mówił.

– Słucham?

– Pytam, czy chcesz go zobaczyć. Czy chcesz zobaczyć mojego chłopczyka? – Jego górna warga uniosła się w górę w obrzydliwym uśmiechu, gdy wymawiał dwa ostatnie słowa.

– Tak.

Jeden z tamtych wyszedł. Usłyszałem skrzypienie otwieranych drzwi i ostry głos strażnika, mówiącego coś po pasztuńsku. Potem odgłos kroków i wtórujący każdemu z nich dźwięk dzwonka. Zaraz przypomniał mi się człowiek z małpką, za którym biegaliśmy wraz z Hassanem w Szar-e-Nau. Dawaliśmy mu zawsze rupię z naszego kieszonkowego, by patrzeć, jak małpka tańczy. Dźwięk, który słyszałem teraz, brzmiał dokładnie tak samo jak dzwonek u jej szyi.

Drzwi się otworzyły. Wszedł strażnik, niosąc na ramieniu miniwieżę stereo. Za nim pojawił się chłopiec w luźnym, szafirowym *pirhan-tumban*.

Podobieństwo było wstrząsające. Zdjęcie zrobione przez Rahima Chana zupełnie mnie na to nie przygotowało.

Chłopiec miał okrągłą jak księżyc w pełni twarz swego ojca, jego drobny, wystający podbródek, uszy jak morskie muszle i tę samą drobną budowę. A twarz była ta sama: twarz chińskiej lalki z mojego dzieciństwa, twarz, która w zimowe dni patrzyła na mnie znad wachlarza kart, twarz zza moskitiery, gdy w lecie sypialiśmy na tarasie na dachu domu mojego ojca. Miał ogoloną głowę, podmalowane oczy, policzki też nienaturalnie czerwone. Gdy zatrzymał się na środku pokoju, przyczepione do kostek dzwonki zamilkły.

Jego wzrok padł na mnie, zatrzymał się na chwilę i umknął. Umknął ku jego bosym stopom.

Jeden ze strażników włączył miniwieżę. Popłynęła z niej pasztuńska muzyka – bębenki, harmonia, jękliwa *dil-roba*. A więc muzyka nie jest grzeszna, gdy przeznaczona dla uszu talibów. Trzej mężczyźni zaczęli klaskać.

– *Ła, ła! Maszallach!* – wołali.

Sohrab uniósł ręce i zaczął się powoli obracać. Stanął na palcach, wdzięcznie okręcił się na nich, przysiadł, wyprostował się, znów się obrócił. Jego drobne dłonie wirowały w przegubach, palce pstrykały, głowa kiwała się na boki jak wahadło. Jego stopy uderzały o podłogę, a dzwonki dźwięczały dokładnie w takt wybijany przez bębenki. Oczy miał zamknięte.

– *Maszallach!* – wołali tamci. – *Szahbas!* Brawo!

Obaj strażnicy gwizdali i śmiali się. Talib w bieli kiwał głową w takt muzyki. Jego usta wpółotworzyły się pożądliwie.

202

Sohrab tańczył w kółko, z zamkniętymi oczami, póki muzyka nie ucichła. Dzwonki zadźwięczały ostatni raz, gdy przytupnął na ostatnim dźwięku. Zamarł w półobrocie.

– Bia, bia, mój mały – powiedział talib, wołając do siebie Sohraba. Sohrab podszedł, stanął między jego udami. Talib objął go. – Prawda, jaki on zdolny, ten mój mały Hazara! – dodał. Jego dłonie przesunęły się w dół po plecach dziecka, potem w górę, pod pachy. Jeden ze strażników trącił łokciem drugiego i zachichotał. Talib kazał im się wynosić.

– Tak jest, sahibie ago – powiedzieli od drzwi.

Talib nagłym ruchem odwrócił chłopca tak, by ten stanął twarzą do mnie. Ręce trzymał na brzuchu chłopca, podbródek wspierał na jego ramieniu. Sohrab wciąż patrzył na swe stopy, ale ukradkiem rzucał mi nieśmiałe spojrzenia. Dłoń mężczyzny wędrowała po brzuchu chłopca. W górę i w dół, powoli, lekko.

– A wiesz, nad czym się zastanawiam? – odezwał się znów talib, patrząc na mnie zza Sohraba. – Nad tym, co też słychać u starego Babalu.

To pytanie było jak cios między oczy. Poczułem, że blednę. I że po całym ciele rozchodzi się chłód. Chłód, odrętwienie.

Zaśmiał się.

– A coś ty myślał? Że jak przykleisz sztuczną brodę, to cię nie poznam? Ty chyba nie wiesz, że mam świetną pamięć do twarzy. Naprawdę świetną. – Musnął wargami ucho Sohraba, ale nie spuszczał ze mnie wzroku. – Słyszałem, że twój ojciec umarł. Szkoda. Zawsze chciałem się z nim zmierzyć. Zdaje się, że muszę się zadowolić jego synem niezgułą. – Zdjął czarne okulary i wpatrywał się we mnie przekrwionymi niebieskimi oczami.

Usiłowałem zaczerpnąć oddechu, ale nie mogłem. Próbowałem zamrugać oczyma – też bez skutku. Było to wszystko tak nierzeczywiste – nie, nie nierzeczywiste, absurdalne – że straciłem dech, że świat nagle się zatrzymał. Twarz mi płonęła. Dlaczego z mojej przeszłości zawsze pojawia się tylko najgorsze, dlaczego tylko najgorsze wypływa zawsze na wierzch, jak oliwa? Jego imię też wypłynęło na wierzch, ale bałem się je wymówić, bo wtedy musiałbym uznać, że to naprawdę on. Tylko że i tak był tu teraz, z krwi i kości, siedział o parę metrów ode mnie. Po tylu latach... W końcu wymknęło mi się jego imię.

– Assef.

– Amir-dżan.

– Co ty tu robisz? – zapytałem, zdając sobie sprawę, że brzmi to idiotycznie. Ale nie potrafiłem powiedzieć nic innego.

– Ja? – Assef uniósł brew. – Ja jestem w swoim żywiole. Pytanie jest inne: co ty tu robisz?

– Już ci powiedziałem. – Głos mi drżał. Starałem się opanować, starałem się nie czuć, że ciało znów przywiera mi do kości ze strachu.

– Przyjechałeś po chłopca?

– Tak.

– Dlaczego?

– Zapłacę ci za niego – powiedziałem. – Sprowadzę pieniądze.

– Pieniądze? – zapytał Assef. Zaśmiał się cicho. – Słyszałeś kiedyś o Rockingham? To na zachodzie Australii. Pięknie jak w raju. Żałuj, że nie widziałeś. Ciągnące się kilometrami plaże, zielona woda, błękitne niebo. Mieszkają tam moi rodzice. Mają dom nad morzem. Za willą mają pole golfowe i staw. Ojciec codziennie gra w golfa, mama woli tenis. Tata mówi, że mama ma teraz morderczy bekhend. Mają tam restaurację afgańską i dwa sklepy jubilerskie. I jedno, i drugie to żyła złota. – Oderwał jedno winogrono i czule umieścił je Sohrabowi w ustach. – Tak że jeżeli potrzebuję pieniędzy, to wystarczy mi zwrócić się do nich. – Pocałował Sohraba w kark. Chłopiec wzdrygnął się lekko i z powrotem zamknął oczy. – Poza tym nie walczyłem z *Szorawi* dla pieniędzy. I nie dla pieniędzy przyłączyłem się do talibów. Chcesz wiedzieć dlaczego?

Poczułem, że mam całkowicie wyschnięte wargi. Spróbowałem je polizać, ale okazało się, że język mam równie suchy.

– Chce ci się pić? – zapytał Assef z uśmiechem.

– Nie.

– Chyba bardzo chce ci się pić.

– Nie, dziękuję – powiedziałem. Prawda była taka, że w pokoju zrobiło mi się nagle okropnie gorąco. Pot lał się ze mnie strumieniami, drażnił mi skórę. Czy to wszystko dzieje się naprawdę? Czy ja naprawdę siedzę naprzeciw Assefa?

– Jak chcesz – powiedział. – Zaraz, zaraz, o czym to mówiłem? Aha, o tym, dlaczego przyłączyłem się do talibów. Może pamiętasz, że nigdy nie byłem zbyt pobożny. Ale kiedyś doznałem objawienia. Było to w więzieniu. Opowiedzieć ci?

Milczałem.

– Świetnie, opowiem ci – zaczął. – Wkrótce po przewrocie Babraka Karmala w 1980 roku spędziłem jakiś czas w więzieniu w Pole-Czarchi. Trafiłem tam wtedy, gdy w naszym domu pojawiło się kilku żołnierzy *Parczami* i kazali mnie i ojcu pójść z nimi. Dranie nawet nie powiedzieli, o co chodzi, i nie chcieli gadać z moją mamą. To akurat nikogo nie powinno dziwić. Wszyscy wiedzieli, że komuniści nie umieją się zachować, bo pochodzą z biednych, nikomu nieznanych rodzin. Te same psy, które przed wkroczeniem *Szorawi* nie były godne lizać mi butów, teraz przychodziły z naszywkami *Parczami* w klapach, nudziły o upadku burżuazji i udawały, że są kimś. Wszędzie tak się działo: zgonić bogatych, wsadzić ich do więzienia, będzie dobry przykład dla towarzyszy.

No więc wsadzili nas po sześciu do maleńkich cel wielkości chyba lodówki. Co wieczór komendant więzienia, pół Uzbek, pół Hazara, śmierdzący jak padły osioł, wybierał sobie jednego więźnia i bił go, dopóki się nie zmachał. Potem zapalał papierosa, masował sobie łapy i odchodził. Następnego wieczoru wybierał kogoś innego. Kiedyś w końcu wybrał mnie. Nie mogłem gorzej trafić, bo od trzech dni sikałem krwią. Miałem kamień w nerce. Jeżeli sam nigdy nie miałeś, to możesz mi wierzyć, że nie ma straszniejszego bólu. Moja mama też na to chorowała, powiedziała mi kiedyś, że wolałby jeszcze raz rodzić. No, ale cóż, wywlekli mnie z celi, a on zaczął mnie kopać. Miał oficerki ze stalowymi noskami. Wkładał je zawsze na tę zabawę. Darłem się i darłem, on mnie kopał i nagle trafił mnie w lewą nerkę tak szczęśliwie, że kamień przeszedł. Po prostu! Ależ to była ulga! – Assef się zaśmiał. – Wrzasnąłem „*Allach-u-akbar!*" On kopał mnie jeszcze mocniej, a ja zacząłem się śmiać. Dostał szału, ale im mocniej mnie bił, im mocniej mnie kopał, tym głośniej się śmiałem. Śmiałem się jeszcze, kiedy wrzucili mnie z powrotem do celi. Śmiałem się, bo nagle zrozumiałem, że Bóg dał mi znak, że jest po mojej stronie. Że dał mi przeżyć nie bez powodu.

I wiesz co? Kilka lat później natknąłem się na komendanta na polu bitwy niedaleko Mejmana. Dostał odłamkiem w klatkę piersiową. Na nogach miał te same oficerki. Zapytałem go, czy mnie poznaje. Powiedział, że nie. Powiedziałem mu to samo, co tobie, że mam świetną pamięć do twarzy. I strzeliłem mu w jaja. I od tej pory wypełniam misję.

– Jaką misję? – Usłyszałem własny głos. – Kamienowanie cudzołożników? Gwałcenie dzieci? Bicie kobiet za to, że noszą buty na wysokich obcasach? Mordowanie Hazarów? Wszystko w imię islamu? – Słowa popłynęły nagle i niespodziewanie, nim zdążyłem je powstrzymać. Żałowałem, że nie mogę ich cofnąć. Bo w ten sposób sprawiłem, że zgasła wszelka nadzieja, bym wyszedł stąd żywy.

Na twarzy Assefa odmalowało się – przez krótką chwilę – zdumienie, które zaraz zniknęło.

– No, więc jednak może być ciekawie – powiedział z uśmiechem. – Ale pewnych rzeczy tacy zdrajcy jak ty nigdy nie zrozumieją.

– Niby czego?

Brew Assefa zadrgała.

– Na przykład dumy z własnego narodu, zwyczajów, języka. Afganistan jest jak piękny pałac, ale zaśmiecony. Ktoś musi wyrzucić śmieci.

– I to właśnie robiłeś, chodząc od domu do domu po Mazar? Wyrzucałeś śmieci.

– No właśnie.

– Na zachodzie mają na to określenie – powiedziałem. – Mówią na to czystki etniczne.

– Naprawdę? – Twarz Assefa się rozjaśniła. – Czystki etniczne? Ładnie brzmi, podoba mi się.

– Mnie chodzi tylko o chłopca.

– Czystki etniczne – Assef nie przestawał się rozkoszować dźwiękiem tych słów.

– Chcę tylko zabrać chłopca – powtórzyłem. Oczy Sohraba spoczęły na mnie. Były to oczy zarzynanego baranka. Nawet to, że były podmalowane... Doskonale pamiętałem, że w dzień *Eid*, gdy mułła przychodził poderżnąć gardło barankowi, najpierw też malował mu oczy tuszem i wsuwał do pyska kostkę cukru. Wydawało mi się, że Sohrab patrzy na mnie błagalnie.

– Tylko powiedz czemu? – zapytał Assef. Chwycił w zęby koniuszek ucha Sohraba. Puścił. Pot znów wystąpił mu na czoło.

– To moja sprawa.

– A co ty z nim zrobisz? – zapytał znowu. Uśmiechnął się niewinnie. – No, co mu będziesz robił?

– To wstrętne – powiedziałem.

– Skąd wiesz? Próbowałeś?

– Chcę zabrać go gdzieś, gdzie mu będzie lepiej.

– Ale powiedz dlaczego?

– To moja sprawa – odparłem. Sam nie wiem, dlaczego już nie bałem się tak do niego przemawiać. Może dlatego, że wiedziałem, że już i tak jestem zgubiony.

– Ciekawe – mówił dalej Assef. – Ciekawe. Amir, dlaczego przyjechałeś taki kawał świata po jakiegoś Hazarę? Po co? Po co tu jesteś, ale tak naprawdę?

– Mam swoje powody – powiedziałem.

– No dobrze. – Assef uśmiechnął się złośliwie. Pchnął Sohraba w plecy, prosto na stolik. Uda chłopca uderzyły w blat, stolik runął, winogrona potoczyły się na podłogę. Sohrab upadł w nie twarzą w przód, plamiąc się na czerwono. Nogi stolika, łączące się w pierścieniu mosiężnych kulek, sterczały teraz do góry.

– No to go sobie weź – powiedział Assef. Pomogłem Sohrabowi wstać, otrzepałem go z kawałków rozgniecionych winogron, które przyczepiły się do jego spodni.

– No, bierz go – powtórzył Assef, wskazując drzwi.

Wziąłem Sohraba za rękę. Była drobna, o suchej, zrogowaciałej skórze. Jego palce poruszyły się, złączyły z moimi. Znów ujrzałem Sohraba na zdjęciu, jego rękę obejmującą udo Hassana, jego głowę, wspartą na biodrze ojca. Obaj się uśmiechali. Dzwonki znów zadźwięczały, gdy szliśmy przez pokój. Doszliśmy tylko do drzwi.

– Oczywiście – odezwał się z tyłu Assef – wcale nie powiedziałem, że możesz go wziąć za darmo.

Obróciłem się.

– Czego chcesz?

– Musisz sobie na niego zasłużyć.

– Czego chcesz?

– My dwaj mamy jedną niedokończoną sprawę – powiedział Assef. – Chyba nie zapomniałeś?

Mógł być spokojny. Do końca życia nie zapomnę dnia, w którym Daud Chan obalił króla. Przez całe dorosłe życie imię uzurpatora kojarzyło mi się wyłącznie z widokiem Hassana, mierzącego z procy w twarz Assefa, mówiącego, że odtąd trzeba będzie go nazywać Jendookim, a nie *Goszchor*. Pamiętam, jak bardzo zazdrościłem Hassanowi odwagi. Assef odszedł, ale zapowiedział, że jeszcze się z nami porachuje. Z jednym i z drugim. Hassanowi obietnicy dotrzymał, teraz przyszła kolej na mnie.

– Dobrze – odpowiedziałem, bo nic innego nie przyszło mi na myśl. Nie zamierzałem go o nic prosić; nie zamierzałem dać mu tej satysfakcji.

Assef z powrotem zawołał strażników.

– Słuchajcie – zwrócił się do nich. – Za chwilę zamknę drzwi. Potem załatwię z nim stare porachunki. Choćby nie wiadomo co, nie wolno wam tu wejść. Zrozumiano? Nie wolno!

Strażnicy skinęli głowami. Spojrzeli najpierw na Assefa, potem na mnie.

– Tak jest, sahibie ago.

– Kiedy będzie po wszystkim, tylko jeden z nas wyjdzie stąd żywy – mówił dalej Assef. – Jeżeli to będzie on, zasłużył sobie na wolność. Macie go przepuścić, zrozumiano?

Starszy przestąpił z nogi na nogę.

– Ależ sahibie ago...

– Jeżeli to on wyjdzie, macie go przepuścić! – wrzasnął Assef. Obaj strażnicy cofnęli się i znów skinęli głowami. Obrócili się do drzwi. Jeden z nich wyciągnął rękę po Sohraba.

– Niech zostanie – powiedział Assef. Uśmiechnął się złośliwie. – Niech popatrzy. Chłopcy muszą się uczyć różnych rzeczy. Strażnicy wyszli. Assef odłożył różaniec. I sięgnął do kieszeni. Wcale mnie nie zdziwiło, co z niej wyjął – kastet z nierdzewnej stali.

Ma żel we włosach, a nad grubymi wargami wąs à la Clark Gable. Żel powoli przesiąka przez zielony szpitalny czepek, robiąc na niej ślad przypominający kształtem Afrykę. To pamiętam. To i złoty łańcuch z Allachem na jego ciemnej szyi. Patrzy na mnie z góry i mówi szybko w niezrozumiałym dla mnie języku, chyba po urdyjsku. Mój wzrok co chwila spoczywa na jego grdyce, poruszającej się to w górę, to w dół. Chcę go zapytać, ile ma lat, bo wydaje mi się o wiele za młody, jak aktor w jakiejś zagranicznej operze mydlanej, ale mogę tylko wykrztusić: „Chyba dobrze się biłem, chyba dobrze się biłem".

Nie wiem, czy dobrze się biłem. Chyba nie. Przecież biłem się z kimś po raz pierwszy w życiu. Do tej pory nikogo nawet nie uderzyłem pięścią.

Moje wspomnienia o walce z Assefem są chwilami zaskakująco żywe. Pamiętam, że nim założył kastet, włączył muzykę. W pewnym momencie kilim ze spłaszczoną Mekką odczepił się od ściany i spadł mi na głowę, zachciało mi się kichać od kurzu. Pamiętam, że Assef rzucał mi w twarz winogronami, odsłaniał w uśmiechu zaślinione zęby i wywracał oczyma. Potem spadł mu turban, ukazując długie do ramion, kręcone blond włosy.

No i koniec walki, który ciągle staje mi przed oczyma. I którego nie zapomnę nigdy.

A przede wszystkim pamiętam to: kastet połyskuje w popołudniowym słońcu, przy pierwszych kilku uderzeniach jest zimny, ale szybko ogrzewa się od mojej krwi. Padam na ścianę, gwóźdź po kilimie kłuje mnie w plecy. Krzyk Sohraba. Bębenki, harmonia, *dil-roba*. Padam na ścianę. Kastet łamie mi szczękę. Krztuszę się własnymi zębami, połykam je. Myśl o tych godzinach, które zmarnowałem, czyszcząc je i używając nici dentystycznych. Padam na ścianę. Leżę na podłodze, krew z rozbitej górnej wargi sączy się na fiołkowy dywan, ból rozdziera mi brzuch, zastanawiam się, czy jeszcze uda mi się odetchnąć. Odgłos moich pękających żeber przypomina trzask gałęzi, które łamaliśmy z Hassanem, aby odgrywać walki Sindbada ze starych filmów. Krzyk Sohraba. Mój policzek uderza w szafkę pod telewizorem. Znów trzask, tym razem nad lewym okiem. Muzyka. Krzyk Sohraba. Palce tamtego chwytają mnie za włosy, odciągają mi głowę do tyłu, błysk nierdzewnej stali. Proszę bardzo. Znów trzask – tym razem nos. Zaciskam zęby z bólu i wyczuwam, że układają się jakoś inaczej. Kopniak. Krzyk Sohraba.

Nie wiem, kiedy zacząłem się śmiać. To też bolało – szczęka, żebra, gardło – ale śmiałem się i śmiałem. A im głośniej się śmiałem, tym mocniej mnie kopał, bił, drapał.

– Co cię tak śmieszy?! – wył Assef po każdym ciosie. Jego ślina ściekała mi do oczu. Krzyk Sohraba.

– Co cię tak śmieszy?! – zawołał jeszcze raz Assef. Trzask kolejnego żebra, trochę niżej. A śmieszyło mnie to, że po raz pierwszy od zimy roku 1975 poczułem spokój. Śmiałem się, ponieważ zrozumiałem, że jakąś ukrytą częścią umysłu czekałem na tę chwilę. Pamiętam dzień, w którym rzucałem w Hassana dojrzałymi granatami, by go sprowokować. A on stał bez ruchu, tylko czerwony sok przesiąkał mu przez koszulę jak krew. A potem wyjął mi z ręki kolejny owoc i rozgniótł go sobie na czole. I wychrypiał: „Zadowolony? Lepiej ci?" Wtedy wcale nie byłem zadowolony, wcale nie było mi lepiej. Za to teraz – tak. Ucierpiałem na ciele – dopiero potem dowiedziałem się, jak bardzo – ale czułem się uzdrowiony. Nareszcie. I śmiałem się.

I jeszcze koniec walki. Tak, ten widok będę pamiętał do końca życia: Leżałem na ziemi i śmiałem się, Assef siedział na mnie. Miał twarz szaleńca, otoczoną długimi włosami, które kołysały się tuż nad moją twarzą. Jedną ręką trzymał mnie za gardło, drugą, tę zbrojną w kastet, unosił do kolejnego ciosu.

I nagle:

– *Bas*. – Jakiś cichy głos.

Obaj zwróciliśmy ku niemu głowy.

– Już nie.

Przypomniałem sobie coś, co powiedział dyrektor sierocińca, gdy otwierał drzwi przede mną i Faridem. Jak on się nazywał? Zaman? „Nigdy się z nią nie rozstaje. Jak gdzieś idzie, zawsze wsadza ją za spodnie".

– Już nie.

Jego uróżowane policzki przecinały teraz dwa równoległe strużki tuszu zmieszanego ze łzami. Dolna warga drżała, miał zasmarkany nos.

– *Bas.* – Wciąż mówił bardzo cicho.

Dłoń cofnięta aż za ramię trzymała koniec gumy, napiętej z całych sił. Coś w niej połyskiwało na żółto. Zamrugałem, bo krew płynęła mi do oczu, i zobaczyłem, że to jedna z mosiężnych kulek ze stolika. Sohrab mierzył z procy wprost w twarz Assefa.

– Ago, już dość. Bardzo proszę – powtórzył niskim, drżącym głosem. – Już go nie bij.

Usta Assefa poruszyły się bezgłośnie. Zaczął coś mówić, ale urwał.

– Cóż ty wyprawiasz? – zapytał wreszcie.

– Już nie. Bardzo proszę – powiedział Sohrab. Z jego zielonych oczu znów popłynęły łzy, mieszając się z tuszem.

– Odłóż to, Hazaro – zasyczał Assef. – Odłóż to, bo jak nie, to urządzę cię jeszcze lepiej niż jego.

Łzy płynęły dalej. Sohrab pokręcił głową.

– Bardzo proszę, ago – powiedział znowu. – Już nie.

– Odłóż to.

– Już go nie bij.

– Odłóż to.

– Bardzo proszę.

– Odłóż to!

– *Bas.*

– Odłóż to! – Assef puścił mnie i rzucił się na Sohraba.

Guma jęknęła jak *dil-roba*. Rozległ się wrzask Assefa, który chwycił się za miejsce, w którym jeszcze przed chwilą miał lewe oko. Spod palców popłynęła mu krew. Krew i jeszcze coś, białego, galaretowatego. Pomyślałem niezwykle jasno: „To się nazywa ciało szkliste. Gdzieś o tym czytałem. Ciało szkliste".

Assef padł na dywan. Tarzał się po nim z wrzaskiem, wciąż zaciskając dłoń na krwawym oczodole.

– Chodźmy! – powiedział Sohrab. Wziął mnie za rękę. Pomógł mi wstać. Każdy centymetr mojego ciała wył z bólu. Assef też.

– Wyjmijcie mi to! Wyjmijcie mi to! – wrzeszczał.

Z trudem trzymając się na nogach, otworzyłem drzwi. Oczy strażników rozwarły się ze zdumienia na mój widok. Zastanawiałem się, jak wyglądam. Z każdym oddechem bolało mnie w brzuchu. Jeden ze strażników powiedział coś po pasztuńsku, po czym obaj minęli nas i popędzili do pokoju, gdzie Assef wciąż powtarzał swoje: „Wyjmijcie!"

– *Bia* – powiedział Sohrab, ciągnąc mnie za rękę. – Chodźmy!

Kusztykałem korytarzem, czując w dłoni małą łapkę Sohraba. Ostatni raz zerknąłem przez ramię. Obaj strażnicy klęczeli nad Assefem i dotykali jego twarzy. Dopiero wtedy zrozumiałem: w jego pustym oczodole tkwiła ciągle mosiężna kula.

Świat kołysał się w przód, w tył i na boki. Wsparty o Sohraba jakoś stoczyłem się po schodach. Z góry wciąż dobiegały wrzaski Assefa, wrzaski rannego zwierzęcia. Wyszliśmy na zewnątrz, na światło dzienne. Zobaczyłem, że biegnie ku nam Farid.

– Bismillach! Bismillach! – wykrztusił, wybałuszając na mnie oczy. Chwycił mnie pod rękę i podniósł. Biegł, niosąc mnie do samochodu. Chyba krzyknąłem, ale pamiętam też, że jego sandały biły o chodnik i odbijały się od czarnych, zrogowaciałych pięt. Bolał mnie każdy oddech. Potem zobaczyłem od dołu sufit toyoty, beżową, podartą tapicerkę tylnego siedzenia, dzwonek alarmowy, sygnalizujący otwarte drzwi. Szybkie kroki wokół samochodu. Szybką wymianę zdań między Faridem a Sohrabem. Dwukrotne trzaśnięcie drzwi i ryk silnika. Samochód ruszył, na czole poczułem drobną dłoń. Usłyszałem głosy na ulicy, jakieś krzyki, zobaczyłem pędzące za oknem drzewa. Sohrab szlochał, Farid powtarzał w kółko: „Bismillach! Bismillach!”
I jakoś wtedy straciłem przytomność.

23

Twarze we mgle. Pojawiają się, nieruchomieją, znikają. Nachylają się nade mną, pytają. Ciągle pytają. Czy wiem, jak się nazywam? Czy coś mnie boli? Wiem, jak się nazywam, boli mnie wszędzie. Chcę im powiedzieć, ale to boli. Wiem, bo jakiś czas temu, może rok temu, dwa lata, dziesięć, o to samo pytało mnie dziecko o uróżowanych policzkach i zasmarowanych czymś czarnym oczach. Dziecko? Tak, znowu je widzę. Jesteśmy w jakimś samochodzie, ja i to dziecko, ale to chyba nie Soraja prowadzi, bo ona nigdy nie jeździ tak szybko. Chcę dziecku coś powiedzieć, chyba coś ważnego. Tylko że nie pamiętam co, i dlaczego to takie ważne. Może chciałem mu powiedzieć, by przestało płakać, że teraz wszystko będzie dobrze. A może nie. Nie mam pojęcia dlaczego, ale z jakiegoś powodu chcę dziecku za coś dziękować.

Twarze. Wszystkie w zielonych czepkach. Pojawiają się i znikają. Mówią szybko, używają słów, których nie rozumiem. Inne głosy, inne dźwięki,

jakieś piski, jakieś dzwonki. I znowu inne twarze. Patrzą się na mnie z góry. Żadnej z nich nie pamiętam, tylko tę z żelem we włosach i wąsem à la Clark Gable, tę z plamą w kształcie Afryki na czepku. Mister Oper Mydlanych. To śmieszne. Chcę się roześmiać, ale i to boli.
Nic nie widzę.

Mówi, że ma na imię Aisza, „jak żona Proroka". Jej siwiejące włosy mają przedziałek na środku głowy i związane są z tyłu w kucyk. W nosie ćwiek w kształcie słońca. Nosi grube okulary, przez co jej oczy stają się ogromne. Też jest ubrana na zielono. Ma miękkie dłonie. Widzi, że na nią patrzę. Uśmiecha się. Mówi coś po angielsku. Coś kłuje mnie w bok.
Nic nie widzę.

Przy moim łóżku stoi mężczyzna. Znam go. Jest smagły i chudy, ma długą brodę. I coś na głowie... Jak to się nazywa? *Pakol?* Nosi go na bakier, jak ktoś sławny, którego nazwiska nie mogę sobie przypomnieć. Ale tego tu znam. Gdzieś mnie wiózł kilka lat temu. Znam go. Coś mi się stało w usta. Słyszę bulgotanie.
Nic nie widzę.

Piecze mnie prawe ramię. Kobieta w okularach i z ćwiekiem w kształcie słońca w nosie nachyla się nad moim ramieniem i podłącza do niego jakąś przezroczystą, plastikową rurkę. Mówi, że to „potas".
– Piecze jak osa, co? – mówi.
Rzeczywiście. Jak jej na imię? Jak jakiś prorok? Ją też znam sprzed paru lat. Dawniej czesała się w kucyk, teraz ma kok. Soraja tak się czesała, gdy rozmawiałem z nią pierwszy raz. Kiedy to było? Tydzień temu?
Aisza! No właśnie.
Coś jest nie tak z moimi ustami. I coś mnie kłuje w bok.
Nic nie widzę.

Jesteśmy w Beludżystanie, w Górach Sulejmańskich, Baba walczy wręcz z czarnym niedźwiedziem. Baba jest taki, jak za mojego dzieciństwa – *Tufan aga*, chodzący okaz pasztuńskiej siły, a nie wynędzniały starzec pod kocem, o zapadniętych policzkach i podkrążonych oczach. Człowiek i zwierzę tarzają się po zielonej trawie, powiewają ciemne, kędzierzawe włosy Baby. Niedźwiedź ryczy – a może Baba? Tryska krew i ślina, zamach dłoni, zamach pazurów. Znów padają, ziemia aż drży, Baba siada okrakiem na cielsku niedźwiedzia i wbija mu palce w nozdrza. Podnosi wzrok na mnie i wtedy widzę, że to ja. Że to ja walczę z niedźwiedziem.

Budzę się. Przy moim łóżku znowu stoi ten smagły, chudy. Teraz sobie przypominam: na imię ma Farid. Jest z nim to dziecko z samochodu. Jego twarz kojarzy mi się z dźwiękiem dzwonków. Pić mi się chce.

Nic nie widzę.

To widzę, to nie widzę.

Okazało się, że ten z wąsem à la Clark Gable to doktor Faruki. Wcale nie jest gwiazdorem oper mydlanych, tylko chirurgiem szczękowym, chociaż z myślach ciągle nazywałem go Armandem, bo przypominał mi kogoś o tym imieniu z serialu, którego akcja dzieje się na tropikalnej wyspie.

Chciałem zapytać: „Gdzie jestem?" Tylko że nie mogłem otworzyć ust. Zmarszczyłem brwi, stęknąłem. Armand się uśmiechnął. Miał oślepiająco białe zęby.

– Jeszcze nie, Amir – powiedział. – Ale już niedługo. Jak wyjmiemy druty. – Mówił po angielsku z silnym, śpiewnym akcentem urdyjskim.

Jakie druty?

Armand założył rękę na rękę. Przedramiona miał owłosione, a na palcu obrączkę.

– Pewnie zastanawiasz się, gdzie jesteś i co ci się stało. To normalne w stanie pooperacyjnym. Powiem ci wszystko, co wiem.

Chciałem zapytać go o te druty. Jaki stan pooperacyjny? Gdzie Aisza? Chciałem, żeby uśmiechnęła się do mnie, chciałem poczuć dotyk jej miękkich dłoni.

Armand spoważniał i uniósł jedną brew do góry z nieco zarozumiałym wyrazem twarzy.

– Jesteś w szpitalu w Peszawarze. Jesteś tu od dwóch dni. Doznałeś licznych, poważnych urazów. Powiem, ci, Amir, masz szczęście, że przeżyłeś, przyjacielu. – Mówiąc to, pokiwał palcem. – Miałeś pękniętą śledzionę, prawdopodobnie – i na szczęście dla ciebie – pękniętą z opóźnieniem, bo w jamie brzusznej były pierwsze objawy krwotoku wewnętrznego. Moi koledzy z chirurgii ogólnej musieli wykonać wycięcie śledziony w trybie nagłym. Gdyby pękła wcześniej, wykrwawiłbyś się na śmierć. – Poklepał mnie po ramieniu, tym samym, w którym miałem kroplówkę, i uśmiechnął się. – Poza tym miałeś siedem złamanych żeber, jedno z nich wywołało odmę.

Zmarszczyłem twarz, spróbowałem otworzyć usta, przypomniałem sobie o drutach.

– Czyli przebiło ci płuco – wyjaśnił Armand. Pociągnął za przezroczystą rurkę, wychodzącą z mojego lewego boku. Znów poczułem ukłucie. – Dziurę zatkaliśmy tym drenem. – Prześledziłem rurkę wzrokiem od bandaży na piersi do pojemnika z wodą. Stamtąd właśnie dobiegało bulgotanie.

– Oprócz tego miałeś jeszcze liczne obrażenia.

Znów chciałem coś powiedzieć i znów przypomniałem sobie o drutach.

– Najgorzej było z górną wargą – mówił Armand. – Siła uderzenia była tak wielka, że przecięła ci ją na pół, w samym środku. Ale nic się nie bój, „plastycy" już ci ją zeszyli i chyba świetnie im poszło. Blizna oczywiście zostanie, inaczej być nie może. Miałeś też pęknięty lewy łuk brwiowy, to też już jest zrobione. Druty ze szczęki wyjmiemy za sześć tygodni. Do tego czasu tylko napoje i koktajle mleczne. Stracisz trochę na wadze i przez jakiś czas będziesz mówił jak Al Pacino w pierwszym *Ojcu chrzestnym*. – Zaśmiał się. – Ale dziś masz ważne zadanie. Wiesz jakie?

Pokręciłem głową.

– Masz za zadanie puścić gazy. Jak to zrobisz, dostaniesz pić. Bez pierdzenia nie ma jedzenia. – I znowu się zaśmiał.

Potem przyszła Aisza. Zmieniła mi kroplówkę i podniosła mi łóżko pod głową tak, jak chciałem. Pomyślałem o tym wszystkim, co mi się przytrafiło. Pęknięta śledziona, wybite zęby, przedziurawione płuco, pęknięty łuk brwiowy. Patrzyłem, jak gołąb za oknem wyjada okruszki na parapecie, myślałem przede wszystkim o czymś innym, o czym mówił mi Armand/doktor Faruki: „Siła uderzenia była tak wielka, że przecięła ci ją na pół, w samym środku". W samym środku. Zupełnie jakbym kiedyś miał zajęczą wargę.

Następnego dnia odwiedzili mnie Farid z Sohrabem.

– Dziś już wiesz, jak się nazywamy? Pamiętasz? – zapytał Farid, ale tylko półżartem. Skinąłem głową.

– *Al hamdullellah!* – powiedział, uśmiechając się szeroko. – Czyli nie będziesz już bredził?

– Dziękuję, Farid – wydusiłem przez zdrutowane szczęki. Armand miał rację, rzeczywiście mówiłem jak Al Pacino w *Ojcu chrzestnym*. Mój język też co chwila mnie zadziwiał, gdy dotykał pustych miejsc po połkniętych zębach. – Dziękuję. To znaczy, za wszystko.

Machnął ręką, lekko się zaczerwienił.

– *Bas*, nie ma o czym mówić – powiedział.

Zwróciłem się do Sohraba. Miał na sobie nowy strój, jasnobrązowy *pir-han-tumban*, trochę na niego za duży, i czarną myckę. Stał ze wzrokiem wbitym w ziemię i bawił się zaczepioną o łóżku rurką od kroplówki.

– Właściwie to jeszcze ci się nie przedstawiłem – powiedziałem. Wyciągnąłem do niego rękę. – Jestem Amir.

Spojrzał na moją dłoń, potem na mnie.

– To ty jesteś ten Amir aga, o którym opowiadał mi ojciec? – zapytał.

– Tak. – Przypomniałem sobie słowa z listu Hassana. „Wiele o tobie opowiadałem Farzanie-dżan i Sohrabowi, o naszym wspólnym dzieciństwie, zabawach i biegach. Śmieją się zawsze, gdy opowiadam im, jak kiedyś razem psociliśmy!" – Tobie też dziękuję, Sohrab-dżan – powiedziałem. – Uratowałeś mi życie.

Nic nie odpowiedział. Ponieważ nie podał mi ręki, opuściłem dłoń na łóżko.

– Podoba mi się twój nowy strój – wymamrotałem.

– To po moim synu – powiedział Farid. – Już z niego wyrósł. A na Sohraba całkiem pasuje. – Dodał jeszcze, że Sohrab może zamieszkać u niego, dopóki nie znajdziemy czegoś innego. – Miejsca u nas mało, ale co zrobić? Przecież nie zostawimy go na ulicy. Poza tym dzieci go polubiły. *Ha*, Sohrab? – Ale chłopiec wciąż patrzył w dół i bawił się rurką kroplówki.

– Już dawno chciałem cię zapytać – powiedział z lekkim wahaniem Farid. – Co właściwie zaszło w tamtym domu? Między tobą a tym talibem?

– Powiedzmy, że każdy dostał to, na co zasłużył – odpowiedziałem.

Farid skinął głową i nie pytał więcej. Zorientowałem się, że jakoś między naszym wyjazdem z Peszawaru do Afganistanu a powrotem stamtąd staliśmy się przyjaciółmi.

– Ja też chciałem cię o coś zapytać.

– O co?

Wcale nie chciałem. Musiałem, choć bałem się odpowiedzi.

– O Rahima Chana.

– Nie ma go.

Serce mi stanęło.

– Czy on...

– Nie, po prostu... zniknął. – Wręczył mi złożoną na pół kartkę i mały klucz. – Kiedy poszedłem do jego mieszkania, dostałem to od gospodarza. Powiedział mi, że Rahim Chan wyjechał w dzień po nas.

– Ale dokąd?

Farid wzruszył ramionami.

– Gospodarz nie wiedział. Powiedział mi tylko, że Rahim Chan zostawił u niego dla ciebie ten list i kluczyk. I wyjechał. – Zerknął na zegarek. – Muszę już iść. *Bia*, Sohrab.

– A nie mógłbyś zostawić go tu na chwilę? – zapytałem. – I potem przyjść po niego? – Zwróciłem się do Sohraba. – Chcesz zostać tu ze mną jeszcze trochę?

Wzruszył ramionami. Nie odpowiedział.

– Oczywiście – powiedział Farid. – Przyjdę po niego tuż przed wieczornym *namaz*.

W mojej sali leżało jeszcze trzech innych pacjentów. Dwaj starsi, jeden z nogą w gipsie, drugi z astmą, i piętnasto- czy szesnastolatek po operacji wyrostka. Ten z nogą w gipsie patrzył na nas, nie mrugając oczyma – jego oczy spoglądały to na mnie, to na siedzącego przy mnie hazarskiego chłopca. Do sali ciągle wchodził ktoś z rodzin moich sąsiadów – staruszki w jasnych *szaluar-kamiz*, dzieci, mężczyźni w myckach. Przynosili *pakora, nan, samosa, biriani*. Czasem wchodził ktoś jeszcze. Jak na przykład ten wysoki brodacz, który pojawił się tuż przed przyjściem Farida i Sohraba. Był owinięty brązowym kocem. Aisza zapytała go o coś po urdyjsku. Nie zwrócił na nią uwagi i toczył wzrokiem po sali. Miałem wrażenie, że na mnie patrzył dłużej, niż trzeba. Gdy pielęgniarka znów do niego przemówiła, obrócił się na pięcie i wyszedł.

– Jak się masz? – spytałem Sohraba. Wzruszył ramionami i wbił wzrok w swoje dłonie.

– Jesteś głodny? Ta pani dała mi talerz *biriani*, ale ja i tak nie mogę jeść – powiedziałem. Nie wiedziałem, o czym z nim rozmawiać. – Chcesz?

Pokręcił głową.

– Chcesz porozmawiać?

Jeszcze raz pokręcił głową.

Siedzieliśmy tak przez chwilę w milczeniu: ja na łóżku, z dwiema poduszkami pod plecami, on na trójnogim stołku przy łóżku. W pewnej chwili zasnąłem. Gdy się obudziłem, dzień miał się ku zachodowi, cienie wydłużyły się, a Sohrab wciąż siedział przy mnie. Wciąż ze wzrokiem wbitym w dłonie.

Wieczorem, gdy już Farid zabrał Sohraba, rozłożyłem list od Rahima Chana. Dłużej, niestety, nie mogłem tego odkładać.

Amir-dżan,

Inszallach, *list dostałeś szczęśliwie. Modlę się cały czas, że nie naraziłem Cię na niebezpieczeństwo i że Afganistan nie okazał się dla ciebie niełaskawy. Od dnia Twego wyjazdu nie zapominam o Tobie w modlitwach.*

Miałeś rację przez te wszystkie lata, podejrzewając, że wiedziałem. Wiedziałem. Hassan prawie od razu mi opowiedział. Postąpiłeś źle, Amir-dżan, ale nie zapominaj, że byłeś wtedy małym chłopcem. Małym, zagubionym chłopcem. Byłeś wtedy dla siebie zbyt surowy. Teraz też – widziałem to w Twoich oczach w Peszawarze. Ale mam nadzieję, że zgodzisz się ze mną, iż w życiu nie cierpi tylko człowiek bez sumienia i dobroci. Mam nadzieję, że Twoje cierpienie skończy się, gdy powrócisz z Afganistanu.

Amir-dżan, wstyd mi za te kłamstwa, które opowiadaliśmy wam obu przez tyle lat. Miałeś prawo do gniewu wtedy w Peszawarze. Hassan też. Wiem, że to nikogo nie usprawiedliwia, ale w Kabulu żyliśmy wtedy w dziwnym świecie. W takim, w którym były rzeczy ważniejsze nawet niż prawda.

Amir-dżan, wiem, jak surowy był dla Ciebie ojciec, gdy dorastałeś. Widziałem, jak przez to cierpisz, jak pragniesz jego miłości – serce mi się krajało. Ale Twój ojciec, Amir-dżan, był człowiekiem rozdartym na dwoje między tobą a Hassanem. Kochał was obu, ale Hassana nie mógł kochać tak, jak chciał, otwarcie, jako ojciec. To skrupiało się na Tobie, na tym, do czego społeczeństwo dawało mu prawo, na tym, co symbolizowało mu odziedziczony majątek i przywilej grzechu bez kary. Gdy patrzył na Ciebie, widział siebie. I swoją winę. Wciąż czujesz gniew, wiem, że jest za wcześnie, by tego od Ciebie wymagać, ale może kiedyś zrozumiesz, że Twój ojciec, będący surowy dla Ciebie, był równocześnie surowy dla samego siebie. Twój ojciec był podobnie jak Ty, Amir-dżan, człowiekiem udręczonym.

Nie potrafię opisać głębi i czerni smutku, jaki uczułem na wieść o jego śmierci. Kochałem go, bo był moim przyjacielem, ale i dlatego, że był dobrym, może nawet wielkim człowiekiem. Musisz zrozumieć, że to dobro, to prawdziwe dobro, zrodziło się właśnie z jego poczucia winy. Czasem wydaje mi się, że wszystko, co zrobił dobrego – karmienie biednych z ulicy, budowa sierocińca, pomaganie przyjaciołom w potrzebie – było z jego strony próbą odkupienia własnych grzechów. I na tym moim zdaniem polega prawdziwa pokuta, Amir-dżan: by poczucie winy prowadziło do dobra.

Wiem, że w końcu Bóg i tak wszystko wybaczy. Twemu ojcu, mnie i Tobie też. Mam nadzieję, że i Ty jesteś zdolny do przebaczenia. Jeśli możesz, wybacz ojcu. Jeśli chcesz, wybacz mnie. Ale przede wszystkim wybacz samemu sobie.

Zostawiłem ci trochę pieniędzy, prawdę mówiąc większość z tego, co mi zostało. Myślę, że gdy wrócisz, możesz mieć jakieś wydatki. To, co Ci zostawiam, powinno wystarczyć. Wszystko jest w jednym banku w Peszawarze, Farid powie ci, w którym. Pieniądze są w skrytce, kluczyk załączam. Jeśli chodzi o mnie – już czas. Niewiele mi go zostało, chcę go spędzić sam. Bardzo Cię proszę, nie szukaj mnie. To moja ostatnia prośba. Polecam Cię Bogu.

Twój przyjaciel na zawsze
Rahim

Przetarłem oczy rękawem szpitalnej piżamy. Złożyłem list. Schowałem go pod materac.

„Amir, byłeś tym, do czego społeczeństwo dawało mu prawo, tym, co symbolizowało mu odziedziczony majątek i przywilej grzechu bez kary". Może dlatego w Ameryce było nam razem znacznie lepiej. Handlowanie starzyzną za bezcen, nisko płatna praca, nasze nędzne mieszkanie jako amerykańska wersja chatki na podwórzu... Może w Ameryce, gdy Baba patrzył na mnie, widział też trochę Hassana.

Rahim Chan napisał też: „Twój ojciec był tak jak Ty człowiekiem udręczonym". Może. Obaj popełniliśmy ten sam grzech – grzech zdrady. Tylko że Baba umiał swoją winę obrócić w dobro. A ja? Ja tylko mściłem się na tych, których zdradziłem, a potem próbowałem o tym zapomnieć. Co ja zrobiłem dobrego? Ja tylko potrafiłem cierpieć na bezsenność.

Co ja zrobiłem, by naprawić wyrządzone zło?

Gdy pielęgniarka – nie Aisza, lecz inna, ruda, której imienia nie mogę sobie przypomnieć – przyszła ze strzykawką w ręce i spytała, czy nie trzeba zrobić mi zastrzyku z morfiną, powiedziałem, że trzeba.

Wczesnym rankiem następnego dnia wyciągnięto ze mnie dren płucny. Armand pozwolił podawać mi po trochu sok jabłkowy. Gdy Aisza postawiła szklankę z sokiem na szafce przy moim łóżku, poprosiłem ją o lusterko. Zawsze gdy przychodziła rozsunąć zasłony i wpuścić do sali poranne słońce, podnosiła okulary nad czoło.

– Tylko proszę pamiętać – powiedziała przez ramię, – że za parę dni będzie to wyglądać znacznie lepiej. W zeszłym roku mój zięć miał wypadek na motorowerze. Zarył swoją piękną buzią w asfalt, aż się zrobił fioletowy jak bakłażan. A teraz znowu jest piękny jak jaki gwiazdor z Lollywood.

Mimo tych zapewnień trochę się przeraziłem, gdy popatrzyłem w lustro i zobaczyłem w nim to, co podawało się za moją twarz. Wyglądałem tak, jakby ktoś wsadził mi pod skórę wylot pompki i pompował z całych sił. Oczy miałem napuchnięte, podsiniaczone. Najgorsze były usta – pokraczna, czerwonosina plama, opuchnięta i pozszywana. Spróbowałem się uśmiechnąć i wtedy wargami targnął skurcz bólu. Postanowiłem przez jakiś czas nawet nie próbować. Szwy miałem też na lewym policzku, na podbródku i na czole tuż pod włosami.

Stary z nogą w gipsie powiedział coś po urdyjsku. Rozłożyłem bezradnie ręce i pokręciłem głową. Pokazał na własną twarz, poklepał się po niej i uśmiechnął szeroko bezzębnymi ustami.

– *Very good* – powiedział po angielsku. – *Inszallach*.

– Dziękuję – szepnąłem.

Odłożyłem lusterko i w tym momencie pojawili się Farid i Sohrab. Sohrab znów usiadł na stołku, opierając głowę na poręczy łóżka.

– Wiesz co, im szybciej cię stąd zabierzemy, tym lepiej – powiedział Farid.

– Doktor mówi, że...

– Nie ze szpitala. Z Peszawaru.

– Dlaczego?

– Tu chyba niedługo będziesz bezpieczny – powiedział Farid. Ściszył głos. – Talibowie mają tu przyjaciół. Będą cię szukać.

– Może już zaczęli – mruknąłem. Pomyślałem nagle o wysokim brodaczu, który pojawił się na mojej sali i stał, wbijając we mnie wzrok.

Farid pochylił się ku mnie.

– Kiedy tylko będziesz mógł chodzić, zabiorę cię do Islamabadu. Tam też nie będzie do końca bezpiecznie, w Pakistanie nie ma teraz całkiem bezpiecznych miejsc, ale zawsze lepiej niż tutaj. Przynajmniej trochę zyskasz na czasie.

– Farid-dżan, przecież ty też się narażasz. Może nie powinieneś pokazywać się ze mną? Masz przecież rodzinę...

Farid machnął ręką.

– Moi chłopcy są młodzi, ale mądrzy. Potrafią sami świetnie opiekować się matką i siostrami. – Uśmiechnął się. – Poza tym nie robię tego za darmo.

– Za darmo nie pozwoliłbym ci się narażać – powiedziałem. Zapomniałem, że nie powinienem się uśmiechać. Po podbródku spłynęła mi wąska strużka krwi. – Czy mogę poprosić cię o jeszcze jedną przysługę?

– Dla ciebie – tysiąc razy – powiedział Farid.

Oczywiście się rozpłakałem. Próbowałem zaczerpnąć powietrza, łzy lały mi się po policzkach, piekąc mnie w poranione wargi.

– Co się stało? – zapytał zaniepokojony Farid.

Jedną dłonią zakryłem twarz, drugą uniosłem do góry. Zdawałem sobie sprawę, że wszyscy się na mnie gapią. Potem poczułem zmęczenie i pustkę.

– Przepraszam – powiedziałem. Sohrab patrzył na mnie, marszcząc brwi. Gdy znów mogłem mówić, powiedziałem Faridowi, o co chodzi.

– Rahim Chan mówił, że mieszkają tu, w Peszawarze.

– Czekaj, zapiszę, jak się nazywają – powiedział Farid, przypatrując mi się badawczo, jakby w każdej chwili spodziewał się nowych łez. Napisałem mu na kawałku papierowego ręcznika: *John i Betty Caldwellowie.*

Farid schował papier do kieszeni.

– Spróbuję znaleźć ich jak najszybciej. – powiedział. Odwrócił się do Sohraba. – A po ciebie przyjdę wieczorem. Tylko nie zmęcz Amira agi za bardzo.

Ale Sohrab już stał przy oknie i patrzył na kilka gołębi, które chodziły tam i z powrotem po parapecie, wydziobując kawałki drewna i stare okruszki.

W środkowej szufladzie szafki przy moim łóżku już wcześniej znalazłem stary „National Geographic", pogryziony ołówek, grzebień z powyłamywanymi zębami i to, po co sięgałem teraz, pocąc się z wysiłku: talię kart. Zdążyłem już je przeliczyć i ku mojemu zdziwieniu okazało się, że nie brakuje ani jednej. Zapytałem Sohraba, czy nie chce zagrać. Nie przypuszczałem, że mi odpowie, nie mówiąc już o graniu. Od ucieczki z Kabulu właściwie nic nie mówił. Ale teraz odwrócił się od okna i powiedział:

– Ale ja umiem tylko w pandżar.

– No, to już mi cię żal, kolego, bo jestem wielkim mistrzem pandżparu. Światowej sławy.

Zasiadł na stołku przy łóżku. Rozdałem po pięć kart.

– Kiedy twój ojciec i ja byliśmy w twoim wieku, ciągle w to graliśmy. Szczególnie w zimie, gdy było za zimno, żeby wychodzić na zewnątrz. Graliśmy aż do zachodu słońca.

Zagrał kartą, wziął drugą z talii. Zerkałem na niego, gdy zastanawiał się, jak zagrać. Pod iloma względami przypominał ojca: tak samo rozkładał karty w wachlarzyk obiema rękami, tak samo mrużył oczy, wpatrując się w nie, tak samo rzadko patrzył innym w oczy.

Graliśmy w milczeniu. Wygrałem pierwsze rozdanie, za drugim razem pozwoliłem mu wygrać, w następnych pięciu ograł mnie do szczętu.

– Grasz tak dobrze jak ojciec, może nawet lepiej – powiedziałem po ostatniej przegranej. – Czasem udawało mi się z nim wygrać, ale chyba dlatego, że mi pozwalał. – Urwałem. – Twojego ojca i mnie wykarmiła jedna kobieta.

– Wiem.

– A co... co opowiadał ci o nas dwóch?

· Że byłeś jego najlepszym przyjacielem – odpowiedział.

Obróciłem w palcach waleta karo, raz w jedną, raz w drugą stronę.

– Niestety wcale nie byłem takim dobrym przyjacielem – powiedziałem po chwili. – Ale chciałbym być twoim. Myślę, że byłby ze mnie całkiem niezły przyjaciel. Dobrze? Może tak być?

Ostrożnie położyłem mu dłoń na ramieniu, ale on aż wzdrygnął się cały. Rzucił karty i odsunął się ze stołkiem. I wrócił do okna. Słońce zachodziło już nad Peszawarem, niebo było całe w purpurze i czerwieni. Z ulicy dochodził odgłos klaksonów, oślego rżenia, policyjnych gwizdków. Sohrab stał w tym szkarłatnym świetle z czołem przyciśniętym do szyby, z pięściami wbitymi pod pachy.

Jeszcze tego samego dnia wieczorem Aisza poprosiła pielęgniarza, by pomógł mi zrobić pierwsze kroki. Obszedłem całą salę, ale tylko raz, jedną ręką kurczowo trzymając się stojaka na kroplówki, z drugą wspartą na ramieniu pielęgniarza. Powrót do łóżka zajął mi dziesięć minut, pulsowała mi rana po drenie, byłem mokry od potu. Leżałem w łóżku, ciężko dysząc, tętno dudniło mi w uszach i strasznie tęskniłem za żoną.

Następnego dnia znów grałem z Sohrabem w karty – znów w milczeniu. Dzień później – tak samo. Prawie nic nie mówiliśmy, tylko graliśmy w pandżpar: ja wpółsiedząc na łóżku, on na trójnożnym stołku. Przerywaliśmy tylko na mój spacer po sali i pójście do ubikacji na końcu korytarza. W nocy śniło mi się, że na progu sali stoi Assef. W jego oku wciąż tkwiła mosiężna kula. Mówił: „My dwaj jesteśmy tacy sami. On może i był twoim mlecznym bratem, ale to ja jestem twoim bliźniakiem".

Następnego dnia rano oznajmiłem Armandowi, że wyjeżdżam.

– Za wcześnie na wypisanie ze szpitala – zaprotestował. Tego dnia nie był w fartuchu chirurgicznym, tylko w granatowym garniturze, z żółtym krawatem. We włosach znów miał żel. – Ciągle podajemy dożylne antybiotyki, a...

– Ale ja muszę – powiedziałem. – Jestem naprawdę wszystkim bardzo wdzięczny za wszystko, ale muszę.

– A dokąd? – zapytał Armand.

– Wolałbym nie mówić.

– Przecież ledwo chodzisz.

– Potrafię już dojść na koniec korytarza i z powrotem – powiedziałem. – Poradzę sobie.

Plan był taki: wypisać się ze szpitala, wyjąć pieniądze z banku, zapłacić za leczenie, pojechać do sierocińca i zostawić Sohraba u Caldwellów, potem jechać do Islamabadu i zmienić rezerwację na samolot. A potem – powrót do Ameryki.

Ale to był tylko plan. Do chwili, gdy tego samego ranka przyszli Farid z Sohrabem.

– Caldwellów nie ma w Peszawarze – oznajmił Farid.

Wcześniej dziesięć minut zabrało mi samo tylko nałożenie *pirhan-tumban*. Rana po drenie w klatce piersiowej bolała mnie przy podnoszeniu ręki, w żołądku przewracało mi się przy każdym pochyleniu. Ciężko dyszałem z wysiłku, jakim było spakowanie mojego niewielkiego dobytku do papierowej torby. Zdążyłem jednak ze wszystkim i siedziałem już na krawędzi łóżka, gdy przyszedł Farid. Sohrab usiadł obok mnie na łóżku.

– A dokąd pojechali? – zapytałem.

Farid pokręcił głową.

– Nie zrozumiałeś mnie.

– Bo Rahim Chan mówił...

– Byłem nawet w konsulacie amerykańskim – powiedział Farid, biorąc do ręki torbę. – W Peszawarze nigdy nie było żadnych Johna i Betty Caldwellów. Według tych z konsulatu nigdy nie istnieli. W każdym razie w Peszawarze na pewno nikogo takiego nie było.

Siedzący obok mnie Sohrab przeglądał stary „National Geographic".

Za to udało nam się wyciągnąć pieniądze z banku. Kierownik, grubas z plamami potu pod pachami, co chwila uśmiechał się do nas wylewnie i zapewniał, że nikt nie tknął naszych pieniędzy.

– Nikt, absolutnie nikt – powtarzał, kiwając palcem dokładnie tak jak Armand.

Przejazd ulicami Peszawaru z taką ilością pieniędzy w papierowej torbie był dość przerażającym przeżyciem. W dodatku każdy brodaty mężczyzna widziany na ulicy był dla mnie talibskim mordercą, przysłanym przez Assefa. Dwie rzeczy potęgowały jeszcze mój strach: że w Peszawarze jest mnóstwo brodaczy i wszyscy tam gapią się na wszystkich.

– A co zrobimy z nim? – zapytał Farid, gdy powoli wyprowadzał mnie ze szpitalnej kasy. Sohrab został na tylnym siedzeniu toyoty i przez spuszczone okno patrzył na uliczny ruch z głową wspartą na dłoniach.

– Nie może zostać w Peszawarze – powiedziałem, dysząc ciężko.

– Słusznie, Amirze ago, nie może – odparł Farid. Zrozumiał, co chciałem przez to powiedzieć. – Bardzo mi przykro. Żałuję, ale...

– W porządku, Farid – przerwałem mu. Jakoś udało mi się uśmiechnąć. – Ty i tak masz dość gąb do wykarmienia. – Przy toyocie stał teraz pies. Stał na tylnych łapach, przednimi opierając się o drzwi. Machał ogonem i podstawiał łeb pod dłonie głaszczącego go Sohraba. – No, to chyba niech na razie jedzie ze mną do Islamabadu.

Spałem przez całą drogę. Ciągle coś mi się śniło, ale zapamiętałem tylko szereg oddzielnych obrazów, następujących po sobie tak szybko, jak szybko są przerzucane karty w katalogu bibliotecznym: Baba marynuje jagnięcinę na moje trzynaste urodziny. Po raz pierwszy kochamy się z Sorają, jest wschód słońca, w naszych uszach wciąż rozbrzmiewa jeszcze weselna muzyka, jej umalowane henną dłonie splatają się z moimi. Baba zabiera mnie i Hassana na pole truskawek pod Dżalalabadem – właściciel powiedział, że możemy jeść, ile chcemy, jeżeli kupimy co najmniej cztery kilo – i obaj chorujemy potem na żołądek. Kapiąca ze spodni Hassana na śnieg krew jest ciemna, niemal czarna. Krew to straszna siła, *baczem*. Chala Dżamila klepie Soraję po kolanie i mówi: „Bóg wie, co dla kogo najlepsze. Może po prostu nie jest wam dane". Śpię na tarasie na dachu domu ojca. Baba mówi, że jedynym prawdziwym grzechem jest kradzież. „Kto kłamie, kradnie komuś innemu prawo do prawdy". Rahim Chan mówi mi przez telefon, że znowu można być dobrym. „Znowu można być dobrym..."

24

O ile Peszawar przypominał mi Kabul z dawnych czasów, o tyle Islamabad był miastem, jakimś kiedyś mógł zostać Kabul, gdyby nie... Ulice były szersze i czystsze niż w Peszawarze, wysadzane krzewami hibiskusa i drzewami poinciany. Na bazarach panował większy porządek, a mniejszy był ruch riksz i pieszych. Architektura też była nowocześniejsza i bardziej elegancka; w parkach, w cieniu drzew, kwitły róże i jaśmin.

Farid znalazł nam mały hotel w bocznej uliczce u stóp Wzgórz Margalla. Po drodze minęliśmy sławny meczet Faisala, podobno największy na świecie, o olbrzymich, betonowych dźwigarach i niebosiężnych minaretach.

Sohrab ożywił się na widok meczetu i długo przyglądał mu się wychylony przez okno, dopóki Farid nie skręcił za róg.

Pokój hotelowy też był bez porównania lepszy od tego, w którym zatrzymaliśmy się z Faridem w Kabulu. Pościel była czysta, pokoje wysprzątane, łazienka aż lśniła. Był i szampon, i mydło, i żyletki, wanna i pachnące cytryną ręczniki. Na ścianach nie było plam krwi. Był za to telewizor, ustawiony na szafce naprzeciw dwóch pojedynczych łóżek.

– Patrz! – powiedziałem do Sohraba. Włączyłem telewizor ręcznie – nie było pilota – i znalazłem kanał, na którym szedł program dla dzieci: dwie puchate kukiełki śpiewały coś po urdyjsku. Sohrab usiadł na jednym z łóżek i podciągnął kolana do siebie. Obraz telewizyjny odbijał się w jego zielonych oczach, on zaś siedział z kamienną twarzą i kołysał się w przód i w tył. Przypomniałem sobie, że kiedyś obiecałem Hassanowi, iż gdy dorośniemy, kupię mu telewizor, i to kolorowy.

– Muszę wracać, Amirze ago – powiedział Farid.

– Zostań na noc – poprosiłem. – To daleko. Pojedziesz jutro.

– *Taszakor* – odpowiedział. – Ale chcę wrócić dziś. Stęskniłem się za dziećmi. – Wychodząc z pokoju, zatrzymał się na progu. – Do widzenia, Sohrab-dżan. – Czekał na odpowiedź, ale Sohrab nie zwrócił na niego uwagi. Z twarzą oświetloną srebrnym blaskiem ekranu kiwał się tylko w przód i w tył.

Wyszedłem za Faridem na korytarz. Wsunąłem mu do ręki kopertę. Rozdarł ją i zaniemówił.

– Nie wiem, jak ci dziękować – powiedziałem. – Tyle dla mnie zrobiłeś.

– Ile tu tego jest? – zapytał nieco oszołomiony.

– Trochę ponad dwa tysiące dolarów.

– Dwa ty... – zaczął. Jego dolna warga zadrżała lekko. Potem, gdy odjeżdżał, dwukrotnie nacisnął klakson i pomachał mi na pożegnanie. Ja też mu pomachałem. I nigdy więcej już go nie widziałem.

Wróciłem do pokoju. Sohrab leżał na łóżku, skulony na kształt litery C. Oczy miał zamknięte, ale nie wiem, czy spał. Gdy mnie nie było, wyłączył telewizor. Usiadłem na łóżku i skrzywiłem się z bólu, otarłem pot z czoła. Zastanawiałem się, jak długo jeszcze boleć mnie będzie przy wstawaniu, siadaniu, przewracaniu się z boku na bok. I kiedy będę mógł jeść pokarm stały. I co mam zrobić z tym tak strasznie pokrzywdzonym małym chłopcem leżącym na sąsiednim łóżku. Oczywiście na to ostatnie pytanie w pewien sposób znałem już odpowiedź.

Na szafce nocnej stała karafka z wodą. Nalałem sobie szklankę i popiłem nią dwie tabletki, które dostałem od Armanda. Woda była letnia i gorzka. Zaciągnąłem zasłony i ostrożnie wyciągnąłem się na łóżku. Myślałem, że ból rozerwie mi klatkę piersiową. Gdy trochę zelżał i znów mogłem oddychać, podciągnąłem koc pod szyję i czekałem, aż tabletki zaczną działać.

Gdy się zbudziłem, w pokoju było prawie ciemno. Wycinek nieba między dwiema zasłonami był purpurowy jak mrok, który za chwilę przejdzie w ciemność nocy. Pościel już miałem przepoconą, głowa mi pękała. Znów coś mi się śniło, ale nie mogłem sobie przypomnieć co.

Serce aż stanęło mi z przerażenia, gdy popatrzyłem na łóżko Sohraba i zobaczyłem, że jest puste. Zawołałem go. Zdumiał mnie dźwięk własnego głosu. Byłem kompletnie zdezorientowany: siedzę w ciemnym pokoju hotelowym, tysiące kilometrów od domu, jestem cały połamany i wołam po imieniu chłopca, którego znam dopiero od paru dni. Znów go zawołałem, i znów bez skutku. Zwlokłem się z łóżka, sprawdziłem, czy nie ma go w łazience, potem wyjrzałem na wąski korytarz hotelowy. Sohrab zniknął.

Zamknąłem drzwi na klucz i pokusztykałem do recepcji, jedną ręką podpierając się o poręcz schodów. W holu wyłożonym tapetą we fruwające, różowe flamingi stała w kącie sztuczna, zakurzona palma. Kierownik hotelu siedział za laminowaną ladą i czytał gazetę. Opisałem mu Sohraba, zapytałem, czy go nie widział. Kierownik odłożył gazetę i zdjął okulary. Miał tłuste włosy i kwadratowy, szpakowaty wąsik. Szła od niego woń jakiegoś owocu tropikalnego, którego nie potrafiłem rozpoznać.

– Chłopak pewnie poszedł sobie pobiegać – powiedział z westchnieniem. – Ja sam mam ich trzech. Cały dzień gonią, żona nie umie dać sobie z nimi rady. – Wachlował twarz gazetą i bezceremonialnie przyglądał się mej zdrutowanej szczęce.

– On na pewno nie poszedł sobie pobiegać – powiedziałem. – Jesteśmy przyjezdni, więc boję się, czy się nie zgubił.

Pokiwał głową na boki.

– No, to trzeba było lepiej go pilnować, kochany.

– Wiem – odpowiedziałem. – Ale zasnąłem, a gdy się obudziłem, jego już nie było.

– No właśnie. Chłopców trzeba pilnować.

– Wiem – powtórzyłem, ale już ze zniecierpliwieniem. Jak on mógł tak całkiem nie podzielać mojego niepokoju? Bo recepcjonista przełożył tylko gazetę do drugiej ręki i dalej wachlował się w najlepsze.

– A teraz zachciało im się rowerów.

– Komu?

– No, moim chłopakom. Mówią: „Tato, tato, kup nam rowery, to nie będziemy cię nudzić. Tato, prosimy!" – Parsknął śmiechem przez nos. – Rowerów im się zachciało. Żona by mnie zabiła!

Wyobraziłem sobie Sohraba leżącego w rowie. Albo związanego, zakneblowanego, w bagażniku jakiegoś samochodu. Nie chciałem i jego mieć na sumieniu. Jego nie.

– Bardzo proszę... – Zacząłem. – Przecież musiał tędy przechodzić...

– Ten chłopiec?

Próbowałem się pohamować.

– Tak, ten chłopiec! Ten, który ze mną przyjechał. No, przechodził tędy, czy nie, na miłość boską?

Wachlowanie ustało. Oczy tamtego zwęziły się.

– No, no, proszę sobie nie pozwalać, przyjacielu. W końcu to nie ja go zgubiłem.

Choć miał rację, krew i tak napłynęła mi do twarzy.

– Oczywiście, przyznaję, moja wina. Ale przechodził?

– Bardzo mi przykro – odparł sucho. Z powrotem założył okulary i z głośnym szelestem otworzył gazetę. – Żadnego chłopca nie widziałem.

Stałem za ladą całą następną minutę i starałem się nie krzyczeć. Już wychodziłem z holu, gdy zapytał:

– A dokąd mógł pójść?

– Nie wiem. – Poczułem się zmęczony. I przerażony.

– A co go mogło zainteresować? – pytał dalej. Zauważyłem, że znów złożył gazetę. – Bo moi chłopcy na przykład zrobiliby wszystko, żeby pójść na amerykański film, najlepiej jakiś z tym Arnoldem, jak mu tam...

– Meczet! – powiedziałem. – Ten wielki meczet! – Przypomniałem sobie, że Sohrab ożywił się właśnie na widok meczetu, że wychylał się z okna samochodu, żeby lepiej widzieć.

– Meczet Faisala?

– Tak. Nie można by tam podjechać?

– To największy meczet świata – powiedział z dumą pan Fajjaz. Takie nazwisko odczytałem na plakietce na kieszeni jego niebieskiej koszuli.

– Aha. Czy moglibyśmy...

– Sam dziedziniec może pomieścić czterdzieści tysięcy osób.

– Możemy tam podjechać?

– To tylko kilometr stąd – powiedział, ale już wstawał zza lady.

– Zapłacę – powiedziałem.

Westchnął i pokręcił głową.

– Proszę tu poczekać.

Zniknął na zapleczu, po chwili wrócił w innych okularach, z kluczykami w dłoni. Do recepcji weszła za nim niska, krępa kobieta w pomarańczowym sari. Zajęła jego miejsce za ladą.

– Nie chcę pieniędzy – powiedział, mijając mnie szybkim krokiem. – Sam jestem ojcem.

Myślałem, że będziemy jeździli całą noc. Już wyobrażałem sobie, że wzywam policję, że pod pełnym wyrzutu wzrokiem Fajjaza opisuję Sohraba policjantom. Już słyszałem zmęczony, obojętny głos funkcjonariusza, zadającego wymagane przez prawo pytania. Już słyszałem w oficjalnych pytaniach inne, nieoficjalne: po co taki hałas o jeszcze jedno nieżywe afgańskie dziecko?

Ale znaleźliśmy go szybko jakieś sto metrów od meczetu. Siedział na pustawym parkingu, na spłachciu zielonej trawy. Fajjaz podjechał bliżej i otworzył drzwi.

– Muszę wracać – powiedział.

– Dobrze. Wrócimy pieszo – odparłem. – Dziękuję. Serdecznie dziękuję.

Gdy wysiadałem, przechylił się do mnie przez siedzenie dla pasażera.

– Ale proszę pozwolić sobie powiedzieć...

– Oczywiście.

W zapadającym zmroku z całej jego twarzy widziałem tylko światło odbijające się w jego okularach.

– Problem z wami, Afgańczykami, polega na tym, że jesteście... Jak by to powiedzieć... Tacy jacyś nieostrożni.

Byłem zmęczony, obolały. Bolały mnie szczęki, te przeklęte rany na piersi i z boku kłuły mnie jak wepchnięty pod skórę drut kolczasty. Ale zaśmiałem się i tak.

– Co... co ja takiego... – zaczął pytać Fajjaz, ale roześmiałem się już na dobre, oczywiście na tyle, na ile pozwalała na to moja zdrutowana twarz.

– Banda wariatów – westchnął. Ruszył z piskiem opon. Światła wsteczne wesoło zamrugały w zapadających ciemnościach.

– Aleś mnie przestraszył – powiedziałem. Usiadłem obok niego, krzywiąc się z bólu.

Patrzył na meczet. Meczet Faisala wyglądał jak gigantyczny namiot. Samochody podjeżdżały i odjeżdżały, ubrani na biało wierni to wchodzili, to wychodzili. Siedzieliśmy w milczeniu, ja oparty o pień drzewa, Sohrab obok mnie, z kolanami pod brodą. Słuchaliśmy wołania na modlitwę, patrzyliśmy, jak wraz zapadnięciem mroku zapalają się wewnątrz setki świateł. Meczet rozbłyskał w ciemności jak diament. Rozświetlił niebo. I twarz Sohraba.

– Byłeś kiedyś w Mazar-i-Szarif? – zapytał, wciąż obejmując kolana ramionami.

– Dawno temu. Nie pamiętam wiele.

– Ojciec zabrał mnie tam raz, gdy byłem mały. Mnie, mamę i Sasę. Kupił mi małpkę na bazarze. Nie żywą, tylko taką nadmuchiwaną. Była brązowa. Miała krawat.

– Ja chyba też miałem taką, jak byłem dzieckiem.

– Ojciec zabrał mnie do Błękitnego Meczetu – mówił Sohrab. – Pamiętam, że przed *masdżid* było mnóstwo gołębi. Wcale nie bały się ludzi. Podchodziły całkiem blisko. Sasa dała mi pokruszony *nan*, żebym je pokarmił. Gołębie zaraz gruchały przy mnie ze wszystkich stron. To było miłe.

– Pewnie bardzo ci brakuje rodziców – powiedziałem. Zastanawiałem się, czy widział, jak talibowie wywlekali ich na ulicę. Miałem nadzieję, że nie.

– A tobie brakuje twoich? – zapytał, przekrzywiając głowę i opierając na kolanach policzek.

– Czy mi ich brakuje? Wiesz, mamy nie znałem. Ojciec umarł kilka lat temu. Tak, brak mi go. Czasem bardzo.

– Pamiętasz, jak wyglądał?

Pomyślałem o grubym karku Baby, jego czarnych oczach, niesfornej, ciemnej czuprynie. O tym, że gdy sadzał mnie na kolanach, czułem się, jakbym siedział na dwóch grubych pniach.

– Pamiętam, jak wyglądał – odpowiedziałem. – I nawet jak pachniał.

– Bo ja zaczynam zapominać ich twarze – powiedział Sohrab. – Czy to źle?

– Nie – odpowiedziałem. – To czas.

Przypomniałem sobie. Zajrzałem do przedniej kieszeni marynarki. Znalazłem zdjęcie Hassana z Sohrabem.

– Masz – powiedziałem.

Przysunął zdjęcie tuż do twarzy, obracając je tak, by padało na nie światło z meczetu. Długo się mu przyglądał. Pomyślałem, że pewnie się rozpłacze, ale nie – trzymał je w dłoniach i wodził kciukiem po powierzchni. Przypomniałem sobie zdanie, które gdzieś przeczytałem, a może ktoś mi to mówił, że w Afganistanie jest dużo dzieci, ale mało dzieciństwa. Sohrab wyciągnął rękę, by zwrócić mi zdjęcie.

– Nie – powiedziałem. – To dla ciebie.

– Dziękuję. – Znów spojrzał na zdjęcie i schował je do kieszeni. Na parking wjechał powoli konny wóz. Małe dzwonki u szyi konia brzękały przy każdym jego kroku.

– Ostatnio dużo myślę o meczetach – powiedział Sohrab.

– Tak? Dlaczego?

Wzruszył ramionami.

– Tak po prostu. – Uniósł twarz i spojrzał wprost na mnie. Płakał. Cicho, niemal bezgłośnie. – Czy mogę cię o coś spytać, Amirze ago?

– Oczywiście.

– Czy Bóg... – zaczął i zająknął się. – Czy ja pójdę do piekła za to, co zrobiłem tamtemu?

Chciałem go objąć ramieniem, ale znów się wzdrygnął. Cofnąłem się.

– Nie. Oczywiście, że nie – powiedziałem. Chciałem przyciągnąć go do siebie, przytulić, powiedzieć mu, że to on został skrzywdzony przez innych, a nie na odwrót.

Jego twarz wykrzywiła się znowu, spróbował się opanować.

– Ojciec zawsze mówił, że krzywdzić nie można nawet złych. Bo oni nie wiedzą, jak być dobrymi. I że czasem zły może zrobić się dobry.

– Ale nie zawsze, Sohrab.

Popatrzył na mnie pytająco.

– Tego, który cię skrzywdził, znałem dawno temu – powiedziałem. – Pewnie się domyśliłeś z naszej rozmowy. Kiedyś... kiedyś, gdy byłem w twoim wieku, chciał mnie skrzywdzić, ale uratował mnie twój ojciec. Twój ojciec był bardzo dzielny, ciągle mnie ratował i brał na siebie winę. I dlatego później ten zły skrzywdził nie mnie, tylko twojego ojca. Bardzo go skrzywdził, a ja... ja nie umiałem uratować twojego ojca tak, jak on uratował mnie.

– Dlaczego ktoś chciał skrzywdzić mojego ojca? – zapytał słabym, zapłakanym głosem Sohrab. – Przecież on zawsze był dobry dla innych.

– Masz rację. Twój ojciec był dobrym człowiekiem. Ale o to mi właśnie chodzi, Sohrab-dżan. Na świecie zdarzają się źli ludzie, również tacy, którzy do końca pozostają źli. Czasem trzeba się im sprzeciwić. Ty zrobiłeś tamtemu coś, co ja powinienem zrobić dawno temu. Zasłużył na to, co mu zrobiłeś. Na to i na znacznie więcej.

– Myślisz, że ojciec wstydzi się za mnie?

– Wiem na pewno, że się nie wstydzi – powiedziałem. – W Kabulu uratowałeś mi życie. Wiem, że choćby dlatego jest z ciebie bardzo dumny.

Otarł twarz rękawem koszuli. Przebił nim bańkę śliny, która utworzyła mu się na wargach. Skrył twarz w dłoniach i długo płakał, nim znów przemówił.

– Brakuje mi ojca. I mamy też – wychrypiał w końcu. – I Sasy, i sahiba Rahima Chana. Ale czasem cieszę się, że ich... że ich już nie ma.

– Dlaczego? – Dotknąłem jego ramienia. Znów się cofnął.

– Bo... – powiedział ze szlochem, z trudem łapiąc powietrze. – Bo nie chcę, żeby widzieli... że jestem taki nieczysty. – Wziął głęboki, świszczący oddech i wydał z siebie długi, zduszony okrzyk. – Bo jestem nieczysty i grzeszny.

– Wcale nie jesteś nieczysty, Sohrab.

– Oni...

– Wcale nie jesteś nieczysty.

– Oni robili ze mną... Tamci... Ten zły i tamci dwaj... Robili ze mną... Robili ze mną takie rzeczy...

– Nie jesteś nieczysty, nie jesteś grzeszny. – Znów dotknąłem jego ramienia i znów się odsunął. Jeszcze raz spróbowałem go objąć, bardzo delikatnie, i przyciągnąłem go do siebie.

– Ja nic ci nie zrobię – szepnąłem. – Obiecuję.

Opierał się, ale potem przestał. Dał się przytulić, oparł mi głowę na piersi. Jego drobne ciało trzęsło się w moich ramionach od płaczu.

Ludzie, których wykarmiła ta sama pierś, stają się braćmi. Teraz, gdy cierpienie tego chłopca przenikało mi przez koszulę, poczułem, że i między nami budzi się silna więź. To, co zaszło w domu Assefa, połączyło nas na zawsze.

Już od jakiegoś czasu czekałem na właściwą chwilę, na okazję, by zadać mu pytanie, które uporczywie powracało w myślach i nie dawało mi spać. Uznałem, że chwila ta właśnie nadeszła, że muszę zapytać tu i teraz, gdy siedzimy razem w blasku świateł domu Bożego.

– Chciałbyś pojechać do Ameryki? Zamieszkać ze mną i moją żoną?

Nie odpowiedział. Szlochał w moją koszulę. Nie broniłem mu.

Przez tydzień żaden z nas nie wracał do mojego pytania. Zupełnie, jakbym go nie zadał. A potem któregoś dnia pojechaliśmy razem na miejsce widokowe Daman-e-Koh, czyli „skraj góry". W połowie drogi na grzbiet Wzgórz Margalla widać całą panoramę Islamabadu, jego czyste, równe, wysadzane drzewami aleje i białe domy. Kierowca zapewnił nas, że z góry widać pałac prezydencki.

– Zaraz po deszczu, kiedy powietrze jest czyste, widać nawet za Rawalpindi – mówił. Widziałem w lusterku wstecznym, że jego wzrok pada to na mnie, to na Sohraba. W lusterku widziałem też własną twarz. Opuchlizna była już mniejsza, ale za to blednące siniaki zostawiły wszędzie żółtawe plamy.

Usiedliśmy na ławce przy jednym z miejsc piknikowych, w cieniu drzewa. Było ciepło, słońce wisiało wysoko na niebie koloru topazu. Na okolicznych ławkach ludzie zajadali przywiezione ze sobą *samosa* i *pakora*. Czyjeś radio grało hinduską pieśń, którą chyba pamiętałem z jakiegoś starego filmu, może z *Czystego serca*. Dzieci, wśród nich wielu rówieśników Sohraba, biegały za piłką, chichotały, krzyczały. Pomyślałem o sierocińcu w Karte-Se i o szczurze, który przebiegł mi między stopami w biurze Zamana. W piersi coś mnie ścisnęło z niespodziewanego gniewu na to, jak moi rodacy niszczą własny kraj.

– Co się stało? – zapytał Sohrab. Zmusiłem się do uśmiechu i odpowiedziałem, że nic takiego.

Na drewnianym stole rozłożyliśmy jeden z hotelowych ręczników i zaczęliśmy grać w pandżpar. Grałem w karty z synem mojego brata, słońce pieściło mnie w kark, było mi dobrze. Skończyła się jedna pieśń, zaczęła druga, ale tej już nie rozpoznałem.

– Patrz – powiedział Sohrab. Wskazywał w niebo wachlarzem kart. Spojrzałem w górę i zobaczyłem jastrzębia, krążącego po szerokim, bezchmurnym niebie.

– Nie wiedziałem, że w Islamabadzie są jastrzębie – powiedziałem.

– Ja też nie – odparł, śledząc wzrokiem zataczane przez ptaka kręgi. – A u was są?

– W San Francisco? Chyba tak. Ale wiele ich nie widziałem.

– Aha – powiedział. Miałem nadzieję, że jeszcze o coś zapyta, ale on znów rozdał karty. Po chwili spytał, czy nie moglibyśmy już jeść. Otworzyłem papierową torbę i podałem mu kanapkę z mięsem. Mój posiłek składał się z kolejnego kubka zmiksowanych bananów i pomarańczy – wynająłem na tydzień mikser od pani Fajjaz. Piłem przez słomkę, usta wypełnił mi słodki, owocowy smak. Trochę soku wylało mi się kącikami ust. Sohrab podał mi papierową serwetkę i patrzył, jak ostrożnie ocieram wargi. Uśmiechnąłem się do niego, on do mnie.

– Twój ojciec i ja byliśmy braćmi – powiedziałem. Tak po prostu. Chciałem mu o tym powiedzieć już wtedy, gdy wieczorem siedzieliśmy przed

meczetem. Ale nie powiedziałem. Miał jednak prawo o tym wiedzieć. –
Przyrodnimi braćmi. Mieliśmy tego samego ojca.

Sohrab przestał jeść. Odłożył kanapkę.

– Ojciec nigdy mi nie mówił, że ma brata.

– Bo nie wiedział.

– Dlaczego nie wiedział?

– Nikt mu nie powiedział – odparłem. – Mnie też nie. Dowiedziałem się
dopiero niedawno.

Sohrab zamrugał oczami. Odniosłem wrażenie, że dopiero teraz naprawdę na mnie popatrzył.

– Ale dlaczego nikt wam nie powiedział?

– Wiesz, sam się nad tym zastanawiałem. Znalazłem odpowiedź, ale niezbyt dobrą. Dlatego nam nie powiedzieli, że twój ojciec i ja... nie mieliśmy być braćmi.

– Dlatego że on był Hazarą?

Zmusiłem się, by nie odwrócić wzroku od jego twarzy.

– Tak.

– A czy twój ojciec... – zaczął, uparcie patrząc w swoją kanapkę. – Czy
twój ojciec kochał mojego tak samo jak ciebie?

Pomyślałem o naszym pobycie nad jeziorem Garga, dawno temu, gdy
Baba pozwolił sobie poklepać Hassana po plecach, gdy jego kaczki odbijały
się na wodzie więcej razy niż moje. I o wniebowziętym Babie w szpitalu,
gdy zdejmowano bandaże z wargi Hassana.

– Myślę, że kochał nas tak samo, ale inaczej.

– Wstydził się mojego taty?

– Nie – odpowiedziałem. – Raczej wstydził się siebie.

Sohrab podniósł kanapkę i gryzł ją w milczeniu.

Do miasta wróciliśmy późnym popołudniem, zmęczeni upałem, ale zmęczeni przyjemnie. Przez całą drogę czułem, że Sohrab mi się przygląda. Poprosiłem taksówkarza, by zatrzymał się przy sklepie, w którym można było
dostać kartę telefoniczną. Sam poszedł mi ją kupić, potem dostał napiwek.

Wieczorem leżeliśmy w łóżkach i oglądaliśmy talk-show w telewizji. Dwaj
siwobrodzi duchowni w białych turbanach odpowiadali na pytania wiernych z całego świata. Człowiek imieniem Ajub zatelefonował aż z Finlandii, aby zapytać, czy jego nastoletni syn może pójść do piekła za to, że swoje
szerokie spodnie nosi tak nisko na biodrach, że wystaje mu spod nich gumka od majtek.

– Widziałem raz zdjęcie San Francisco – powiedział Sohrab.
– Naprawdę?
– Był na nim czerwony most i budynek z takim jakimś szpicem.
– Żaluj, że nie widziałeś, jakie tam są ulice – powiedziałem.
– A co? – Teraz patrzył na mnie. Na ekranie telewizora obaj mułłowie
naradzali się nad pytaniem Ajuba z Finlandii.
– Są takie strome, że jak się jedzie do góry, widać tylko maskę samochodu i niebo.
– Nie boisz się tam jeździć? – zapytał. Przewrócił się na bok, twarzą do
mnie, plecami do telewizora.
– Z początku się bałem – odpowiedziałem. – Ale można się przyzwyczaić.
– A czy tam pada śnieg?
– Nie, ale za to często jest mgła. Pamiętasz, jak wygląda ten czerwony
most ze zdjęcia?
– Tak.
– Czasem rano mgła jest tak gęsta, że widać z niej tylko wierzchołki obu
wież i nic więcej.
Wyczułem zachwyt w jego uśmiechu.
– Aha.
– Sohrab?
– Tak?
– Myślałeś o tym, o co cię pytałem?
Uśmiech zniknął. Chłopiec obrócił się na plecy i założył ręce pod głowę.
Mułłowie uznali, że syn Ajuba może jednak pójść do piekła za to, jak nosi
spodnie. Twierdzili, że mówią o tym *Hadisy*.
– Myślałem – odpowiedział Sohrab.
– No i?
– Boję się.
– Wiem, że możesz się bać – powiedziałem, chwytając się odrobiny nadziei. – Ale szybko nauczysz się angielskiego, przyzwyczaisz się...
– Nie o to mi chodzi. Tego też się boję, ale...
– Ale co?
Znów obrócił się do mnie. Podciągnął kolana pod brodę.
– A jeżeli ci się znudzę? Albo twoja żona mnie nie polubi?
Z trudem wstałem z łóżka i podszedłem do jego łóżka. Usiadłem.
– Nigdy mi się nie znudzisz, Sohrab – powiedziałem. – Przenigdy. Obiecuję. Przecież jesteś moim bratankiem, zapomniałeś? A Soraja-dżan to bardzo

dobra kobieta. Uwierz mi, pokocha cię. – Zaryzykowałem. Wziąłem go za
rękę. Nieco stężał, ale nie wyrwał dłoni.

– Nie chcę iść do sierocińca – powiedział.

– Nigdy do tego nie dopuszczę. Obiecuję. – Teraz trzymałem jego dłoń
oburącz. – Jedź ze mną.

Łzy kapały mu na poduszkę. Długo nic nie mówił. Potem oddał mi uścisk.
I skinął głową. Skinął głową.

Udało mi się połączyć za czwartym razem. Telefon zadzwonił trzy razy,
nim podniosła słuchawkę. W Islamabadzie było wpół do ósmej wieczór,
w Kalifornii chyba też, ale rano. Soraja od godziny była już na pewno na
nogach i przygotowywała się do wyjścia do szkoły.

– To ja – powiedziałem. Siedziałem na łóżku, patrząc na śpiącego Sohraba.

– Amir! – niemal krzyknęła. – Nic ci nie jest? Gdzie jesteś?

– W Pakistanie.

– Czemu nie dzwoniłeś? O mało nie umarłam z *taszuisz*! Mama modli się
codziennie i odprawia *nazr*.

– Przepraszam. Teraz już wszystko w porządku – Mówiłem jej, wyjeżdża-
jąc, że nie będzie mnie tydzień, może dwa. Tymczasem minął prawie miesiąc. Uśmiechnąłem się. – Więc powiedz chali Dżamili, żeby przestała mor-
dować owce.

– Jak to „teraz w porządku”? Czemu masz taki dziwny głos?

– To nic takiego. Wszystko w porządku, czuję się dobrze. Słuchaj, Soraja, muszę ci coś opowiedzieć. Coś, co powinienem był ci opowiedzieć dawno temu. Ale przede wszystkim muszę ci powiedzieć jeszcze coś.

– Co? – zapytała ciszej, jakby ostrożnie.

– Nie wracam sam. Wracam z małym chłopcem – urwałem. – Chcę, żebyśmy go adoptowali.

– Co?!

Zerknąłem na zegarek.

– Mam na tej głupiej karcie pięćdziesiąt siedem minut, a tyle muszę ci
opowiedzieć. Weź sobie coś do siedzenia. – Usłyszałem pośpieszne szur-
nięcie krzesła o drewnianą podłogę.

– No, to mów – powiedziała.

Wtedy zrobiłem to, czego nie zrobiłem przez piętnaście lat małżeństwa:
powiedziałem żonie wszystko. Wszystko. Wiele razy wyobrażałem to sobie
i bałem się okropnie, ale mówiąc, czułem, jak wielki kamień spada mi z ser-

234

ca. Czułem, że czegoś podobnego doświadczyła Soraja w wieczór *chaste-gari*, gdy opowiadała mi o własnej przeszłości.

Gdy kończyłem, płakała.

– No, więc co o tym myślisz? – zapytałem.

– Nie wiem, co o tym myśleć, Amir. Powiedziałeś mi naraz tak dużo.

– Wiem.

Usłyszałem, że siąka nosem.

– Ale jedno wiem: musisz go tu przywieźć. Tego chcę na pewno.

– Jesteś pewna? – zapytałem. Zamknąłem oczy i uśmiechnąłem się.

– Czy jestem pewna? – powtórzyła za mną. – Amir, przecież on jest *kaom*, przecież to twoja rodzina, więc moja też. Oczywiście, że jestem pewna. Nie zostawisz go przecież na ulicy. – Urwała na chwilę. – Jaki on jest?

Spojrzałem na śpiącego Sohraba.

– Bardzo miły. I bardzo poważny.

– Nic dziwnego – powiedziała. – Bardzo chcę go poznać, Amir. Naprawdę.

– Soraja...

– No?

– *Dostet darum*. Kocham cię.

– Ja ciebie też – powiedziała. Usłyszałem uśmiech w jej głosie. – Uważaj na siebie.

– Będę uważał. Jeszcze jedno. Nie mów rodzicom, kim on jest. Jeżeli będą pytali, sam im powiem.

– Dobrze.

Odłożyliśmy słuchawki.

Trawnik przed ambasadą amerykańską w Islamabadzie był świetnie utrzymany, ozdobiony okrągłymi rabatkami kwiatów i ogrodzony równo, jak od linijki strzyżonym żywopłotem. Sam budynek bardzo przypominał inne budynki w Islamabadzie: był płaski i biały. By dostać się za mur, musieliśmy minąć trzy kolejne rzędy zasieków, trzej różni ochroniarze poddali mnie trzem kolejnym kontrolom osobistym, bo druty w mojej szczęce dzwoniły w każdej kolejnej bramce z wykrywaczem metalu. Gdy w końcu weszliśmy do środka, klimatyzacja chlusnęła mi w twarz jak wiadro lodowatej wody. Recepcjonistka, blondynka po pięćdziesiątce, o szczupłej twarzy, uśmiechnęła się do mnie, gdy podawałem jej moje nazwisko. Miała na sobie beżową bluzkę i czarne spodnie – była pierwszą od kilku tygodni kobietą, którą widziałem nie w burka ani w *szaluar-kamiz*. Sprawdziła, czy jestem umówiony, uderzając w blat biurka gumką na końcu ołówka. Znalazła mnie na liście i poprosiła, żebyśmy usiedli.

– Może lemoniady? – zapytała.

– Nie, dziękuję – odparłem.

– A może dla syna?

– Słucham?

– Dla tego przystojnego, młodego dżentelmena – powiedziała, uśmiechając się do Sohraba.

– A, tak. Bardzo dziękuję.

Siedzieliśmy z Sohrabem na czarnej skórzanej kanapie naprzeciw biurka recepcjonistki, pod wielką flagą amerykańską. Sohrab wziął do ręki czasopismo ze stojącego obok stolika ze szklanym blatem. Przerzucał strony, ale jakby nie widział zdjęć.

– Co? – zapytał Sohrab.

– Słucham?

– Uśmiechasz się.

– Myślałem o tobie – powiedziałem.

On też się uśmiechnął. Trochę nerwowo. Wziął inne czasopismo. Przerzucił je w mniej niż trzydzieści sekund.

– Nie bój się – powiedziałem, dotykając jego ramienia. – Oni są mili. Uspokój się. – Mówiłem, jakbym sam był spokojny. Wierciłem się na kanapie, rozwiązywałem i zawiązywałem sznurówki. Sekretarka postawiła na stoliku szklankę z lemoniadą i lodem.

– Proszę bardzo.

Sohrab uśmiechnął się nieśmiało.

– *Thank you very much* – powiedział. W jego wykonaniu zabrzmiało to „tenk ju uery macz". Wiedziałem już, że po angielsku umie tylko to. I jeszcze „miłego dnia", czyli *„Have a nice day"*.

Zaśmiała się.

– Nie ma za co. – Wróciła za biurko, stukając w podłogę obcasami.

– *Have a nice day* – powiedział Sohrab.

Raymond Andrews był niski, miał małe dłonie, wymanikiurowane paznokcie i obrączkę na palcu serdecznym. Gdy podał mi dłoń, miałem wrażenie, że ściskam wróbla. „W tych rękach jest nasz los" – pomyślałem, gdy wraz z Sohrabem siadaliśmy naprzeciw niego. Na ścianie za biurkiem wisiał plakat z *Nędzników* i mapa USA. Na parapecie grzała się na słońcu doniczka z krzaczkiem pomidora.

– Papierosa? – zapytał głębokim barytonem, niepasującym do jego drobnej budowy.

– Nie, dziękuję – powiedziałem. Od razu nie byłem zbyt przychylnie do niego nastawiony, bo prawie nie spojrzał na Sohraba, a i na mnie nie patrzył, gdy ze mną rozmawiał. Otworzył szufladę biurka, wyciągnął papierosa z częściowo opróżnionego pudełka, zapalił. Z tej samej szuflady wyjął tubkę kremu do rąk. Nacierając je patrzył na pomidory, papieros zwisał mu z ust. Wreszcie zamknął szufladę, oparł łokcie o biurko i wypuścił dym nosem.

– No – powiedział, mrużąc oczy od dymu – proszę mi wszystko opowiedzieć.

Poczułem się jak Jean Valjean przed Javertem. Powiedziałem sobie w duchu, że jestem teraz na ziemi amerykańskiej, że ten człowiek jest po mojej stronie, że płacą mu za to, aby pomagał ludziom takim jak ja.

– Chcę adoptować tego chłopca, zabrać go ze sobą do Stanów – powiedziałem.

– Proszę mi wszystko opowiedzieć – powtórzył, palcem wskazującym przyciskając płatek popiołu do blatu schludnie utrzymanego biurka i wrzucając go do kosza na śmieci.

Podałem mu wersję, którą obmyśliłem po rozmowie z Sorają. Że pojechałem do Afganistanu po syna mojego przyrodniego brata. Chłopiec mieszkał w opłakanych warunkach, gnił w sierocińcu. Przekupiłem dyrektora i zabrałem chłopca. I przywiozłem go do Pakistanu.

– Czyli jest pan stryjem chłopca?

– Tak.

Zerknął na zegarek. Przechylił się w bok i obrócił doniczkę z pomidorami.

– Czy zna pan kogoś, kto mógłby to potwierdzić?

– Tak, ale nie wiem, gdzie teraz jest.

Odwrócił się do mnie i pokiwał głową. Usiłowałem wyczytać w jego twarzy, co myśli, ale bez skutku. Zastanawiałem się, czy wolne chwile spędza na grze w pokera.

– Domyślam się, że te druty w szczęce to nie dlatego, że chce pan nadążać za modą – powiedział. Czyli jest źle. To było dla mnie jasne. Powiedziałem, że napadnięto mnie w Peszawarze.

– Oczywiście – powiedział. Odchrząknął. – Czy jest pan muzułmaninem?

– Tak.

– Praktykującym?

– Tak. – Prawdę mówiąc, nie pamiętałem nawet, kiedy ostatni raz biłem czołem na modlitwie. Potem nagle sobie przypomniałem: wtedy, gdy doktor Amani przekazał mi swoją diagnozę co do Baby. Klęknąłem wtedy na dywaniku modlitewnym i z trudem przypominałem sobie wyuczone w szkole modlitwy.

– To może trochę pomóc, ale nie bardzo – powiedział, drapiąc się w nienaganny przedziałek w swych blond włosach.

– Co chce pan przez to powiedzieć? – zapytałem. Wyciągnąłem dłoń, wziąłem Sohraba ze rękę, splotłem moje palce z jego. Sohrab patrzył niepewnie to na mnie, to na Andrewsa.

– Na to pytanie jest długa odpowiedź. Jestem pewny, że i tak będę musiał ją panu dać, ale może najpierw odpowiem krótko i węzłowato.

– Proszę bardzo – powiedziałem.

Andrews zgasił papierosa i wydął wargi.

– Niech pan sobie da spokój.

– Słucham?

– Niech pan da sobie spokój z tą adopcją. Dobrze panu radzę.

– Rozumiem – odparłem. – A teraz niech mi pan to wytłumaczy.

– Czyli chce pan usłyszeć długą odpowiedź – powiedział beznamiętnym głosem, nie reagując na mój zaczepny ton. Złączył dłonie, jakby się modlił. – Załóżmy, że pana opowieść jest prawdziwa, choć założę się o miesięczną pensję, że jest w niej sporo nieprawdy albo niedomówień. To zresztą nie moja sprawa. Liczy się tylko fakt, że tu jesteście, to znaczy on i pan. Mimo to pański wniosek o adopcję ma nikłe podstawy, przede wszystkim dlatego, że to dziecko nie jest sierotą.

– Przecież jest.

– Nie w świetle prawa.

– Jego rodziców rozstrzelano na ulicy. Na oczach sąsiadów – powiedziałem, zadowolony, że rozmawiamy po angielsku.

– Ma pan ich akty zgonu?

– Akty zgonu? Mówimy o Afganistanie! Tam większość ludzi nie ma nawet aktów urodzenia.

Jego szklane oczy nawet nie mrugnęły.

– Nie ja stanowię prawo, proszę pana. Jest pan oburzony, ale to nie znaczy, że nie musimy udowodnić, że jego rodzice nie żyją. Chłopiec musi zostać prawnie uznany za sierotę.

– Ale...

– Zażądał pan dłuższej odpowiedzi, więc ją panu daję. Kolejny problem polega na tym, że potrzebna będzie współpraca kraju dziecka. To jest oczywiście bardzo trudne. Pozwoli pan, że pana zacytuję: mówimy o Afganistanie. W Kabulu nie ma amerykańskiej ambasady. To bardzo komplikuje sprawę. A właściwie przekreśla wszelkie szanse na powodzenie.

– Chce pan powiedzieć, że mam go tu zostawić na ulicy? – zapytałem.

– Wcale tego nie powiedziałem.

– Był molestowany seksualnie – powiedziałem. Przypomniały mi się dzwonki u kostek Sohraba, tusz na jego rzęsach.

– Bardzo mi przykro – powiedziały usta Andrewsa, ale patrzył na mnie tak, jakbyśmy rozmawiali o pogodzie. – Ale to w niczym nie ułatwi otrzymania przez niego wizy.

– To co mam robić?

– Jeżeli chce pan zrobić coś naprawdę pożytecznego, może pan wpłacić pieniądze na konto którejś ze znanych organizacji humanitarnych. Zgłosić się na ochotnika do pracy w jakimś obozie dla uchodźców. Ale w chwili obecnej gorąco odradzamy obywatelom USA wszelkie próby adoptowania afgańskich dzieci.

Wstałem.

– Chodź, Sohrab – powiedziałem po persku. Sohrab przysunął się do mnie, oparł mi głowę na biodrze. Przypomniałem sobie jego zdjęcie z Hassanem. – Czy mogę pana o coś zapytać?

– Tak.

– Ma pan dzieci?

Po raz pierwszy zamrugał oczyma.

– No, ma pan? Przecież to proste pytanie.

Milczał.

– Tak właśnie myślałem – powiedziałem, biorąc Sohraba ze rękę. – Na pana stołku powinno się posadzić kogoś, kto wie, co to znaczy chcieć mieć dziecko.

Odwróciłem się do wyjścia. Sohrab ruszył ze mną.

– A czy ja mogę zadać pytanie? – zawołał za mną Andrews.

– Proszę.

– Czy obiecał mu pan, że go ze sobą zabierze?

– A jeżeli tak, to co?

Pokręcił głową.

– Obiecywanie dzieciom czegokolwiek to niebezpieczna sprawa. – Westchnął i jeszcze raz wysunął szufladę. – Jest pan uparty? – zapytał, szperając w papierach.

– Jestem uparty.

Podał mi wizytówkę.

– W takim razie radzę się skontaktować z dobrym specjalistą od spraw imigracyjnych. Tu, w Islamabadzie, pracuje Omar Faisal. Może mu pan powiedzieć, że to ja pana przysyłam.

Wziąłem od niego wizytówkę.

– Dziękuję – mruknąłem.

– Powodzenia – powiedział jeszcze. Gdy w drzwiach popatrzyłem przez ramię, Andrews stał w prostokącie światła, z roztargnieniem wyglądał przez okno i przekręcał do słońca doniczkę z pomidorami, czule gładząc każdy owoc.

– Do widzenia – powiedziała sekretarka, gdy mijaliśmy jej biurko.

– Pani szef mógłby być trochę grzeczniejszy – powiedziałem. Spodziewałem się, że wywróci oczyma, może pokiwa głową, jakby chciała powiedzieć: „Wiem, wszyscy to mówią". Ale ona ściszyła głos.

– Biedny Ray. Nie może się pozbierać po śmierci córki.

Uniosłem brwi.

– Samobójstwo – dodała szeptem.

W taksówce, którą wracaliśmy do hotelu, Sohrab opierał się czołem o szybę, wpatrywał się w mijane budynki, w szpalery drzew. Jego oddech zaparowywał szybę, znikał, i znów osiadał na niej mgiełką. Czekałem, żeby mnie zapytał o rozmowę, ale tego nie zrobił.

Za zamkniętymi drzwiami łazienki lała się woda. Już od pierwszego dnia pobytu w hotelu Sohrab brał przed snem długą kąpiel. W Kabulu ciepła woda w kranie była równie trudno osiągalnym towarem jak ojcowie. Teraz co wieczór Sohrab spędzał w wannie prawie godzinę. Pławił się w wodzie z mydlinami, mył się, szorował. Usiadłem na brzegu łóżka i zatelefonowałem do Sorai. Zerknąłem na wąski pasek światła w szparze między podłogą a drzwiami łazienki. „Już jesteś czysty, Sohrab?"

Przekazałem Sorai to, co powiedział Raymond Andrews.

– I co ty o tym myślisz? – zapytałem.

– Musimy założyć, że się myli. – Powiedziała mi, że telefonowała już do kilku biur zajmujących się adopcjami zagranicznymi. Nie znalazła jeszcze takiego, które gotowe było zająć się adoptowaniem dziecka z Afganistanu, ale będzie szukać dalej.

– A co na to wszystko twoi rodzice?

– Madar się cieszy. Wiesz, jak ona cię uwielbia, Amir, choćbyś robił nie wiadomo co. Padar... no, jak zwykle, z niego trudniej wyciągnąć, co myśli. Na razie nic nie mówi.

– A ty? Cieszysz się?

Usłyszałem, że przekłada słuchawkę do drugiej ręki.

– Ja myślę, że będziemy dobrzy dla twojego bratanka, ale może i on przyniesie nam dobro.

– Też tak myślę.

– Wiem, że to głupie, ale przyłapuję się na tym, że zastanawiam się, jaka będzie jego ulubiona *kurma*, jaki przedmiot będzie najbardziej lubił w szkole. Wyobrażam sobie, że pomagam mu odrabiać zadania... – Zaśmiała się. W łazience woda przestała się lać. Słyszałem, że Sohrab porusza się w wannie, że wychlapuje wodę na boki.

– Będziesz w tym świetna – powiedziałem.

– Aha, o mało nie zapomniałam! Rozmawiałam z kaką Szarifem.

Przypomniałem sobie, jak na naszej *nika* recytował własny wiersz, zapisany na hotelowej papeterii. Jego syn trzymał nad nami Koran, gdy wraz z Sorają szliśmy w stronę sceny, uśmiechając się do błyskających fleszów.

– I co powiedział?

– No, że się tym zajmie. Że podzwoni po kolegach z biura imigracyjnego.

– To fantastyczna wiadomość – powiedziałem. – Już nie mogę się doczekać, kiedy zobaczysz Sohraba.

– A ja nie mogę się doczekać ciebie.

Odłożyłem słuchawkę z uśmiechem.

Kilka minut później Sohrab wyszedł z łazienki. Od spotkania z Raymondem Andrewsem powiedział może kilkanaście słów. Na moje próby rozmowy odpowiadał monosylabami. Wlazł na łóżko, podciągnął koc pod szyję i po chwili już chrapał.

Wytarłem parę z lustra i ogoliłem się staromodną hotelową maszynką, taką na żyletki. Potem ja też wziąłem długą kąpiel. Leżałem w gorącej wodzie, aż całkiem wystygła, aż zmarszczyła mi się skóra na palcach. Leżałem i rozmyślałem, marzyłem, planowałem...

Omar Faisal był gruby, miał dołeczki w policzkach, czarne, okrągłe oczy i miły, choć nieco szczerbaty uśmiech. Jego przerzedzone siwe włosy związane były z tyłu w kucyk. Ubrany był w brązowy, sztruksowy garnitur ze skórzanymi łatami na łokciach. Papiery nosił w sfatygowanej, pękającej w szwach teczce. Nie miała już rączki, więc trzymał ją pod pachą. Należał do ludzi, którzy co któreś zdanie zaczynają od śmiechu i niepotrzebnych przeprosin, na przykład: „Przepraszam, będę o piątej". I znowu śmiech. Kiedy do niego zatelefonowałem, uparł się, że to on przyjdzie do nas.

– Bardzo przepraszam, tutejsi taksówkarze to szakale – powiedział nienaganną, pozbawioną jakiegokolwiek obcego akcentu angielszczyzną. – Jak wyczują obcokrajowca, żądają trzykrotnej taryfy.

Przepchnął się przez drzwi, cały w uśmiechach i przeprosinach, sapiąc lekko i pocąc się obficie. Chustką otarł pot z czoła, otworzył teczkę, wyciągnął z niej notes i znowu zaczął przepraszać, bo papiery rozsypały mu się po podłodze. Sohrab siedział ze skrzyżowanymi nogami na łóżku i jednym okiem oglądał telewizję z wyłączoną fonią, drugim zerkał na miotającego się pana mecenasa. Rano uprzedziłem chłopca, że przyjdzie Faisal. Sohrab skinął wtedy głową, już prawie o coś zapytał, ale w końcu zrezygnował i dalej oglądał program o gadających zwierzętach.

– No właśnie – powiedział Faisal, otwierając wielki żółty notes. – Mam nadzieję, że moje dzieci odziedziczą zamiłowanie do porządku po matce. Przepraszam, pewnie nie to chciał pan usłyszeć od kogoś, kto ma się zająć pana sprawami, co? – Zaśmiał się.

– Raymond Andrews ma o panu bardzo dobre zdanie.

– Pan Andrews. Tak, tak, porządny chłop. Szczerze mówiąc, telefonował do mnie i mówił mi o panu.

– Naprawdę?

– O, tak.

– Więc zna pan naszą sytuację.

Faisal otarł pot spod nosa.

– Znam taką jej wersję, jaką przedstawił pan panu Andrewsowi – powiedział. Dołeczki w jego policzkach pogłębiły się, gdy uśmiechnął się nieśmiało. Zwrócił się do Sohraba. – To, zdaje się, ten młody człowiek, przez którego mamy te wszystkie kłopoty.

– To Sohrab – powiedziałem. – Sohrab, to mecenas Faisal. Adwokat, o którym ci mówiłem.

Sohrab zsunął się z łóżka i przywitał z Omarem Faisalem.

– *Salam alejkum* – bąknął.

– *Alejkum salam*, Sohrab – powiedział Faisal. – Wiesz, że nosisz imię wielkiego wojownika?

Sohrab skinął głową. Wrócił na łóżko i położył się na boku, by dalej oglądać telewizję.

– Nie wiedziałem, że tak świetnie mówi pan po persku – powiedziałem po angielsku. – Wychował się pan w Kabulu?
– Nie. Urodziłem się w Karaczi. Ale w Kabulu mieszkałem przez dobrych kilka lat. W Szar-e-Nau, niedaleko meczetu Hadżi Jaguba – mówił Faisal. – A wychowałem się w Berkeley. Ojciec otworzył tam pod koniec lat sześćdziesiątych sklep płytowy. Wolna miłość, opaski na włosy, ręcznie barwione koszule, te rzeczy. – Pochylił się ku mnie. – Byłem w Woodstock.
– Odjazd – powiedziałem.
Faisal zaśmiał się tak, że znów cały się spocił.
– Tak czy inaczej – ciągnąłem – to, co powiedziałem panu Andrewsowi, to w zasadzie prawda, z jednym, może dwoma wyjątkami. No, może trzema. Najlepiej będzie, jeżeli opowiem całą, nieocenzurowaną wersję.
Polizał palec, znalazł wolną stronę w notesie, zdjął nakrętkę z pióra.
– Byłbym bardzo wdzięczny. I może mówmy od tej pory po angielsku?
– Bardzo dobrze.
Opowiedziałem mu wszystko. O moim spotkaniu z Rahimem Chanem, o podróży do Kabulu, o sierocińcu, o kamienowaniu na stadionie.
– Boże – szepnął. – Przepraszam, mam z Kabulu takie piękne wspomnienia. Aż trudno uwierzyć, że chodzi o to samo miasto.
– Był pan tam ostatnio?
– Boże, nie.
– Na pewno nie jest to Berkeley, tyle panu powiem.
– Proszę mówić dalej.
Opowiedziałem mu resztę: o spotkaniu z Assefem, o walce, o Sohrabie i jego procy, o ucieczce do Pakistanu. Gdy skończyłem, zapisał coś w notesie, westchnął głęboko i popatrzył na mnie z powagą.
– No, Amir, czeka cię ciężka walka.
– Mam szansę ją wygrać?
Zakręcił pióro.
– Nie chcę powtarzać tego, co mówił Raymond Andrews, ale niewielką. Nie jest to niemożliwe, ale bardzo mało prawdopodobne. – Zniknął gdzieś miły uśmiech, rozbawiony wzrok.
– Ale przecież to właśnie dzieci takie jak Sohrab najbardziej potrzebują rodziny – powiedziałem. – Te wszystkie przepisy są bezsensowne.
– Amir, nie mnie to mówić – odparł. – Ale fakty są takie, że istniejące prawo imigracyjne, polityka biur adopcyjnych i sytuacja polityczna w Afganistanie sprzysięgają się przeciwko nam.

– Nie rozumiem – powiedziałem. Chciałem rąbnąć w coś pięścią. Z całej siły. – To znaczy, rozumiem, ale nie rozumiem.

Omar pokiwał głową ze zmarszczonym czołem.

– No więc sprawa wygląda tak. Po każdym kataklizmie, wszystko jedno, czy naturalnym, czy wywołanym przez człowieka – a nie muszę ci tłumaczyć, Amir, że talibowie to kataklizm – zawsze najtrudniej ustalić, że jakieś dziecko jest sierotą. Dzieci ciągle gubią się w obozach dla uchodźców albo rodzice sami je porzucają, bo nie mogą się nimi zająć. Zawsze tak jest. INS, amerykańskie biuro imigracyjne, nie wyda chłopcu wizy, jeżeli nie będzie miało pewności, że dziecko spełnia warunki, aby mogło zostać uznane za sierotę. Przepraszam, wiem, że to zabrzmi idiotycznie, ale musimy okazać akty zgonu.

– Mieszkałeś w Afganistanie – powiedziałem. – Wiesz, że to niemożliwe.

– Wiem – odpowiedział. – Przypuśćmy jednak, że jakoś uda się ustalić, że rodzice dziecka nie żyją. Nawet w takiej sytuacji INS uważa, że lepiej umieścić dziecko u kogoś w jego ojczyźnie, żeby nie utraciło dziedzictwa narodowego.

– Dziedzictwa? Jakiego dziedzictwa? – zapytałem. – Talibowie już się nim zajęli. Widziałeś, co zrobili z tymi wielkimi posągami Buddy w Bamian.

– Przepraszam, Amir, ja tylko tłumaczę ci, jak działa INS – powiedział Omar, dotykając mojego ramienia. Zerknął na Sohraba i uśmiechnął się. Znów zwrócił się do mnie. – Poza tym dziecko musi zostać adoptowane zgodnie z prawem kraju, z którego pochodzi. Tylko że gdy w kraju dzieją się takie rzeczy jak w Afganistanie, urzędy państwowe zajmują się sprawami pierwszej potrzeby, a nie wnioskami o adopcję.

Westchnąłem i przetarłem oczy. Czułem, że zaraz rozboli mnie głowa.

– Przypuśćmy jednak, że Afganistan jakoś się pozbiera – ciągnął Omar, kładąc złożone dłonie na pękatym brzuchu. – Może mimo to nie zgodzić się na adopcję. Prawdę mówiąc, nawet mniej radykalnie muzułmańskie państwa są adopcji niechętne, bo w wielu krajach szariat, prawo religijne, nie uznaje adopcji.

– Chcesz mi powiedzieć, że mam się poddać? – zapytałem, przyciskając dłoń do czoła.

– Wychowałem się w Stanach, Amir. Jeżeli Ameryka czegoś mnie nauczyła, to tego, że nie wolno się poddawać. Ale jako twój adwokat muszę przedstawić ci fakty – powiedział. – Poza tym biura adopcyjne zawsze wysyłają pracowników, aby zapoznali się z warunkami, w jakich dziecko żyło

244

przed adopcją, a żaden urzędnik przy zdrowych zmysłach nie wyśle nikogo do Afganistanu.

Popatrzyłem na Sohraba, który siedział na łóżku, patrzył w telewizor, ale obserwował nas. Siedział w tej chwili dokładnie tak jak jego ojciec: z brodą wspartą na jednym kolanie.

– Jestem jego przyrodnim stryjem, czy to coś pomoże?

– Owszem, jeżeli będziemy w stanie to udowodnić. Przepraszam, czy mamy na to jakieś dokumenty?

– Nie mamy – powiedziałem zmęczonym głosem. – Nikt o tym nie wiedział. Sohrab dowiedział się dopiero ode mnie, a ja sam wiem to od niedawna. Wie o tym jeszcze tylko jedna osoba, która jest nie wiadomo gdzie, a może nawet już nie żyje.

– Hm...

– Co można zrobić, Omar?

– Będę szczery. Niewiele.

– To co mam robić, na miłość boską?

Omar wziął wdech, postukał się piórem po policzku, wypuścił powietrze.

– Możemy złożyć wniosek i czekać. Można też zrobić zupełnie inaczej, jakby na odwrót. To znaczy, że musiałbyś mieszkać z Sohrabem tu, w Pakistanie, przez dwa następne lata, ani dnia krócej. Potem można by zwrócić się o azyl w jego imieniu. To długi proces i trzeba by udowodnić, że był prześladowany ze względów politycznych. Można by wystąpić o wizę humanitarną, ale to leży w gestii amerykańskiej prokuratury generalnej i nie jest łatwe do uzyskania. – Urwał na chwilę. – Jest jeszcze jedno wyjście, może najlepsze.

– Jakie? – zapytałem, pochylając się do przodu.

– Mógłbyś oddać go tu do sierocińca i wtedy wystąpić z wnioskiem. Zabrać się do I-600 i do rozpoznania. A on będzie przez ten czas w bezpiecznym miejscu.

– I-600? Rozpoznanie? Co to takiego?

– Przepraszam. I-600 to formalności w INS, a rozpoznanie przeprowadza wybrane przez was biuro adopcyjne – powiedział Omar. – No, chodzi o to, że trzeba sprawdzić, czy nie jesteście z żoną chorzy umysłowo.

– Tego nie chcę – powiedziałem, znów zerkając na Sohraba. – Obiecałem mu, że nie oddam go do sierocińca.

– Jak mówię: to właściwie jedyna szansa.

Porozmawialiśmy jeszcze chwilę. Potem odprowadziłem go do samochodu, starego volkswagena garbusa. Słońce już zachodziło nad Islamabadem płonącą, czerwoną aureolą. Auto ugięło się pod ciężarem Omara, gdy w jakiś niewyjaśniony dla mnie sposób udało mu się zmieścić za kierownicą. Opuścił szybę.

– Amir?

– Tak?

– Chciałem ci powiedzieć, że to, co robisz, to wielka sprawa.

Pomachałem mu, gdy odjeżdżał. Stałem przed hotelem i żałowałem, że nie ma przy mnie Sorai.

Sohrab wyłączył telewizor. Gdy wróciłem do pokoju, usiadłem na skraju łóżka i poprosiłem go, by usiadł obok mnie.

– Pan Faisal uważa, że jest sposób, żebyś mógł pojechać ze mną do Ameryki – powiedziałem.

– Naprawdę? – powiedział Sohrab, uśmiechając się lekko. Po raz pierwszy od wielu dni. – To kiedy jedziemy?

– No właśnie. To może chwilę potrwać. Ale powiedział, że się uda i że nam w tym pomoże.

Położyłem mu rękę na karku. Na zewnątrz rozbrzmiewało już wołanie na modlitwę.

– Jak długo? – zapytał Sohrab.

– Nie wiem. Jakiś czas.

Sohrab wzruszył ramionami i uśmiechnął się, tym razem szerzej.

– To nic. Umiem czekać. To tak, jak z kwaśnymi jabłkami.

– Jakimi jabłkami?

– Kiedyś, kiedy byłem bardzo mały, wlazłem na drzewo i zjadłem dużo zielonych, kwaśnych jabłek. Brzuch mi się wzdął i zrobił się twardy jak bęben. I bardzo mnie bolał. Mam powiedziała, że gdybym poczekał, aż jabłka dojrzeją, tobym nie zachorował. Więc teraz, jeżeli naprawdę mi na czymś zależy, to przypominam sobie, co mama mi mówiła o tych jabłkach.

– Kwaśne jabłka – powiedziałem. – *Maszallach*, jeszcze nigdy nie spotkałem takiego mądrego chłopca jak ty, Sohrab-dżan.

Zaczerwienił się po uszy.

– Weźmiesz mnie na ten czerwony most? Ten, co we mgle widać mu tylko wieże? – zapytał.

– Oczywiście, że cię wezmę – odpowiedziałem. – Na pewno.

– I będziemy jeździć po tych ulicach, gdzie widzi się tylko maskę samochodu i niebo?

– Po każdej – powiedziałem. Poczułem w oczach łzy, ale zamrugałem oczyma.

– A trudno nauczyć się angielskiego?

– Za rok będziesz mówił po angielsku tak jak po persku.

– Naprawdę?

Podłożyłem mu palec pod brodę, obróciłem jego twarz ku sobie.

– Ale jest jedna rzecz...

– Jaka?

– No więc pan Faisal uważa, że byłoby znacznie łatwiej, gdybyś... Gdybyś zgodził się zostać przez jakiś czas w domu dziecka.

– W domu dziecka? – zapytał. Uśmiech zniknął. – To znaczy w sierocińcu?

– Ale nie na długo.

– Nie – powiedział. – Proszę, nie.

– Sohrab, naprawdę tylko na krótko. Obiecuję.

– Obiecałeś, że mnie nigdzie nie oddasz, Amirze ago – powiedział. Głos mu się łamał, w oczach zbierały łzy. Poczułem się jak ostatnia świnia.

– Ale to co innego. Przecież nie w Kabulu, tylko tu, w Islamabadzie. I ciągle będę cię odwiedzał, dopóki nie będziemy mogli zabrać cię do Ameryki.

– Proszę! Nie! Proszę! – wychrypiał. – Boję się tam iść. Zrobią mi krzywdę! Nie chcę!

– Nikt nie zrobi ci krzywdy. Nikt i nigdy.

– A właśnie, że tak! Zawsze mówią, że nie, ale kłamią! Kłamią! Boże, proszę, nie!

Otarłem kciukiem łzę płynącą mu po policzku.

– A pamiętasz kwaśne jabłka? To tak samo, jak z tymi jabłkami – powiedziałem cicho.

– Wcale nie. Ja nie chcę. O Boże, Boże! Proszę, nie! – Dygotał cały, smarki i łzy rozmazywały mu się już po całej twarzy.

– Ciii. – Przytuliłem go do siebie, otaczając ramionami trzęsące się, drobne ciało. – Ciii. Wszystko będzie dobrze. Pojedziemy razem do Ameryki. Zobaczysz, wszystko będzie dobrze.

Wtulał się we mnie z całych sił, ale w głosie brzmiała prawdziwa panika.

– Proszę, obiecaj, że mnie nie oddasz! O Boże! Amirze ago, obiecaj, że nie!

Jak mogłem mu to obiecać? Tuliłem go z całych sił i kołysałem. Płakał w moją koszulę, dopóki nie brakło mu łez, dopóki nie przestał drżeć i dopóki jego przerażone błaganie nie przeszło w szloch. Czekałem, kołysałem go, póki jego oddech całkiem się nie uspokoił. Przypomniałem sobie coś, co przeczytałem dawno temu: „Dzieci tak właśnie radzą sobie ze strachem – zasypiają".

Zaniosłem go na łóżko. Potem wróciłem na swoje i leżąc, wpatrywałem się w purpurowe niebo nad Islamabadem.

Niebo było już całkiem czarne, gdy dzwonek telefonu wyrwał mnie ze snu. Było trochę po wpół do jedenastej – spałem prawie trzy godziny. Podniosłem słuchawkę.

– Halo?

– Telefon z Ameryki. – To znudzony głos pana Fajjaza.

– Dziękuję.

W łazience paliło się światło – Sohrab znów brał długą kąpiel. Kilka trzasków. Soraja:

– *Salam!* – Od razu wyczułem w jej głosie podniecenie.

– Cześć.

– Jak poszła rozmowa z adwokatem?

Powtórzyłem jej propozycję Omara Faisala.

– Żadne takie – powiedziała. – To niepotrzebne.

Usiadłem na łóżku.

– *Rausti*? A co się stało?

– Telefonował kaka Szarif. Powiedział, że najważniejsze, żeby przywieźć Sohraba do Stanów. Jak już tu będzie, jakoś uda się go zatrzymać. Kaka rozmawiał z kolegami z INS. Dzwonił do mnie dziś wieczór. Mówi, że prawie na sto procent uda mu się załatwić Sohrabowi wizę humanitarną.

– Serio? – zapytałem. – Bogu niech będą dzięki! Porządny chłop, ten Szarif-dżan!

– Wiem. Na razie zostaniemy opiekunami Sohraba. To załatwimy szybko. Wizę dostanie najpierw na rok, więc będzie mnóstwo czasu na złożenie wniosku o adopcję.

– No, to chyba rzeczywiście nam się uda, co, Soraja?

– Chyba tak – powiedziała. Była uszczęśliwiona. Powiedziałem, że ją kocham, ona też. Odłożyłem słuchawkę.

– Sohrab! – zawołałem wstając z łóżka. – Mam świetną wiadomość! Zapukałem do drzwi łazienki. – Sohrab! Soraja-dżan właśnie dzwoniła z Kalifornii! Wcale nie musisz iść do sierocińca! Jedziemy do Ameryki, Sohrab! Razem! Słyszysz? Jedziemy do Ameryki!

Otworzyłem drzwi. Wszedłem do łazienki.

Nagle klęczałem przy wannie i wrzeszczałem. Wrzeszczałem przez zaciśnięte zęby. Wrzeszczałem tak, że myślałem, że pęknie mi gardło i płuca. Potem mówiono mi, że wrzeszczałem aż do przyjazdu karetki.

25

Nie chcą mnie wpuścić. Widzę, że przewożą go przez podwójne drzwi. Idę za nimi. Wpadam do środka, uderza mnie woń jodyny i wody utlenionej, ale widzę już tylko dwóch mężczyzn w chirurgicznych czepkach i ubraną na zielono kobietę, pochylonych nad wózkiem. Z wózka zwisa białe prześcieradło, ociera się o brudną szachownicę płytek na podłodze. Spod prześcieradła wystają dwie zakrwawione nogi. Widzę, że paznokieć wielkiego palca u jednej z nich jest nadłamany. Nagle wysoki, mocno zbudowany, ubrany na granatowo mężczyzna przyciska mi dłoń do piersi i wypycha mnie z powrotem za drzwi. Czuję na skórze chłód jego obrączki. Opieram się i przeklinam go, ale on tłumaczy, że nie wolno, mówi po angielsku, uprzejmie, ale stanowczo.

– Trzeba czekać – mówi i prowadzi mnie z powrotem do poczekalni, podwójne drzwi zamykają się za nim jakby z westchnieniem. Przez wąskie, prostokątne szyby w drzwiach widać czepki chirurgiczne obu mężczyzn, nic więcej.

Zostawia mnie w szerokim pozbawionym okien korytarzu, pełnym ludzi siedzących na metalowych, rozkładanych krzesłach ustawionych pod ścianą. Inni siedzą na cienkim, poprzecieranym dywanie. Znowu chcę wrzeszczeć. Przypominam sobie, że ostatni raz czułem się tak samo, gdy wraz z Babą jechaliśmy cysterną, pogrzebani w ciemności z innymi uciekinierami. Chcę wyrwać się stąd, z tej rzeczywistości, unieść się w górę jak chmura i rozpłynąć się w powietrzu, w tę wilgotną, letnią noc, zniknąć wśród gór. Ale zostaję, nogi mam jak z betonu, puste płuca, gardło całe w ogniu. Nie będzie żadnego rozpływania się. Dziś nie będzie żadnej innej rzeczywistości. Zamykam oczy, nozdrza wypełniają mi się wonią korytarza: potu i amoniaku, spirytusu i curry. Na suficie ćmy rzucają się na brudnoszare świetlówki ciągnące się przez cały korytarz, słyszę papierowy szelest ich skrzydeł. Słyszę rozmowy, stłumiony szloch, pociąganie nosem, ktoś jęczy, ktoś wzdycha, drzwi windy otwierają się, więc rozlega się brzęczyk, przez megafon ktoś gdzieś kogoś wzywa po urdyjsku.

Znów otwieram oczy i już wiem, co mam robić. Rozglądam się wokół, serce tłucze się w piersi młotem pneumatycznym, krew dudni w uszach. Po lewej stronie korytarza widzę drzwi do małego magazynu, tam znajduję to, czego mi trzeba. Ze sterty czystego prania porywam białą poszwę na kołdrę i wracam z nią na korytarz. Koło ubikacja jakaś pielęgniarka rozmawia z policjantem. Łapię ją za łokieć i pytam, w którą stronę jest zachód. Nie rozumie mnie i marszczy brwi, od czego pogłębiają się zmarszczki na jej twarzy. Gardło mnie boli, oczy pieką od potu, każdy oddech to nowy haust ognia w płuca. Wydaje mi się, że płaczę. Znów pytam, błagam o odpowiedź. W końcu policjant wskazuje mi zachód.

Rzucam na podłogę mój zaimprowizowany dywanik modlitewny, mój *dżaj-namaz*, padam na kolana, dotykam czołem ziemi, łzy kapią na poszwę. Kłaniam się ku zachodowi. Potem przypominam sobie, że nie modliłem się od ponad piętnastu lat. Że nie pamiętam słów. Ale to nic, powiem to, co pamiętam: *La Illaha Il Allah, Muhammad u rasul ullah.* „Nie ma Boga nad Allacha, a Mahomet jest Jego wysłannikiem". Teraz dociera do mnie, że Baba się mylił, że Bóg istnieje, że zawsze istniał. Widzę Go tutaj, w oczach ludzi zgromadzonych w tym korytarzu rozpaczy. Tu jest prawdziwy dom Boży, to tu ci, co utracili Boga, znów Go odnajdują. Tu, a nie w białym *masdżidzie*, z jego diamentowymi światłami i wysmukłymi minaretami. Bóg istnieje, musi istnieć. Teraz będę się modlił. Będę się modlił, aby mi przebaczył, że tyle lat Go zaniedbywałem, że bezkarnie dopuszczałem się zdrady, kłamstwa i grzechu, a teraz gdy trwoga, to do Boga. Modlę się, by był równie miłosierny i litościwy, jak mówi o Nim Jego księga. Biję czołem ku zachodowi, całuję ziemię i obiecuję dopełnić i *zaka*, i *hadżdż*, i postów w ramadanie, a gdy ramadan się skończy, będę pościł dalej. I nauczę się na pamięć każdego słowa z Jego świętej księgi, i wyruszę na pielgrzymkę do tego spalonego słońcem miasta na pustyni, by pokłonić się też przed Kaabą. Wszystko to zrobię, będę o Nim myślał codziennie, jeśli tylko spełni to jedno moje życzenie: na moich rękach jest krew Hassana, nie Bóg nie da, by była na nich też krew Hassanowego syna.

Słyszę jęki. To ja jęczę. Wargi mam słone od łez, spływających mi po twarzy. Czuję na sobie oczy wszystkich ludzi tkwiących w tym korytarzu, ale dalej biję czołem ku zachodowi. Modlę się. Modlę się o to, abym nie poniósł kary za grzechy – kary, której zawsze się spodziewałem.

Nad Islamabadem zapada bezgwiezdna, czarna noc. Minęło kilka godzin, siedzę teraz na podłodze innego, mniejszego korytarza prowadzącego do izby przyjęć ostrego dyżuru. Przede mną brązowy stolik pełen gazet i starych czasopism: egzemplarz „Timesa" z kwietnia 1996, pakistańska gazeta z portretowym zdjęciem młodego chłopca, który tydzień wcześniej zginął pod kołami pociągu, czasopismo filmowe ze zdjęciami uśmiechniętych lollywoodzkich aktorów na błyszczącej okładce. Naprzeciw mnie drzemie na wózku inwalidzkim staruszka w zielonym *szaluar-kamiz* i robionej na szydełku chuście. Co jakiś czas budzi się i mamrocze modlitwę po arabsku. Zastanawiam się ze znużeniem, czyje modlitwy zostaną dziś wysłuchane – moje czy jej. Staje mi przed oczyma twarz Sohraba: wystający, mięsisty podbródek, małe uszy, skośne oczy, które tak bardzo przypominają mi oczy jego ojca. Opada mnie smutek czarniejszy niż ta noc. Coś ściska mnie za gardło.

Powietrza!

Wstaję, otwieram okna. Wpadające przez nie powietrze jest zatęchłe i gorące – wonieje łajnem i przejrzałymi daktylami. Z całych sił wtłaczam to wszystko w płuca, ale ucisk w mojej piersi nie słabnie. Opadam na podłogę. Biorę do ręki „Timesa" i przerzucam kartki. Nie mogę czytać, nie mogę się skupić. Odrzucam więc czasopismo na stolik i znów wpatruję się w zygzak pęknięć na betonowej posadzce, w pajęczyny pod sufitem, w martwe muchy na parapecie. Głównie jednak patrzę na ścienny zegar. Jest tuż po czwartej nad ranem, pięć godzin temu wyproszono mnie z tamtego korytarza, tego przed podwójnymi drzwiami. Wciąż nic nie wiem.

Podłoga, na której siedzę, staje się powoli częścią mego ciała, oddech mam cięższy, wolniejszy. Chcę zasnąć, zamknąć oczy, złożyć głowę na zimnej, brudnej podłodze. Odpłynąć. Gdy się obudzę, może się okaże, że wszystko, co zobaczyłem w hotelowej łazience, było tylko snem: woda, kapiąca z kranu do czerwonej wody, lewa ręka przewieszona przez krawędź wanny, zakrwawiona brzytwa na rezerwuarze – ta sama, którą goliłem się poprzedniego dnia – i jego oczy, wpółotwarte, ale już bez światła. Przede wszystkim właśnie to. Zapomnieć te oczy.

Wkrótce sen nadchodzi, nie bronię się. Śnię o czymś, czego potem nie pamiętam.

Ktoś trąca mnie w ramię. Otwieram oczy. Klęczy przy mnie jakiś człowiek. Ma na głowie taki sam czepek jak tamci za podwójnymi drzwiami i papierową maseczkę na ustach – serce staje mi z przerażenia, bo widzę na niej kroplę krwi. Na pagerze ma naklejone zdjęcie wielkookiej dziewczynki. Ściąga maskę, co mnie cieszy, bo nie muszę już patrzeć na krew Sohraba.

Skórę ma ciemną jak importowana, szwajcarska czekolada, którą kupowaliśmy z Hassanem na bazarze w Szar-e-Nau, przerzedzone włosy i orzechowe oczy. I piękny oksfordzki akcent. Przedstawia się jako doktor Nawaz. Ogarnia mnie chęć ucieczki, bo nie jestem w stanie wysłuchać tego, co chce mi powiedzieć. Mówi, że chłopiec przeciął sobie żyły bardzo głęboko i że stracił mnóstwo krwi. Moje usta znów zaczynają powtarzać *La Illaha Il Allah, Muhammad u rasul ullah.*

Musieli mu przetoczyć kilka jednostek krwi...

„Jak ja to powiem Sorai?"

Dwa razy musieli go reanimować...

„Będę odprawiał *namaz*, będą odprawiał *zaka*".

I gdyby nie to, że ma młode i silne serce...

„Będę pościł".

Żyje.

Lekarz uśmiecha się. Chwilę trwa, nim dociera do mnie to, co powiedział. Znowu zaczyna mówić, ale ja go nie słyszę, bo łapię go za ręce, przyciskam jego dłonie do swojej twarzy i płaczę z ulgi w małe, grube dłonie obcego mężczyzny, który teraz nic nie mówi, tylko czeka.

Oddział intensywnej terapii ma kształt litery L. W półmroku słychać pisk sprzętu monitorującego i szum respiratorów. Doktor Nawaz prowadzi mnie między dwoma rzędami łóżek przedzielonych białymi plastikowymi zasłonami. Łóżko Sohraba jest ostatnie za rogiem, najbliższe stanowiska pielęgniarek, przy którym dwie z nich, w zielonych strojach chirurgicznych, właśnie notują coś na kartkach i rozmawiają półgłosem. Gdy bez słowa jechałem tu windą wraz z doktorem, obawiałem się, że znów się rozpłaczę na widok Sohraba. Ale teraz, gdy siedzę na krześle przy łóżku u jego stóp i patrzę na jego bladą twarz za kłębowiskiem plastikowych rurek i kroplówek, oczy mam suche. Gdy patrzę, jak jego pierś podnosi się i opada w rytmie nadawanym przez syczący respirator, ogarnia mnie dziwne odrętwienie, takie samo, jakie odczuwa się, gdy zakręciwszy kierownicą, w ostatniej chwili uniknęło się zderzenia z innym samochodem.

Zapadam w sen. Gdy się budzę, widzę przez okno nad stanowiskiem pielęgniarek słońce wschodzące na mlecznobiałym niebie. Światło dzienne wpada ukośnie do pokoju, rzucając mój cień na Sohraba. Sohrab leży wciąż w tej samej pozycji.

– Lepiej proszę się przespać – mówi jakaś pielęgniarka. Nie poznaję jej, pewnie musiały się zmienić, gdy spałem. Prowadzi mnie do innego pomieszczenia tuż obok oddziału. Jest puste. Wręcza mi poduszkę i szpitalny koc. Dziękuję jej i kładę się na skajowej kozetce w rogu. Zasypiam niemal natychmiast.

Śni mi się, że znów jestem w korytarzu na dole. Wchodzi doktor Nawaz, wstaję na jego widok. Ściąga papierową maseczkę, jego ręce okazują się nagle bielsze, niż były, ma też starannie utrzymane paznokcie i nienaganny przedziałek we włosach. Nagle orientuję się, że to nie doktor Nawaz, tylko Raymond Andrews, ten drobny człowieczek z ambasady amerykańskiej, ten od pomidorów. Andrews przechyla na bok głowę i mruży oczy.

W ciągu dnia szpital był labiryntem zatłoczonych korytarzy, zalanych jaskrawobiałym światłem jarzeniówek. Nauczyłem się ich rozkładu na pamięć, wiedziałem, że guzik czwartego piętra w windzie we wschodnim skrzydle się nie zapala, że drzwi do męskiej ubikacji na tym samym piętrze trzeba mocno popchnąć ramieniem, by się otworzyły. Nauczyłem się, że życie szpitalne ma swój rytm: wielki ruch tuż przed końcem nocnego dyżuru, pośpiech w środku dnia, cisza i bezruch nocy, przerywane od czasu do czasu przez lekarzy i pielęgniarki pędzących do reanimacji. W dzień czuwałem przy łóżku Sohraba, w nocy snułem się po krętych korytarzach, wsłuchując się w odgłos własnych kroków, rozmyślając, co powiem Sohrabowi, gdy się obudzi. W końcu wracałem na oddział intensywnej terapii, siadałem przy hałaśliwym respiratorze i dalej nie wiedziałem, co mówić.

Po trzech dniach na oddziale intensywnej terapii wyjęto mu z gardła rurkę od respiratora i przeniesiono na parter. Nie było mnie przy tym, ponieważ wróciłem do hotelu, by przespać się trochę dłużej – ale w efekcie przez całą noc przewracałem się tylko z boku na bok. Rano starałem się nie patrzeć na wannę. Była już czysta, ktoś wytarł krew, wymienił maty na podłodze i doczyścił ściany. Nie mogłem się jednak powstrzymać, by nie przysiąść na chwilę na chłodnej, porcelanowej krawędzi. Wyobrażałem sobie, jak Sohrab nalał sobie ciepłej wody. Jak się rozebrał. Jak rozkręcił maszynkę i wyjął żyletkę, trzymając ją między kciukiem a palcem wskazującym. Wyobrażałem sobie, jak kładzie się do wody, jak leży w niej przez chwilę z zamkniętymi oczyma. I zastanawiałem się, jaka była jego ostatnia myśl, gdy uniósł żyletkę w górę, aby spuścić ją w dół.

Już wychodziłem z hotelu, gdy dopędził mnie kierownik, pan Fajjaz.

– Serdecznie panu współczuję – zaczął – ale bardzo proszę o opuszczenie hotelu. Takie rzeczy bardzo psują interesy.

Powiedziałem mu, że rozumiem. Wyprowadziłem się. Nie policzył mi za te trzy dni, które spędziłem w szpitalu. Już przed hotelem, czekając na taksówkę, zastanawiałem się nad tym, co mi powiedział, gdy wiózł mnie na poszukiwanie Sohraba: „Problem z wami, Afgańczykami, polega na tym, że jesteście... Jak by to powiedzieć... Tacy jacyś nieostrożni". Wtedy śmiałem się z niego, ale teraz wcale nie było mi do śmiechu. Jak ja mogłem zasnąć, gdy dopiero co powiedziałem Sohrabowi coś, czego bał się najbardziej ze wszystkiego?

Wsiadając do taksówki, zapytałem kierowcę, czy zna jakąś księgarnię z książkami po persku. Powiedział, że do najbliższej będzie tylko parę kilometrów. Wstąpiliśmy tam po drodze do szpitala.

Nowy pokój Sohraba miał kremowe ściany, pokruszoną ciemnoszarą sztukaterię i płytki na ścianach, które kiedyś zapewne były białe. Miał sąsiada, młodego chłopca z Pendżabu, który, jak później dowiedziałem się od jednej z pielęgniarek, złamał nogę, spadając z dachu jadącego autobusu. Miał nogę w gipsie, uniesioną do góry przez naciągi ze stalowych linek.

Łóżko Sohraba było przy oknie, przez którego prostokątne szyby padało do środka południowe światło. Przy oknie stał umundurowany ochroniarz, żujący gotowane pestki arbuza – jako niedoszły samobójca, Sohrab był pod całodobowym nadzorem. Doktor Nawaz poinformował mnie, że takie mają przepisy. Na mój widok ochroniarz dotknął palcem daszku czapki i wyszedł na zewnątrz.

Sohrab miał na sobie szpitalną piżamę z krótkimi rękawami. Leżał na plecach z kocem pod szyją, z twarzą zwróconą ku oknu. Myślałem, że śpi, ale gdy podsunąłem do łóżka krzesło, jego powieki zadrgały i uniosły się. Popatrzył na mnie i odwrócił wzrok. Mimo licznych transfuzji był wciąż przerażająco blady. W zagięciu prawej ręki miał duży fioletowy siniak.

– Jak się czujesz? – zapytałem.

Nie odpowiedział. Patrzył przez okno na piaskownicę i huśtawki, ustawione za drucianą siatką w przyszpitalnym ogrodzie. Obok, w cieniu hibiskusa, stała metalowa drabinka, wokół której wiło się kilka wąsów zielonego bluszczu. W piaskownicy bawiło się kilkoro dzieci z wiaderkami i łopatkami. Niebo tego dnia było bezchmurne i błękitne, tylko gdzieś wysoko maleńki odrzutowiec zostawił za sobą dwie równoległe, białe smużki. Znów obróciłem się do Sohraba.

– Przed chwilą rozmawiałem z doktorem Nawazem. Myśli, że za parę dni będzie cię można wypisać. To dobrze, co?

Znów odpowiedziało mi milczenie. Chłopiec na łóżku po drugiej stronie pokoju poruszył się we śnie i zajęczał.

– Podoba mi się twój pokój – powiedziałem, unikając wzrokiem zabandażowanych przegubów Sohraba. – Jest jasny, masz ładny widok.

Cisza. Minęło jeszcze kilka równie niezręcznych minut. Na czoło i górną wargę wystąpiła mi cienka warstwa potu. Pokazałem na nietkniętą miseczkę z *ausz* z zielonego groszku na jego szafce nocnej, na nieużywaną, plastikową łyżeczkę.

– Spróbuj coś zjeść, żeby odzyskać *kuwat*, siły. Nakarmić cię?

Popatrzył na mnie i znów odwrócił wzrok. Twarz miał jakby wykutą z kamienia. Zobaczyłem, że oczy ma wciąż ciemne, puste, tak samo jak wtedy, gdy wyciągałem go z wanny. Sięgnąłem do leżącej przy moich nogach papierowej torby i wyciągnąłem z niej używany egzemplarz *Szahname*, który właśnie zdobyłem w księgarni. Obróciłem go okładką do Sohraba.

– Gdy byliśmy dziećmi, czytałem to twojemu ojcu. Chodziliśmy na wzgórze za domem i siadaliśmy pod granatem...

Urwałem. Sohrab znów patrzył przez okno. Zmusiłem się do uśmiechu.

– Twój ojciec najbardziej lubił opowieść o Rostamie i Sohrabie. Dlatego tak masz na imię. Zresztą przecież wiesz. – Znów urwałem, poczułem się jak idiota. – Pisał mi w liście, że ty też to lubisz najbardziej, więc pomyślałem, że mogę ci poczytać. Chcesz?

Sohrab zamknął oczy. I zakrył je ręką. Tą z siniakiem.

Otworzyłem książkę na stronie, którą zaznaczyłem sobie jeszcze w taksówce.

– Proszę bardzo – powiedziałem i po raz pierwszy zastanowiłem się, co pomyślał sobie Hassan, gdy po raz pierwszy samodzielnie przeczytał *Szahname* i przekonał się, że tyle razy go nabrałem. Odchrząknąłem i zacząłem czytać.

– „Posłuchajcie opowieści o walce Sohraba z Rostamem, choć smutna to będzie opowieść" – zacząłem. – „Zdarzyło się, iż pewnego dnia Rostam powstał z łożnicy, a umysł jego pełen był złych przeczuć. I pomyślał..."

Przeczytałem prawie cały pierwszy rozdział, aż do chwili, gdy młody wojownik Sohrab przychodzi do swojej matki Taminy, księżniczki Samengan, i chce się dowiedzieć, kto jest jego ojcem. Zamknąłem książkę.

– Czytać dalej? Teraz będą bitwy, pamiętasz? Sohrab poprowadzi swoje wojska do Białego Zamku w Iranie. Czytać dalej?

Powoli pokręcił głową. Schowałem książkę do torby.

– W porządku – powiedziałem, podniesiony na duchu, że w ogóle zareagował. – Mogę czytać ci dalej jutro. Jak się czujesz?

Usta Sohraba się otworzyły, ale wydobył się z nich tylko chrapliwy dźwięk.
Doktor Nawaz uprzedził mnie, że tak może być, bo długo miał w krtani
rurkę intubacyjną. Oblizał wargi i spróbował jeszcze raz.

– Zmęczony...

– Wiem. Doktor Nawaz powiedział, że tak się będziesz czuł...

Pokręcił głową.

– Co, Sohrab?

Skrzywił się z bólu, gdy mówił ledwo słyszalnym, zduszonym głosem:

– Mam wszystkiego dość.

Westchnąłem i opadłem na krzesło. Na łóżko, między Sohraba a mnie,
padał snop światła. Przez krótką chwilę popielata twarz patrząca na mnie
z drugiej strony stała się twarzą Hassana – ale nie tego Hassana, z którym
grywaliśmy w kulki aż do wieczornych nawoływań muezina, gdy Ali kazał
nam wracać do domu, nie tego, z którym na wyścigi zbiegałem ze wzgórza,
gdy słońce kryło się za gliniane dachy na zachodzie, ale tego, którego widziałem po raz ostatni, gdy w letnią ulewę niósł za Alim swój dobytek
i upychał go do bagażnika samochodu Baby, a ja patrzyłem na to przez
zalane deszczem szyby okna w moim pokoju.

Jeszcze raz powoli potrząsnął głową.

– Mam wszystkiego dość – powtórzył.

– Powiedz, czego chcesz. Ja...

– Chcę... – zaczął. Znów skrzywił się i podniósł dłoń do gardła, jakby
chciał je sobie przetkać. Mój wzrok znów padł na jego przegub, ciasno
owinięty białym bandażem. – Chcę, żeby było jak dawniej – wyrzucił z siebie.

– Och, Sohrab...

– Chcę do taty. Do mamy. Do Sasy. Chcę się znowu bawić w ogrodzie
z sahibem Rahimem Chanem. Chcę do domu. Mojego domu. – Powiódł
ręką po oczach. – Chcę, żeby było jak dawniej.

Nie wiedziałem, co powiedzieć, co zrobić z oczyma, więc wbiłem wzrok
we własne dłonie. Pomyślałem: „Jak dawniej? Ja też bym tak chciał. Ja też
bawiłem się w tym samym ogrodzie, Sohrab. Mieszkałem w tym samym
domu. Ale tam nie ma już trawy, przed domem parkuje cudzy gazik i brudzi
olejem asfalt. Już nigdy nie będzie tak jak dawniej, Sohrab, bo ludzie z naszego dawnego życia albo nie żyją, albo właśnie umierają. Teraz zostaliśmy
tylko my dwaj. Ty i ja".

– Tego nie mogę ci dać – powiedziałem.

– Szkoda, że...

– Nie mów.

– Szkoda, że... że nie zostawiłeś mnie w wodzie.

– Nigdy tak nie mów, Sohrab – powiedziałem, pochylając się ku niemu. – Nie mogę tego słuchać. – Dotknąłem jego ramienia. Wzdrygnął się. Odsunął. Opuściłem rękę, wspominając z żalem, że przez kilka ostatnich dni, zanim złamałem daną mu obietnicę, w końcu oswoił się z moim dotykiem. – Sohrab, nie mogę sprawić, że będzie jak dawniej, choć, Bóg mi świadkiem, bardzo bym chciał. Ale mogę cię zabrać ze sobą. To chciałem ci powiedzieć, kiedy wszedłem wtedy do łazienki. Masz już amerykańską wizę, możesz zamieszkać ze mną i z moją żoną. To prawda. Obiecuję.

Westchnął przez nos i zamknął oczy. Pożałowałem tego ostatniego słowa.

– Wiesz, zrobiłem w życiu wiele rzeczy, których się wstydzę – zacząłem znowu. – A najbardziej chyba tego, że chciałem zrobić inaczej, niż ci obiecałem. Ale to się już nie powtórzy i bardzo cię za to przepraszam. Błagam cię o wybaczenie. Wybaczysz mi? Uwierzysz? – I dodałem ciszej: – Pojedziesz ze mną?

Czekając na jego odpowiedź, przypomniałem sobie ów zimowy dzień, w którym siedzieliśmy z Hassanem pod bezlistną wiśnią. Byłem wtedy okrutny dla Hassana: zapytałem go, czy gryzłby ziemię, aby dowieść mi swojej wierności. Teraz to ja znalazłem się pod mikroskopem, teraz to ja musiałem coś udowadniać. Dobrze mi tak.

Sohrab przewrócił się na bok, odwrócił do mnie plecami. Długo nic nie mówił. Nagle, gdy już myślałem, że zasnął, powiedział chrapliwym szeptem:

– Jest tak *chasta*. – Tak bardzo zmęczony.

Siedziałem przy nim, póki nie usnął. Coś umarło między nami. Do spotkania z mecenasem Faisalem w jego oczach zaczęło nieśmiało budzić się światło nadziei. Teraz to światło zgasło. Nie wiedziałem, kiedy ośmieli się powrócić. I kiedy Sohrab znów się uśmiechnie. I kiedy mi znów zaufa. I czy to kiedykolwiek nastąpi.

Wyszedłem więc ze szpitala, żeby poszukać innego hotelu. Nie wiedziałem, że minie rok, zanim usłyszę z ust Sohraba następne słowo.

Sohrab w końcu nie zaakceptował mojej propozycji. Ani jej nie odrzucił. Wiedział jednak, że gdy zdjęto mu bandaże i szpitalną piżamę, stał się na nowo jeszcze jednym bezdomnym, hazarskim dzieckiem. Co miał robić? Gdzie się podziać? W efekcie jego zgoda na wyjazd była tak naprawdę cichym poddaniem się losowi. Nie przyzwoleniem, a bierną reakcją kogoś, kto jest zbyt zmęczony, żeby o czymkolwiek decydować i w cokolwiek wierzyć. On pragnął tylko tego, by było tak jak dawniej. Tego nie mogłem mu dać. Dałem mu siebie i Amerykę. Oczywiście mógł trafić znacznie gorzej, ale tego nie mogłem mu powiedzieć. Trudno myśleć logicznie, gdy w głowie kłębią się demony.

W tydzień później zrobiliśmy kilka kroków po płycie lotniska i przywiozłem Hassanowego syna z Afganistanu do Ameryki, ratując go od pewnej zguby i dając mu w zamian zgubną niepewność.

Któregoś dnia w roku 1983 czy 1984 byłem w wypożyczalni wideo we Fremont. Stałem przy westernach. Obok jakiś facet popijał coca-colę z mcdonaldowego kubka. Wskazał na *Siedmiu wspaniałych* i spytał, czy to oglądałem.

– I to trzynaście razy – odpowiedziałem. – W tym filmie umiera i Charles Bronson, i James Coburn, i Robert Vaughn.

Popatrzył na mnie kwaśno, jakbym mu napluł do coli.

– Serdeczne dzięki – powiedział, kręcąc głową i mrucząc coś pod nosem. Wtedy właśnie się przekonałem, że w Ameryce nie wolno nikomu ujawniać, jak coś – film, książka – się skończy. W przeciwnym razie trzeba długo przepraszać za ten śmiertelny grzech.

W Afganistanie liczy się tylko koniec. Gdy wraz z Hassanem wracaliśmy z oglądniętego w kinie Zainab hinduskiego filmu, Alego, Rahima Chana, Babę czy też każdego z niezliczonych znajomych Baby i przewijających się przez dom bliższych i dalszych krewnych interesowało tylko to, czy główna bohaterka znalazła szczęście. Czy *bacze film*, główny bohater, osiągnął *kamjab*, czyli spełnił swoje marzenia, czy też był skazany na *nah-kam*, porażkę?

Oni wszyscy chcieli wiedzieć, czy na końcu filmu ktoś znajduje szczęście. A nie tylko: jak film się kończy?

Gdyby ktoś dziś zapytał, czy na końcu historii Hassana, Sohraba i Amira ktoś znajduje szczęście, nie umiałbym odpowiedzieć. Bo czy czyjakolwiek historia tak się kończy?

Życie to nie hinduski film. Afgańczycy wolą mówić „*zendagi migzara*", życie toczy się dalej, bez końca i początku, bez *kumjab* i *nah-kam*, zawiązania i rozwiązania akcji – jak powolna, okryta kurzem karawana *koczi*.

Więc nie wiem, jak odpowiedzieć na to pytanie. I to pomimo drobnego cudu, jaki wydarzył się w ostatnią niedzielę.

Wróciliśmy mniej więcej siedem miesięcy temu, w ciepły sierpniowy dzień w roku 2001. Soraja przyjechała po nas na lotnisko. Nigdy jeszcze nie rozstawałem się z nią na tak długo, więc gdy rzuciła mi się na szyję, gdy poczułem jabłeczny zapach jej włosów, dopiero wtedy zrozumiałem, jak bardzo za nią tęskniłem.

– Wciąż jesteś porannym słońcem po mojej *jelda* – szepnąłem.

– Co?

– Nic. – Pocałowałem ją w ucho.

Potem klęknęła, by spojrzeć Sohrabowi prosto w oczy. Wzięła go za rękę, uśmiechnęła się do niego.

– *Salam*, Sohrab-dżan, jestem twoja chala Soraja. Wszyscy czekaliśmy na ciebie.

Widząc, jak uśmiecha się do Sohraba, jak oczy jej lekko zachodzą łzami, zobaczyłem w niej matkę, którą by była, gdyby nie zdrada jej własnego łona.

Sohrab przestąpił z nogi na nogę i popatrzył w bok.

Soraja przerobiła gabinet na piętrze na pokój dla Sohraba. Zaprowadziła go tam. Usiadł na łóżku. Na nowej pościeli wznosiły się w liliowo-niebieskie niebo jaskrawe latawce. Na ścianie przy szafie umieściła miarkę w stopach i calach, taką, jaką mierzy się wzrost dziecka. W nogach łóżka zobaczyłem wiklinowy kosz pełen książek, lokomotywę, zestaw akwarelek.

Sohrab miał na sobie prosty, biały podkoszulek i nowe sztruksy, które kupiłem mu tuż przed wyjazdem w Islamabadzie – koszula zwisała luźno z jego kościstych, pochylonych ramion. Twarz nadal była blada, tylko pod oczami widniały ciemne plamy. Patrzył na nas równie obojętnie jak na miski z gotowanym ryżem, które stawiała przed nim salowa w szpitalu.

Soraja zapytała go, czy podoba mu się pokój, i zauważyłem, że ona też stara się nie patrzeć na jego przeguby, ale że i tak jej wzrok co chwila pada na zygzakowate różowe blizny. Sohrab spuścił głowę, włożył dłonie pod uda i nie powiedział nic. A potem już tylko położył głowę na poduszce. Pięć minut później – przez cały czas patrzyliśmy na niego od progu – już chrapał.

My też poszliśmy spać. Soraja zasnęła z głową na mojej piersi. Leżałem w ciemności. Nie spałem. Dawna bezsenność wróciła. Byłem sam na sam z moimi własnymi demonami.

Jakoś w środku nocy wysunąłem się z łóżka i poszedłem do pokoju Sohraba. Stanąłem nad nim, spojrzałem w dół i zobaczyłem, że spod poduszki coś wystaje. Gdy po to sięgnąłem, zobaczyłem polaroidowe zdjęcie Rahima Chana, to, które dałem Sohrabowi, gdy siedzieliśmy przed meczetem Faisala. Na zdjęciu stali obok siebie Hassan i Sohrab. Mrużąc oczy, uśmiechali się tak, jakby świat był dobry i sprawiedliwy. Zastanawiałem się, jak długo już Sohrab wpatrywał się w to zdjęcie, obracał je w palcach.

Jeszcze raz na nie spojrzałem. Rahim Chan napisał w liście, że mój ojciec „był człowiekiem rozdartym na dwoje". Że ja byłem tym, na co społeczeństwo mu pozwalało i równocześnie ucieleśnieniem jego winy. Popatrzyłem na Hassana, na jego brakujące przednie zęby, na częściowo ocienioną twarz, na tę drugą połowę Baby. Tę zakazaną, tę, która odziedziczyła wszystko, co było w nim szlachetne i czyste. Tę, którą w swych najskrytszych myślach Baba uważał może za bliższą sobie.

Odłożyłem zdjęcie tam, gdzie je znalazłem. I wtedy zorientowałem się, że ta ostatnia myśl wcale mnie nie zabolała. Zamykając drzwi do pokoju Sohraba, zastanawiałem się, że może tak właśnie kiełkuje przebaczenie – nie w triumfalnym objawieniu, a w bólu rozstania, wygnania, ucieczki w środku nocy.

Następnego wieczoru przyszli do nas na kolację generał i chala Dżamila. Chala Dżamila miała włosy krótsze i bardziej ciemnoczerwone niż zwykle. Wręczyła Sorai talerz *magut* z migdałami własnej roboty na deser. Na widok Sohraba rozpromieniła się.

– *Maszallach*! Soraja-dżan mówiła nam, jaki jesteś *hosztip*, ale nie wiedziałam, że jesteś aż tak przystojny, Sohrab-dżan. – Wręczyła mu zrobiony na drutach niebieski golf. – Sama go zrobiłam. Przyda ci się w zimie. *Inszallach*, będzie na ciebie w sam raz.

Sohrab przyjął sweter.

Generał był znacznie mniej rozmowny.

– Witaj, młody człowieku – powiedział tylko, wsparty na lasce. Patrzył na Sohraba tak, jakby oglądał dziwaczny bibelot u kogoś w domu.

Musiałem odpowiedzieć na wszystkie pytania chali Dżamili o moje zdrowie – poprosiłem Soraję, żeby powiedziała rodzicom, że napadnięto na mnie na ulicy – zapewnić ją, że już nic mi nie jest i że druty zostaną wyjęte za parę tygodni, abym mógł znów rozkoszować się jej specjałami, i że oczywiście będę nacierał blizny sokiem rabarbarowym z cukrem, by szybciej zbladły.

Gdy Soraja nakrywała z mamą do stołu, my z generałem usiedliśmy w salonie i popijaliśmy wino. Opowiadałem mu o Kabulu, o talibach. Słuchał, kiwał głową, trzymając laskę na kolanach. Wielkie wrażenie zrobiła na nim opowieść o człowieku, który sprzedawał własną protezę. Nie wspomniałem słowem ani o egzekucji na stadionie, ani o Assefie. Zapytał o Rahima Chana, którego, jak twierdził, spotkał kilka razy w Kabulu, i z powagą pokręcił głową na wieść o jego chorobie. Jednak w trakcie całej rozmowy widziałem, że jego wzrok raz po raz wędruje ku śpiącemu na kanapie Sohrabowi. Zupełnie jakbyśmy rozmawiali o wszystkim, tylko nie o tym, o co chciał zapytać.

Oczywiście zapytał jeszcze w trakcie kolacji. Odłożył widelec i powiedział:

– No, Amir-dżan, powiesz nam, dlaczego przywiozłeś ze sobą tego chłopca?

– Ikbal-dżan! A cóż to za pytanie? – odezwała się chala Dżamila.

– Moja droga, ty robisz na drutach, ja odpowiadam za to, jak widzą nas inni. Ludzie będą pytać. Będą ciekawi, dlaczego w domu mojej córki mieszka jakiś hazarski chłopiec. Co mam im powiedzieć?

Soraja upuściła łyżkę i od razu fuknęła:

– Możesz im powiedzieć, żeby...

– Nie, nie, Sorajo – powiedziałem, biorąc ją za rękę. – W porządku. Generał sahib ma rację. Ludzie będą pytać.

– Amir... – zaczęła.

– W porządku. – Zwróciłem się do generała. – Otóż, generale sahibie, mój ojciec przespał się kiedyś z żoną własnego służącego. Dała mu syna imieniem Hassan. Hassan już nie żyje. Ten chłopiec na kanapie to syn Hassana. Mój bratanek. I tak będziemy odpowiadać, gdy nas zapytają.

Patrzyli na mnie w zdumieniu.

– I jeszcze jedno, generale sahibie – dodałem. – Proszę już nigdy w mojej obecności nie mówić o nim „jakiś hazarski chłopiec". Ten chłopiec ma imię. Sohrab.

Do końca kolacji nie zamieniliśmy już ani słowa.

Błędem byłoby powiedzieć, że Sohrab był cichy. Cisza to spokój. Cisza to przykręcenie życiu regulatora z napisem Głośność.

Milczenie to całkowite wciśnięcie wyłącznika. Wyłączenie się z życia. Z wszystkiego.

Milczenie Sohraba nie było też milczeniem ludzi z przekonaniami, ludzi, którzy swym milczeniem protestują przeciwko komuś lub czemuś. Było to milczenie kogoś, kto skrył się w ciemności, kto całkiem się nią owinął.

Nie tyle mieszkał z nami, ile zajmował przestrzeń. Zresztą bardzo mało jej zajmował. Czasem w sklepie lub w parku zauważałem, że inni prawie go nie widzieli, zupełnie, jakby go tam ze mną nie było. Czasem i ja orientowałem się, unosząc głowę znad książki, że nawet nie wiem, kiedy Sohrab wszedł do pokoju i usiadł naprzeciwko mnie. Chodził, jakby bał się zostawiać śladów. Jakby nie chciał poruszać powietrza. A głównie – spał.

Milczenie Sohraba dręczyło też Soraję. Swymi planami względem niego dzieliła się przecież ze mną jeszcze przez telefon, gdy byłem w Pakistanie. Miał być i basen, i piłka nożna, i kręgle... Teraz mijała pokój Sohraba i widziała tam wciąż nietknięte książki w wiklinowym koszu, nierozłożone puzzle – i to wszystko przypominało jej, jak być mogło. O marzeniu, które umarło, jeszcze zanim się narodziło. Nie ona jedna. Ja przecież też miałem swoje marzenia o Sohrabie.

Sohrab milczał, ale świat – nie. W pewien wtorkowy poranek we wrześniu tego roku zawaliły się Dwie Wieże. Świat zmienił się z dnia na dzień. Nagle wszędzie pojawiły się amerykańskie flagi – na antenach żółtych taksówek, przemykających ulicami wśród innych samochodów, w klapach przechodniów, ciągnących nieprzerwanym strumieniem po chodnikach, nawet na brudnych czapeczkach żebraków, wysiadujących w San Francisco pod małymi galeriami i sklepikami. Któregoś dnia minąłem Edith, bezdomną, która codziennie gra na rogu ulic Sutter i Stockton, i zobaczyłem, że i ona ma na pudle na akordeon nalepkę z gwiaździstym sztandarem.

Wkrótce potem Amerykanie zaczęli bombardować Afganistan, ruszyło natarcie Sojuszu Północnego, talibowie pochowali się w norach jak szczury. Nagle ludzie w kolejce do kasy rozmawiali o miastach mojego dzieciństwa, o Kandaharze, Heracie, Mazar-i-Szarif. Gdy byłem bardzo mały, Baba zabrał mnie i Hassana do Kunduz. Niewiele pamiętam z tej wycieczki poza tym, że wraz z Babą i Hassanem siedzieliśmy pod akacją, na zmianę popijaliśmy sok z arbuza z glinianego kubka i urządzaliśmy zawody, kto dalej plunie pestkami. A teraz najpopularniejsi prezenterzy telewizyjni i ludzie sączący *latte* po kawiarniach gadali o bitwie o Kunduz, ostatni bastion talibów na północy kraju. W grudniu w Bonn spotkały się delegacje Pasztunów, Tadżyków, Uzbeków i Hazarów, aby pod czujnym okiem ONZ rozpocząć proces, który pewnego dnia być może zakończy dwudziestoletni ciąg tragedii nękających ich *uatan*. Karakułowa czapka i zielony *czapan* Hamida Karzaja zrobiły w mediach karierę.

A Sohrab spał. Albo poruszał się jak lunatyk.

Wraz z Sorają zaangażowaliśmy się w działalność na rzecz Afganistanu, tak z obywatelskiego obowiązku, jak z potrzeby wypełnienia czymś – czymkolwiek – milczenia w pokoju na piętrze, milczenia, które jak czarna dziura

wciągało w siebie wszystko. Ja sam nie miałem jak dotąd żadnych skłonno-
ści do takich działań, ale gdy pewnego dnia zatelefonował do mnie Kabir,
były ambasador afgański w Sofii, i zapytał, czy nie zechciałbym włączyć
się w pomoc dla pewnego szpitala, nie odmówiłem. Chodziło o szpital niedaleko granicy afgańsko-pakistańskiej z niewielkim oddziałem chirurgicznym specjalizującym się w leczeniu ran po minach u afgańskich uchodźców, który właśnie zamknięto z powodu braku środków. Zostałem szefem
przedsięwzięcia, Soraja moim zastępcą. Prawie każdy dzień spędzałem teraz w moim gabinecie, wysyłając e-maile do ludzi na całym świecie, pisząc
podania o dotacje, organizując zbiórki pieniędzy. I przez cały czas przeko-
nywałem sam siebie, że słusznie uczyniłem, przywożąc tu Sohraba.

Koniec roku zastał nas z Soraja na kanapie. Z nogami pod kocem oglądaliśmy w telewizji wieczór sylwestrowy. Gdy opadła srebrna kula, ludzie
wiwatowali, konfetti zabieliło cały ekran. W naszym domu nowy rok rozpoczął się tak, jak zakończył się stary – milczeniem.

Aż wreszcie cztery dni temu, w chłodny, deszczowy dzień w marcu 2002
roku wydarzyło się coś niezwykłego.

Zabrałem Soraję, chalę Dżamilę i Sohraba na afgański mityng w parku
nad jeziorem Elizabeth we Fremont. Miesiąc wcześniej generał wreszcie
doczekał się wezwania do ministerstwa w Afganistanie. Odleciał dwa tygodnie temu (szary garnitur i kieszonkowy zegarek zostawił w Ameryce).
Chala Dżamila miała dołączyć do niego za parę miesięcy, gdy sytuacja się
wyklaruje, ale na razie tak za nim tęskniła i tak zamartwiała się na odległość
o jego zdrowie, że zmusiliśmy ją, by na jakiś czas przeniosła się do nas.

W poprzedni czwartek, pierwszy dzień wiosny, przypadał afgański Nowy
Rok, *Saul-e-Nau*; Afgańczycy świętowali w całej Kalifornii. Wraz z Kabirem i Soraja mieliśmy osobny powód do radości: nasz szpitalik w Rawalpindi wznowił działalność tydzień temu. Co prawda, nie oddział chirurgicz-
ny, tylko pediatryczny, ale to zawsze coś.

Przez ostatnich kilka dni była piękna pogoda, ale gdy w niedzielę rano
wyskoczyłem z łóżka, usłyszałem bębniące w szyby krople deszczu. Pomyślałem sobie: „No tak, afgańskie szczęście". I uśmiechnąłem się do siebie.
Odmówiłem poranny *namaz*, zanim Soraja wstała – już nie musiałem zaglą-
dać do broszurki z modlitwami, którą wziąłem kiedyś z meczetu, teraz słowa przychodziły same, bez wysiłku.

Na miejsce przybyliśmy około południa. Była tam garstka ludzi, kryją-
cych się pod wielką, prostokątną, plastikową płachtą, rozwieszoną na sześciu

wbitych w ziemię palach. Ale ktoś już smażył *bolani*, para już unosiła się z kubków z herbatą i z kociołka kalafiorowej *ausz*. Ze starego magnetofonu płynęła stara piosenka Ahmada Zahira. Znów się uśmiechnąłem, gdy we czworo ruszyliśmy w ich stronę przez mokry trawnik, Soraja i ja z przodu, chala Dżamila w środku, a z tyłu Sohrab, z podskakującym na plecach kapturem żółtej peleryny.

– Co cię tak śmieszy? – zapytała Soraja, kryjąc włosy pod złożoną gazetą.

– Afgańczyków można wypędzić z Pagmanu, ale Pagmanu nie da się wypędzić z Afgańczyków.

Nachyliliśmy się, by wejść pod zaimprowizowany namiot. Soraja i chala Dżamila wkrótce przeniosły się w pobliże otyłej kobiety smażącej *bolani* ze szpinakiem. Sohrab postał pod płachtą przez chwilę, ale potem znów wyszedł na deszcz i stał z dłońmi wciśniętymi w kieszenie peleryny, z włosami – równie prostymi i tego samego koloru co u Hassana – przylizanymi przez deszcz. Stanął nad mętną kałużą i usilnie się jej przypatrywał. Nikt jakby nie zwracał na to uwagi, nie wołał, by wracał. Z czasem wszelkie pytania o naszego adoptowanego – i niewątpliwie ekscentrycznego – synka na szczęście ustały, co przy tym, jak nietaktowne bywają czasem takie pytania wśród Afgańczyków, przyjęliśmy w sumie z wielką ulgą. Ludzie przestali pytać, czemu nigdy nic nie mówi, czemu nie bawi się z innymi dziećmi. A co najważniejsze, przestali zadręczać nas przesadnym współczuciem, powolnym kiwaniem głowami, cmokaniem, uwagami typu „*gung biczara*", biedny mały niemowa. Ludzie się przyzwyczaili. Sohrab wtopił się w tło jak stara tapeta.

Przywitałem się z niskim, siwym Kabirem. Przedstawił mnie kilkunastu panom. Jeden z nich był emerytowanym nauczycielem, inny inżynierem, inny byłym architektem, jeszcze inny, chirurg z wykształcenia, miał teraz w Hayward stoisko z hot dogami. Wszyscy oznajmili mi, że znali Babę jeszcze z Kabulu, i wyrażali się o nim z wielkim szacunkiem, bo w ten czy inny sposób wywarł jakiś wpływ na ich życie. Mówili, że to wielkie szczęście być synem takiego wielkiego człowieka.

Rozmawialiśmy o trudnym i zapewne niewdzięcznym zadaniu, jakie wziął na siebie Hamid Karzaj, o nadchodzącym *Loja dżirga* i mającym wkrótce nastąpić powrocie króla do ojczyzny po dwudziestu ośmiu latach wygnania. Pamiętałem doskonale noc z roku 1973, gdy rządy Zahir Szacha zakończył jego własny kuzyn, strzelaninę i rozbłyskujące na srebrno niebo – Ali porwał wtedy mnie i Hassana w ramiona, mówił, żebyśmy się nie bali, że to polowanie na kaczki.

Potem ktoś opowiedział kawał o mulle Nasruddinie. Wszyscy się zaśmiali.

– A wiesz, z twojego ojca też był wielki kawalarz – odezwał się Kabir.

– To prawda – odpowiedziałem z uśmiechem, przypominając sobie, jak to wkrótce po przyjeździe do Stanów Baba zaczął narzekać na amerykańskie muchy. Siadał z packą przy stole kuchennym, patrzył na muchy latające od ściany do ściany, bzyczące tu i tam. I mruczał: „W tym kraju nawet muchom się spieszy". Zawsze udawało mu się mnie tym rozśmieszyć. Uśmiechnąłem się do tego wspomnienia.

Deszcz ustał około trzeciej. Niebo było teraz szaro-białe, z grudami chmur. Przez park wiał lekki, chłodny wiatr. Pojawiło się więcej rodzin. Afgańczycy witali się, ściskali, całowali, częstowali jedzeniem. Ktoś zapalił węgiel pod grillem i już po chwili w moje nozdrza uderzyła woń czosnku i kebabu. Grała muzyka – tym razem jakiś nowy, nieznany pieśniarz – śmiały się dzieci. Zobaczyłem, że Sohrab nie zdjął peleryny i że opiera się o pojemnik na śmieci, patrząc na siatkę za stanowiskiem pałkarza na boisku do baseballa.

W chwilę później, gdy gawędziłem z byłym chirurgiem, który przyznał się, że chodził z Babą do ósmej klasy, Soraja pociągnęła mnie za rękaw.

– Amir, patrz!

Wskazywała na niebo. Unosiło się na nim wysoko kilka latawców – żółte, czerwone, zielone plamki na szarym niebie.

– Patrz! – powtórzyła, ale tym razem patrzyła na stojącego opodal przy swym straganie sprzedawcę latawców.

– Potrzymaj mi to – powiedziałem. Podałem jej mój kubek z herbatą, przeprosiłem towarzystwo i podszedłem do straganu, wyciskając butami wodę z mokrej trawy. Wskazałem na żółty *se-parcza*.

– *Saul-e-nau mubarak* – powiedział sprzedawca, biorąc ode mnie dwudziestodolarowy banknot, wręczając mi latawiec i drewnianą szpulę szklanej *tar*. Podziękowałem mu i też życzyłem mu szczęśliwego nowego roku. Sprawdziłem linkę tak, jak to robiliśmy z Hassanaem – chwytając ją między kciuk a palec wskazujący i ciągnąc. Linka zaraz zaczerwieniła się od krwi, sprzedawca się uśmiechnął, ja też.

Podszedłem z latawcem do Sohraba, wciąż stojącego z założonymi rękoma przy pojemniku na śmieci. Patrzył w niebo.

– Podoba ci się *se-parcza*? – zapytałem, unosząc latawiec w górę za poprzeczną listewkę. Jego wzrok powędrował od nieba ku mnie, ku latawcowi i znów ku niebu. Po jego włosach i twarzy pociekło jeszcze trochę wody.

– Czytałem kiedyś, że w Malezji używają latawców do łowienia ryb – powiedziałem. – Założę się, że o tym nie wiedziałeś. Przywiązują do nich żyłki i puszczają je poza płycizny, bo nie rzucają cienia i nie płoszą ryb. A dawno temu w Chinach dowódcy posyłali latawcami rozkazy dla swych wojsk. Serio. Nie zmyślam. – Pokazałem mu zakrwawiony kciuk. – Linka też jest jak trzeba.

Kątem oka zauważyłem, że Soraja przygląda nam się spod namiotu. Że w napięciu wcisnęła dłonie pod pachy. W odróżnieniu ode mnie powoli zrezygnowała z prób nawiązania kontaktu – zbyt bolesne były dla niej pytania, pozostawione bez odpowiedzi, puste spojrzenia, milczenie. Przestawiła się na czekanie na zielone światło ze strony Sohraba.

Pośliniłem palec wskazujący i podniosłem go w górę.

– Pamiętam, że twój ojciec sprawdzał kierunek wiatru w ten sposób, że tupał w ziemię sandałem i patrzył, w którą stronę poleci kurz. Znał dużo takich sztuczek – powiedziałem. Opuściłem palec. – Wiatr jest zachodni.

Sohrab otarł kroplę deszczu z ucha i przestąpił z nogi na nogę. Nic nie powiedział. Pomyślałem sobie, że już parę miesięcy temu Soraja zapytała mnie, jaki on ma głos. Odpowiedziałem wtedy, że już zapomniałem.

– Mówiłem ci już, że twój ojciec najlepiej łapał latawce w całym Uazir Akbar Chan? A może nawet w całym Kabulu? – zapytałem znowu, łącząc wolny koniec *tar* ze sznurkiem przywiązanym do środkowej listewki. – Wiesz, jak inne dzieci mu zazdrościły? Jak biegł za latawcem, nawet nie patrzył w niebo. Ludzie mówili o nim, że goni za cieniem latawca. Ale oni nie znali go tak dobrze jak ja. On za niczym nie gonił. On po prostu... wiedział.

W niebo poszybowało tymczasem jeszcze kilka latawców. Ludzie zaczęli się gromadzić w grupki i z kubkami z herbatą w dłoniach nie odrywali oczu od nieba.

– Pomożesz mi go puścić? – zapytałem.

Wzrok Sohraba skoczył od latawca do mnie. I wrócił na niebo.

– Dobra – wzruszyłem ramionami. – Widzę, że będę musiał puścić go *tanhai*, sam.

Lewą dłonią ująłem szpulę i odciągnąłem z niej mniej więcej metr linki. Żółty latawiec zawisnął na niej tuż nad mokrą trawą.

– Na pewno nie chcesz? – spytałem. Ale Sohrab patrzył już na dwa latawce szybujące wysoko nad drzewami.

– W porządku. No, to... – Puściłem się biegiem, rozpryskując wodę z kałuż, trzymając za uwiązany do latawca koniec linki wysoko nad głową.

Bardzo dawno tego nie robiłem, zastanawiałem się, czy nie zrobię z siebie widowiska. Biegnąc, zwolniłem w lewej dłoni szpulkę, poczułem, że wysnuwająca się linka znów rani mnie w prawą. Latawiec unosił się już w górę nad moim ramieniem, zataczał małe kółka, przyśpieszyłem kroku. Szpula zakręciła się jeszcze szybciej, szklany sznurek znów przeciął mi skórę prawej dłoni. Zatrzymałem się i obróciłem. Spojrzałem w górę. Uśmiechnąłem się, bo mój latawiec kiwał się teraz na obie strony jak wahadło, wydając ten sam dźwięk – jakby machał skrzydłami papierowy ptak – który zawsze kojarzył mi się z zimowymi porankami w Kabulu. Ćwierć wieku nie puszczałem latawców, ale nagle znów miałem dwanaście lat, nagle znów umiałem to robić instynktownie.

Poczułem, że ktoś stoi przy mnie. Sohrab. Z dłońmi wciśniętymi głęboko w kieszenie peleryny. Szedł za mną.

– Chcesz spróbować? – spytałem. Nic nie odpowiedział, ale gdy wyciągnąłem ku niemu linkę, jego dłoń wynurzyła się z kieszeni. Zawahała się. Ujęła linkę. Serce zabiło mi mocniej, gdy nawijałem na szpulkę nadmiar linki. Staliśmy bez słowa obok siebie, z szyjami wykręconymi ku niebo.

Wokół nas biegały dzieci, ślizgały się po trawie. Teraz ktoś puścił muzykę z jakiegoś starego hinduskiego filmu. Kilku starszych panów odmawiało popołudniowy *namaz* na rozłożonym na ziemi plastikowym obrusie. Powietrze pachniało mokrą trawą, dymem i pieczonym mięsem. Pragnąłem z całych sił, żeby czas się zatrzymał.

Potem zauważyłem, że nie jesteśmy sami. Do naszego latawca zbliżał się inny, zielony. Biegnąc wzrokiem po jego lince, zobaczyłem, że kieruje nim stojący jakieś trzydzieści kroków od nas młody chłopak. Był ostrzyżony na jeża, a na koszulce miał wypisany dużymi, czarnymi literami napis ROCK RZĄDZI. Zauważył, że patrzę na niego, uśmiechnął się i pomachał mi ręką. Ja też mu pomachałem.

Sohrab oddał mi linkę.

– Na pewno? – zapytałem, biorąc ją do ręki.

Wyjął mi z dłoni szpulkę.

– Dobra – powiedziałem. – To co, damy mu *sabach*, nauczkę?

Zerknąłem na Sohraba. Zniknął gdzieś szklany, pusty wzrok. Teraz jego oczy patrzyły to na nasz latawiec, to na zielony. Na policzkach wykwitł mu lekki rumieniec, oczy nagle stały się czujne, bystre, żywe. Pomyślałem sobie, że sam nie pamiętam, kiedy zapomniałem, że wciąż jest przecież dzieckiem.

Zielony latawiec skradał się ku naszemu.

– Poczekajmy – powiedziałem. – Niech się jeszcze zbliży.
Tamten dwukrotnie obniżył lot, był coraz bliżej.
– No chodź. No chodź – mruknąłem.
Zielony latawiec przybliżył się jeszcze bardziej, trzymał się trochę nad naszym, nieświadomy zastawionej na siebie pułapki.
– Patrz, Sohrab. Pokażę ci jedną z ulubionych sztuczek twojego taty.
Sohrab stał tuż obok mnie i głośno sapał przez nos. Szpulka kręciła się w jego dłoni, ścięgna w zabliźnionych przegubach napięły się jak postronki. Nagle zamrugałem oczyma, bo dłonie zaciśnięte na szpuli stały się na chwilę stwardniałymi dłońmi chłopca z zajęczą wargą. Usłyszałem krakanie, spojrzałem w górę. Cały park błyszczał w padającym śniegu, tak oślepiająco białym, że aż zapiekły mnie oczy. Śnieg sypał się z gałęzi ubielonych drzew. Poczułem zapach kurma, suszonej morwy, kwaśnych pomarańczy, trocin i orzechów. Cisza, śniegowa cisza, była aż ogłuszająca. Z daleka dobiegł mnie głos wołający nas do domu, głos człowieka powłóczącego prawą nogą.
Zielony latawiec był teraz bezpośrednio nad naszym.
– Zaraz zaatakuje... – powiedziałem, przerzucając wzrok z Sohraba na latawiec.
Zielony latawiec zawahał się. Utrzymał pozycję. I runął w dół.
– Leci! – zawołałem.
Udało mi się świetnie. Nie wyszedłem z wprawy. Po tylu latach wzlot w górę i pikowanie w dół wyszło mi jak dawniej. Rozluźniłem uchwyt i pociągając za linkę, wykonałem unik. Teraz kilka pociągnięć w bok i nasz latawiec zakręcił w górę. I nagle znalazł się nad zielonym. Tamten szalał ze strachu, ale było już za późno. Sztuczka Hassana znów się udała. Jeszcze jedno silne pociągnięcie i nasz latawiec rzucił się w dół. Prawie czułem, jak nasza linka przecina drugą. Prawie słyszałem trzask.
A potem zielony latawiec zakręcił się bezradnie, opadając w dół.
Za plecami usłyszałem oklaski, gwizdy, okrzyki. Dyszałem ciężko. Ostatni raz czułem się tak owego zimowego dnia roku 1975, gdy ściąłem ostatni latawiec i zobaczyłem na naszym tarasie rozpromienionego, bijącego mi brawo Babę.
Spojrzałem w dół, na Sohraba. Jeden z kącików ust uniósł mu się w górę.
Uśmiech.
Krzywy.
Prawie niewidoczny.
Ale był.

Za nami dzieci już przepychały się jedno przez drugie, żeby dopaść do ściętego latawca. Zamknąłem oczy, a gdy znów je otworzyłem, uśmiech na twarzy Sohraba znikł. Ale był. Widziałem.

– Złapać ci go?

Jego grdyka uniosła się i opadła, gdy przełykał ślinę. Wiatr rozwiał mu włosy. Wydało mi się, że dostrzegłem lekkie skinienie.

– Dla ciebie – tysiąc razy. – Usłyszałem własny głos.

Odwróciłem się i pobiegłem.

Uśmiech, nic więcej. Jeszcze nic się nie zmieniło. W ogóle nic się nie zmieniło. Mały, ledwie widoczny uśmiech. Jak listek na drzewie, trzęsący się w powiewie skrzydeł spłoszonego ptaka.

Ale niech będzie. Biorę. Z otwartymi rękoma. Bo gdy przychodzi wiosna, śnieg topnieje tak samo – płatek po płatku. Może właśnie to zobaczyłem przed chwilą: stopniał pierwszy płatek śniegu.

Biegłem. Dorosły mężczyzna w tłumie rozwrzeszczanych dzieci. Nie przeszkadzało mi to. Biegłem, czując wiatr na twarzy, z uśmiechem szerokim jak cała dolina Panczsziru.

Biegłem.

Podziękowania

Za rady i pomoc merytoryczną i duchową muszę podziękować wielu koleżankom i kolegom. Są to: dr Alfred Lerner, Dori Vakis, Robin Heck, dr Todd Dray, dr Robert Tull i dr Sandy Chun. Dziękuję również Lynette Parker z Poradni Prawnej z San Jose za jej rady z dziedziny prawa adopcyjnego, a panu redaktorowi Daudowi Wahabowi za podzielenie się ze mną swoimi przeżyciami z Afganistanu. Wdzięczność za pomoc chciałbym wyrazić też mojemu drogiemu przyjacielowi Tamimowi Ansary'emu oraz całej ekipie z warsztatów literackich z San Francisco – za uwagi i słowa zachęty. Chcę podziękować ojcu, mojemu najstarszemu przyjacielowi, któremu Baba zawdzięcza wszystkie pozytywne cechy charakteru; matce, która modliła się za mnie i składała nazr na każdym etapie pracy nad tą książką, i ciotce – za to, że kupowała mi tyle książek, gdy byłem mały. Za to, że czytali moje opowiadania, muszę podziękować osobom, takim jak Ali, Sandy, Daud, Walid, Raja, Szalla, Zara, Rob i Kader. Chcę wyrazić wdzięczność moim drugim rodzicom, doktorostwu Kajumy, za miłość i nieustającą pomoc.

Muszę podziękować również mojej agentce i przyjaciółce Elaine Koster za jej mądrość i świętą cierpliwość. I Cindy Spiegel za profesjonalną i inteligentną redakcję. To jej zawdzięczam otwarcie tylu różnych drzwi tej opowieści. I Susan Petersen Kennedy za to, że zgodziła się zaryzykować wydanie tej książki, i wszystkim w Riverhead Books za ciężką pracę.

Wreszcie sam nie wiem, jak mam dziękować mojej pięknej żonie Roi – której nie umiem nie pytać o zdanie – za jej dobroć i spokój; za to, że czytała raz po raz każdą kolejną wersję tej powieści. Za twoją cierpliwość i wyrozumiałość zawsze będę cię kochał, Roja-dżan.

WYDAWNICTWO AMBER Sp. z o.o.
00-060 Warszawa, ul. Królewska 27, tel. 620 40 13, 620 81 62
Warszawa 2005. Wydanie I
Druk: Finidr, s.r.o., Český Těšín